Hans Galesloot

Mevrouw Majesteit

ARENA

Deze geschiedenis is een gefictionaliseerde interpretatie van gebeurtenissen aangaande bestaande personen en is gebaseerd op open bronnen en een incompleet historisch dossier.

Eerste druk, november 2002
Tweede druk, december 2002

© 2002 Hans Galesloot en Uitgeverij Arena
Omslagontwerp: Studio Jan de Boer BNO, Roald Triebels
Omslagfoto: Karsh of Ottawa / Camera Press / ABC
Typografie en zetwerk: CeevanWee, Amsterdam
ISBN 90 6974 487 2
NUR 301

'There is something rotten in the state of Denmark.'

WILLIAM SHAKESPEARE, *Hamlet*

Inhoud

~

Omzien in verwondering I

E en mannenhand gleed over de kaft van een vergeelde op-
bergmap en sloeg hem open. Louis Beel bekeek de brieven
aandachtig onder het licht van de schemerlamp. Hij herkende zijn handschrift van dertig jaar geleden nauwelijks meer, het
was in de loop van de jaren veranderd. Het briefpapier en de blauwe inkt waren verkleurd, maar de woorden die hij langgeleden had
opgeschreven stonden nog steeds als getuigen aan een voorbije tijd
op papier. Herinneringen aan de gebeurtenissen kwamen bij het
lezen langzaam naar boven. Hij was niet ijdel genoeg om zijn brieven ongecensureerd voor het nageslacht te bewaren. Hij wilde ze
ook niet aan de archivaris van het algemeen rijksarchief geven,
waar men vast en zeker door een historicus van naam een biografie
over zijn leven zou laten schrijven. Hij wist dat zijn verzamelde
brieven een nieuw licht op een verborgen geschiedenis zouden
werpen, dat zijn rol bij het redden van de monarchie in de jaren
vijftig alsnog bekend zou worden. Zijn plichtsbesef betreffende geheimhouding was groter dan zijn verlangen naar een plek in de geschiedenis. Louis Beel wilde zijn brieven nog voor zijn dood zelf

selecteren, zodat ze nooit ofte nimmer in verkeerde handen zouden vallen. Hij was van plan de delen van zijn archief die geschikt waren voor publicatie weg te geven, maar wilde ze eerst persoonlijk schonen van belastende feiten. De afgelopen dagen had hij al honderden brieven uitgezocht. Hij bladerde weemoedig door een nieuwe map met papieren en liet ze na lezing stuk voor stuk in de rieten mand naast de tafel vallen. Hij keek door het raam naar buiten en zag dat Ria achter in de besneeuwde tuin documenten in de vuurkorf gooide. Door de winterse bries waaiden halfverbrande papieren op. Ria holde erachteraan, gleed bijna uit op het beijzelde tuinpad, griste de papieren uit de struiken en gooide ze opnieuw in het vuur. Beel zwaaide goedmoedig naar Ria, die lachend terugzwaaide. Ze maakte een sneeuwbal en gooide die richting het huis. Beel zag de bal uiteenspatten op de ruit en zette zijn leesbril op. Zijn brieven uit die tijd waren geschreven in het krachtige handschrift van een man die vooruit wilde komen in de wereld, die ondanks de Duitse bezetting vertrouwen had in de mensen. Hij las de brieven uit zijn tijd als ambtenaar op het gemeentehuis in Eindhoven; toen hij in 1942 zijn ontslag als gemeentesecretaris aanbood was hij net veertig. Hij liet de NSB-burgemeester van Eindhoven weten dat hij niet langer onder Duits bevel wilde werken. Op dat moment wist hij nog niet dat dit besluit zijn leven zou veranderen, dat hij door deze kleine daad van verzet enkele jaren later minister-president zou worden van de eerste rooms-rode coalitie van na de oorlog. Koningin Wilhelmina had hem op het Engelse landgoed Mortimer ontboden. Louis kon na zijn kleine verzetsdaad in haar ogen geen kwaad meer doen. Hare Majesteit vroeg hem zitting te nemen in haar nieuwe regering. Zij ging op draconische wijze tekeer tegen iedereen die naar landverraad riekte, en dat waren er velen in die tijd.

Beel overzag op zijn oude dag de rode draad in zijn politieke loopbaan. Hij had altijd naar eer en geweten gehandeld, maar toch had hij sommige mensen in zijn directe omgeving ernstige schade berokkend. Dat besef kwam pas met de jaren. Beel wist maar al te goed dat een goed gemoed en een zuiver geweten niet voldoende waren om verantwoord macht uit te oefenen, hoe macht altijd met onbedoelde gevolgen gepaard ging die niemand kon voorzien, en die pas vele jaren later aan het licht kwamen. Louis zag op deze winterse middag zijn levensloop weerspiegeld in zijn handschrift. Het verval door zijn ziekte werd zichtbaar in het verloop van zijn handschrift door de jaren heen. Vroeger was het evenwichtig van vorm en ritme, in latere jaren schoot zijn vulpen steeds vaker uit alsof zijn ergernis een uitweg zocht. Tegen het eind van zijn politieke loopbaan bevatte elke geschreven regel hanenpoten en uitschieters.

De afgelopen dagen had Beel zijn omvangrijke archief samen met Ria Ruyg, zijn levensgezellin en huishoudster, op orde gebracht. Tientallen gele enveloppen en dossiers lagen opgestapeld op de eiken tafel, voorzien van etiketten. Officiële documenten van algemeen staatsbelang moesten naar het Kabinet der Koningin worden gestuurd. De notities van de vele kabinetsformaties waarbij hij een rol had gespeeld lagen gesorteerd op tafel. Op het etiket van de eerste map stond geschreven: 'Notities kabinetsformatie 1946', dan de map uit 1948, vervolgens de map uit 1952, en tot slot die uit de jaren 1959, 1963, 1966, 1967 en 1971. Een viertal gele enveloppen met het opschrift 'Kabinetscrisis 1955, 1958, 1965, 1972' lag op tafel. Na opschoning had hij ze geparafeerd. Beel schoof een stoel aan en pakte een staafje rode zegellak. Hij maakte de lak heet boven een kaars en druppelde hem op de sluiting van de envelop. Het geknetter doorbrak de stilte in de salon. Hij pakte zijn koperen zegel, duwde zijn stempel in de natte lak en blies deze droog.

Beel droeg een donker kostuum, een wit overhemd en stropdas, hij kon altijd onaangekondigd bezoek krijgen. Beel leek eerder op een dorpspastoor dan op de gepensioneerde staatsman en onderkoning van het Nederlandse koninkrijk van na de oorlog. Tot aan de formatie van het eerste kabinet-Den Uyl in de jaren zeventig had hij als minister van Staat zijn invloed doen gelden. Vele politieke ambten had hij de afgelopen dertig jaar bekleed, van minister van Binnenlandse Zaken tot minister-president. Hij was ten tijde van de dekolonisatie en onafhankelijkheid van Indië Hoge Vertegenwoordiger van de Kroon geweest. In zijn eigen ogen was hij altijd een demofiel gebleven, een politicus die delicate kwesties achter de schermen 'wel efkes regelde'. Hij had nooit enige behoefte gevoeld aan publiciteit en ceremonieel vertoon. Hoe onbelangrijker hij overkwam in de ogen van de buitenwacht, hoe beter hij zijn politieke handwerk kon verrichten buiten het gezichtsveld van anderen.

Op 6 februari 1976 rond de klok van vier uur ging de telefoon. Ria klopte de sneeuw van haar bontlaarzen op de deurmat af en liep gehaast de salon in om de telefoon op te nemen.

'Ria, je spreekt met Juliana. Is Louis thuis?' Ria legde haar hand over de hoorn. Ze fluisterde dat het paleis aan de telefoon was. Louis zette zijn leesbril af en nam de hoorn van haar over.

'Met Beel,' zei hij vriendelijk.

'Louis, vind je het goed als ik vanavond langskom?' vroeg Juliana.

'Ja, natuurlijk, dan kunnen we samen naar het journaal kijken,' antwoordde Beel.

'Den Uyl is net vertrokken, maar dat vertel ik je vanavond wel,' zei de koningin.

'Goed, tot vanavond dan,' antwoordde Beel. Hij legde de hoorn neer.

'Komt Juliana vanavond?' vroeg Ria. Louis knikte. Hij nam Ria bij de arm en wees naar de enveloppen die op tafel lagen uitgespreid. 'Deze moeten allemaal naar het Kabinet der Koningin worden gebracht. De archivaris weet ervan.' Ria knikte. Louis pakte een verkreukelde envelop uit een archiefdoos die onder de tafel stond en gaf deze aan Ria.

'Wil je deze meteen verbranden?'

Ria las het opschrift: 'Inzake mejuffrouw Hofmans 1956' en daaronder: 'Rapport commissie-Beel 1956, het koninklijk huis'.

'Weet je het zeker?' vroeg ze nadrukkelijk. Louis drukte haar op het hart dat hij zeker was van zijn zaak.

Die avond reed een zwarte hofauto over de besneeuwde laan in de villawijk in Doorn. De chauffeur parkeerde op de oprit voor huize Beel. Juliana stapte uit voordat haar chauffeur het portier kon openen. Ze snoof de frisse winterlucht op, knoopte haar bontjas dicht en deed haar handtas open om haar Belinda's te pakken. De chauffeur gaf haar een vuurtje. Juliana inhaleerde diep en blies de rook de koude avondlucht in. Louis en Ria kwamen naar buiten.

'Kom binnen,' zei Beel. Juliana en haar chauffeur liepen achter hem aan naar binnen. Ria Ruyg serveerde koffie terwijl Juliana de verzameling archiefenveloppen op de tafel bekeek.

'Ik ben aan het opruimen,' merkte Beel luchthartig op.

De koningin ging tegenover Louis in de leunstoel voor de open haard zitten. Zij keek hem aandachtig aan, boog voorover en pakte zijn hand.

'Hoe gaat het met je gezondheid, Louis?'

Louis wikte en woog of hij openhartig tegenover haar zou zijn over zijn voortschrijdende ziekte. Ze had al genoeg aan haar hoofd. Hij bedacht een antwoord dat haar niet zou alarmeren, maar toch recht deed aan zijn medische situatie.

'Niet zo best,' antwoordde hij.

'Moet je terug naar het ziekenhuis?' vroeg ze bezorgd.

'Ja,' zei hij kalm, in de hoop dat verdere vragen achterwege zouden blijven.

'Heeft Bernhard gebeld?' vroeg ze.

Beel schudde ontkennend.

'Ik heb het hem nog zó gevraagd.'

Louis was niet verrast dat Bernhard zijn belofte niet was nagekomen. Hij was de laatste dagen van een koude kermis thuisgekomen. Bernhard was wat hem betreft aardig door de mand gevallen, terwijl hij hem al die jaren de hand boven het hoofd had gehouden tegenover eenieder die hem aanviel of bekritiseerde.

Beel had Bernhard in 1944 leren kennen op het landgoed Mortimer. De prins was destijds adjudant in dienst van Wilhelmina. Beel was meteen ingenomen door de warme persoonlijkheid van de Duitse prins. Bernhard sprak openhartig over zijn gevoelens en maakte van zijn hart geen moordkuil. Als kleinburgerlijke, katholieke ambtenaar uit Eindhoven kende Beel zo'n flamboyant open omgang niet, hij was gewend aan formele omgangsvormen. 'Ik heb hem altijd vertrouwd. Ik heb er geen woorden voor. Hij heeft iedereen al die tijd belazerd,' zei Louis gelaten.

'Den Uyl neemt de zaak hoog op,' zei Juliana. Ze had de kwestie 's ochtends in het bijzijn van haar adviseurs met Den Uyl op het paleis besproken.

'Als adviseur van de Kroon heb ik inzake Bernhard een ernstige inschattingsfout gemaakt,' constateerde Beel teleurgesteld. 'Dat ik daar ben ingestonken, dat begrijp ik niet.'

'Dat komt door zijn charme, Louis, die werkt bij iedereen.'

'Ja, nu je het zo zegt – vanaf de eerste kennismaking ging ik voor de bijl.'

'Ik was overgekomen uit Canada,' zei Juliana. 'Ik was erbij, jij was nog zo'n jong kereltje.'

'Tweeënveertig is niet zo jong,' zei Beel. Hij herinnerde zich die eerste kennismaking aan het hof nog goed. Wilhelmina ontving hem als een gelouterde verzetsheld op landgoed Mortimer. Hij had geprobeerd zijn daad van verzet af te zwakken en te relativeren. Wilhelmina wilde daar niets van weten. Ze schold op haar ministers in Londen, met name op een van hen, die tijdens de hongerwinter in 1944 met zijn familie in Sankt Moritz wilde gaan skiën. Ze had deze minister te kennen gegeven dat hij wat haar betreft kon doodvriezen op een Zwitserse gletsjer. Hij hoefde niet meer terug te komen. Louis raakte als eenvoudige burgerjongen onder de indruk van prinses Juliana en prins Bernhard. Bernhard zag er indrukwekkend uit in zijn Royal Air Force-uniform. Juliana was een mooie, eigenzinnige, jonge vrouw. Tijdens dat bezoek bestookte Wilhelmina Beel met haar ideeën over het nieuwe gezag in herrijzend Nederland. Na de bevrijding zou ze de bezem door die stoffige Haagse kast halen. De vorstin wilde korte metten maken met de bevoegdheden van de Tweede Kamer, want die vertraagden de besluitvorming alleen maar. Ze wilde per decreet gaan regeren als een ware vorstin. Ze wilde niet terug naar paleis Huis ten

Bosch, maar gewoon tussen het volk in Den Haag gaan wonen. De vorstin nam geen blad voor de mond. Bernhard reed hem 's avonds in een sportwagen terug naar Londen.

'Je moeder zag in mij de nieuwe Nederlander naar wie ze op zoek was. Ons land moest opnieuw worden opgebouwd en Bernhard heeft zich daar onvermoeibaar voor ingezet.'

'Dat doet hij nog steeds,' merkte Juliana glimlachend op.

'Ik was tenslotte maar een katholiek ambtenaartje uit Brabant,' zei Louis. Hij moest in die tijd wennen aan de omgang aan het hof. De ontmoetingen met Bernhard na de bevrijding stonden hem nog helder voor de geest. Beel was uitgenodigd voor een drijfjacht op het St. Hubertus-jachtslot op de Veluwe. Louis was als kind in Brabant opgegroeid met de jacht op klein wild, eenden en hazen. Niet eerder had hij een drijfjacht op groot wild meegemaakt. 's Ochtends kwam een hofauto hem thuis ophalen. Het gezelschap jagers bestond uit Nederlandse industriëlen, mannen als Tromp en Saal Zwanenberg, wederopbouwers van het koninkrijk. Louis was die dag Bernhards persoonlijke gast en hij leerde hem het naderende wild te observeren en zijn jachtgeweer aan te leggen. De jagers zaten verdekt opgesteld aan de bosrand. In de verte hoorden zij de drijvers schreeuwen. Een jong zwijn werd uit het kreupelhout gedreven en rende over de heide, het vluchtte gillend in de richting van de wachtende jagers. Bernhard zat naast Louis geknield in het gras met het geweer in de aanslag.

'Louis, hou hem in het vizier en richt vlak voor hem, anders schiet je mis,' zei Bernhard. Louis volgde het zwijn.

'Schiessen!' zei Bernhard. Louis haalde de trekker over. Het zwijn vloog over de kop en het gegil verstomde langzaam. Bernhard klapte in zijn handen.

's Middags lag de buit van de jacht, een veertigtal herten en zwijnen, op een rij op het bordes van het jachtslot. Hofbedienden liepen af en aan. De prins feliciteerde Louis nogmaals met het succes van zijn eerste drijfjacht en pakte een gekarteld mes.

'Alsjeblieft, de hartsvanger,' zei hij en gaf het mes aan Louis.

Het zwijn dat Beel had geschoten werd door twee drijvers op de rug gelegd met de poten omhoog. Beel keek naar het dode dier, terwijl een drijver hem instrueerde. Louis bukte, sneed met de hartsvanger de borstkas open en trok de ribben uit elkaar. 'Haal het hart eruit, Louis,' zei Bernhard. Louis sneed het hart los en legde het naast het dier op de tegels. Hij pakte de fles kruidenbitter aan van een bediende en alle jagers kregen kelkjes aangereikt. De jagers brachten een toast uit op Beels eerste zwijn.

'Die Hose aus, Louis!' riep Bernhard. Louis begreep al snel dat dit bij het jachtritueel hoorde. Verlegen knoopte hij zijn broek open en liet die in de joviale sfeer van mannen onder elkaar zakken. Hij bukte voorover en trok zijn jagersjasje omhoog. Bernhard gaf Louis met de bebloede hartsvanger drie tikken op zijn billen. De jagers klapten instemmend en Bernhard sloeg zijn arm om Beels schouder heen.

'Jetzt bist Du ein Jäger, mein lieber Louis,' zei de prins. De fotograaf nam een foto van Bernhard en Beel.

Louis liet de oude vergeelde foto aan Juliana zien.

'Benno was een vrijbuiter, om niet te zeggen een losbol in die jaren. Ik zat al die tijd in Ottawa en kwam pas in 1945 terug in Nederland. Hij reed mij door het land in de Mercedes van Seyss-Inquart, dat slagschip had hij in beslag genomen in Wageningen,' zei Juliana. De mensen aan het hof vonden het ongepast dat hij in de auto van de voormalige bezetter rondreed, maar Bernhard vond dat juist amusant. Juliana en Bernhard reden in die zwarte Duitse twaalfcilinder door de verwoeste straten van Rotterdam. Stank, puinhopen, ontheemde mensen en gerepatrieerde vluchtelingen trokken voorbij. Nooit eerder was het tot Juliana doorgedrongen hoe groot de verwoesting was geweest. Ze keek stilzwijgend naar de platgebombardeerde huizen en uitgehongerde, gekwelde gezichten van de mensen op straat. Ze vond het deerniswekkend wanneer deze mensen voor haar bogen. De vrolijke tijden van voor de oorlog waren voorgoed voorbij, hoewel dat Bernhard allerminst leek te storen. Hij stroomde nog steeds over van *joie de vivre*. Hij leek onaangedaan door de ellende van de oorlog. Juliana had hem gemist tijdens haar jaren van ballingschap in Canada. Zijn bezoekjes aan Ottawa duurden net lang genoeg om in verwachting te raken. Zij was net vijfentwintig toen ze Bernhard op initiatief van haar moeder had ontmoet. Juliana had nauwelijks ervaring met jongemannen. Wilhelmina probeerde haar dochter met grote voortvarendheid aan een echtgenoot te helpen, het voortbestaan van de Oranje-dynastie stond immers op het spel. Mocht Juliana geen kinderen krijgen, dan konden ze de Nederlandse monarchie wel opdoeken, dat onmiskenbare feit hield haar moeder Juliana telkens voor ogen. Er moest en zou nageslacht komen, en liever vandaag dan morgen. Wilhelmina duldde geen tegenspraak van haar eigenzinnige dochter, die liever boeken las dan achter de mannen aan zat. Juliana ontving de geschikte kandidaten met gepaste afstandelijkheid. Heimelijk genoot ze ervan dat haar moeder eindelijk iets van haar verlangde. Juliana voelde zich belangrijk in haar moeders ogen. De oude vorstin was bij elke kennismaking nadrukkelijk present, omdat ze de door ambassadeurs en diplomaten voorgedragen huwelijkskandidaten persoonlijk wilde keuren. Natuurlijk kon alle koninklijke pracht en praal niet verhullen dat er een vader voor Juliana's kinderen werd gezocht. Juliana had er plezier in om zich lichtelijk afwijzend op te stellen tegenover deze mannen, ze keurde de een na de ander af. Haar moeder was niet geamuseerd door haar houding. Juliana vond het een onverdraaglijke gedachte dat zij niet de vrije hand kreeg in de keuze van haar levenspartner, maar moeder liet weten dat ze voor haar getreuzel geen tijd had. Wilhelmina kende geen rust voor het huwelijk in kannen en kruiken was. Te pas en te onpas werd Juliana aan vreemde prinsen voorgesteld, wie zij op fijnzinnige wijze liet merken dat de belangstelling niet wederzijds was. Wilhelmina pruilde. De Nederlandse ambassadeurs en diplomaten maakten overuren in hun zoektocht naar een geschikte kandidaat. In 1936 had de Nederlandse ambassadeur te Parijs, de heer Loudon, eindelijk een geschikte Duitse prins gevonden: Bernhard zur Lippe-Biesterfeld. Moeder had een rendez-vous georganiseerd tijdens de Olympische Winterspelen in Garmisch-Partenkirchen, waar Wilhelmina en Juliana op skivakantie waren. Juliana had zich opzettelijk onaantrekkelijk gekleed om deze jonge Duitser op de proef te stellen, een doeltreffende methode om het kaf van het koren te scheiden. Ze droeg een grote muts en een dikke bontjas, zodat haar molligheid nog extra werd geaccentueerd. Juliana vond het idee dat zo'n prins met haar zou trouwen om haar positie en rijkdom weerzinwekkend. Juliana verlangde naar wederzijdse sympathie, begrip en liefde, maar besefte dat dit vrijwel onhaalbaar was gezien de belangen die op het spel stonden.

Juliana en Bernhard ontmoetten elkaar in de sneeuw op de latten. Hij was innemend en grappig, en had mondaine, adellijke vrienden. 's Middags ging hij samen met Juliana skiën. Hij hielp haar lachend overeind na een valpartij, maar peperde haar even later gillend van de pret in met natte sneeuw, die onder haar jaskraag over haar rug naar beneden zakte. Juliana genoot van de kennismaking. Ze was gecharmeerd van deze eersteklas levensgenieter, die het hoogste woord had tijdens de après-ski. Een jonge Duitse vrouw uit zijn entourage verzekerde Juliana glimlachend: 'Bernilo ist ein leichter Vogel.' Bernhard was een echte levensgenieter. Winston Churchill had na de oorlog gezegd dat Bernhard de enige was geweest die ervan had genoten. Tot Juliana's verbazing vond Wilhelmina hem bijzonder geschikt. Bernhard was volgens haar moeder een open en hartelijke jongeman. Juliana vond het wel grappig dat Bernhard haar moeder om zijn vinger wond. Ze moest er niet aan denken dat haar aanstaande echtgenoot naar de pijpen van haar overheersende moeder zou dansen. Een jaar later trouwden ze. Juliana had Bernhard leren kennen als een aangenaam mens die zijn best deed om haar te vermaken. Ze had tijdens haar lange huwelijksreis van de Poolse Karpaten naar de Côte d'Azur een nieuwe levensstijl ontdekt. Ze kroop uit haar schulp, was afgevallen en droeg elegante kleding. Vrolijkheid, plezier en genieten waren de sleutelwoorden van elke dag.

In de lente van 1945 reden Juliana en Bernhard tegen het vallen van de avond terug naar Den Haag in de Mercedes van Seyss-Inquart.

Zij pakte liefdevol zijn hand vast, blij dat ze eindelijk alleen waren. Zij dacht tijdens die autorit terug aan de onbezorgde dagen van voor de oorlog, aan die zomernacht dat zij haar gouden oorbel verloor in het zwembad van Hotel Majestic in Antibes. De Duitsers waren Sudetenland nog niet binnengevallen en Juliana en Bernhard waren te gast op een tuinfeest in Antibes. Zij was voorgoed onder de rokken van haar moeder vandaan gekropen en genoot van het mondaine Franse leven. Ze dronk champagne, ze danste en rookte en het leven leek één groot feest. Het orkest musiceerde bij het zwembad en de hoteltuin was verlicht met lantaarns. Een jong stel stoeide aan de rand van het zwembad. De vrouw duwde haar man lachend in het water. De gasten keken geamuseerd toe terwijl de een na de ander in het warme zwembad verdween. Bernhard nam Juliana in zijn armen en gooide haar erin. Juliana kwam proestend van het lachen weer boven. Bernhard hielp haar uit het water en droeg haar in zijn armen het hotel in. Juliana streek haar natte haren uit haar gezicht en kuste hem in zijn hals. Ze merkte dat ze een gouden oorbel kwijt was.

'Mijn oorbel.'

'Die halen ze er morgen wel uit,' zei hij terwijl hij de deur van hun suite openduwde. Hij legde haar op bed. Langzaam trok hij haar natte jurk uit. Ze had in Parijs voor het eerst in haar leven lingerie gekocht. Ze nam hem in haar armen. Langzaam verstrengelden hun lichamen zich. Hij schopte ondertussen zijn schoenen uit en maakte zijn smoking los. Vol overgave sloot ze hem in zijn armen. In de verte klonk de muziek van het orkest terwijl zij zich overgaf aan Bernhards liefkozingen. Ze hield van zijn verleidingskunst. Hij was subtiel, fijnzinnig en gepassioneerd. Ze wist dat zij niet zijn eerste geliefde was, maar dat deerde haar niet, want in dat geval zou hun liefdesleven waarschijnlijk op verlegen gestuntel zijn uitgedraaid. Ze hoopte wel dat ze zijn enige beminde zou blijven. Tijdens haar verblijf met haar dochters in Canada koesterde Juliana de herinneringen aan dit samenzijn als een kostbaar kleinood, terwijl haar man in Europa tegen de Duitse bezetter vocht.

'Het is allemaal zo snel voorbijgegaan,' zei Juliana tegen de oude Louis Beel. Ze vond het achteraf zuur dat haar geluk maar zo kort had geduurd, dat het slechts momentopnamen waren geweest. Juliana hield de vlam van haar Cartier-aansteker bij haar sigaret.

'Bernhard zal morgen wel bellen,' zei Beel berustend.

'Dat is hij aan je verplicht,' zei Juliana. Louis keek op de wandklok. Het was even voor achten. Hij deed de houten deurtjes van het dressoir open en zette de televisie aan. Het zwart-witbeeld knipperde.

Op die avond van 6 februari 1976 zag Juliana de nieuwslezer, Eef Brouwers, een bericht voorlezen, maar ze hoorde niets.

'Het geluid, Louis!' zei Juliana. Louis draaide aan de knop. Ze zagen een Nederlandse journalist op de trap van het Amerikaanse senaatsgebouw in Washington staan.

'Een week geleden is bekend geworden dat een hoge Nederlandse functionaris meer dan een miljoen gulden smeergeld heeft aangenomen om de Nederlandse luchtmacht te beïnvloeden bij de aanschaf van nieuwe vliegtuigen. De directeur van de Lockheed-fabriek, Carl Kotchian, heeft dat onder ede voor de Amerikaanse senaatscommissie-Church verklaard,' zei de nieuwslezer. 'In de studio minister-president Den Uyl, die namens de regering een verklaring voorleest.'

Den Uyl verscheen in beeld, het hoofd gebogen over zijn papier. Hij formuleerde zijn zinnen aarzelend, terwijl hij de verklaring langzaam voorlas. 'Uit de inlichtingen die de regering sindsdien heeft verkregen en uit gesprekken die zijn gevoerd, is de conclusie getrokken dat met die hoge Nederlandse functionaris, over wie in de Amerikaanse commissie is gesproken,' zei Den Uyl, terwijl hij recht in de camera keek, 'prins Bernhard wordt bedoeld.'

Louis stond op en zette de televisie uit. Hij keek Juliana aan.

'Heeft Den Uyl over strafrechtelijke vervolging gesproken?'

'Ja, twee van zijn ministers dringen daarop aan.'

'Wie?' vroeg Beel.

'Dat heeft hij niet gezegd.'

'Ik denk Boersma en Vredeling.'

Juliana zei dat Bernhard haar had gezegd dat hij niets laakbaars had gedaan.

'Die verklaring is onder ede in de Amerikaanse senaat afgelegd!'

'Ik weet het, Louis,' zei Juliana, terwijl ze de rook van haar sigaret uitblies.

Louis pakte zijn zakdoek, deed zijn bril af en poetste zijn glazen, alsof hij zo meer zicht op de zaak zou krijgen.

'Ik ben er kapot van,' merkte Beel teleurgesteld op.

'Ik ook,' zei Juliana.

'Ik heb altijd achter hem gestaan. Ik heb hem altijd vertrouwd. En wat blijkt nu? Hij heeft de zaak belazerd,' zei Beel kwaad. 'Ook andere kwesties komen nu in een heel nieuw daglicht te staan.'

Juliana wist waar hij op doelde. Ook al was het langgeleden, het deed haar nog steeds pijn. De geschiedenis was nu een slag gedraaid. De pijnlijke gebeurtenissen uit het verleden doemden opnieuw voor haar op.

'Ik ben naïef geweest,' zei Louis.

'Ze was mijn dierbaarste vriendin,' zei Juliana. 'Ik heb veel mensen gekend in mijn leven, maar nooit zo'n intieme vertrouwensband met een ander gehad.'

Juliana keek naar Beel, die sinds de dood van zijn vrouw samenleefde met zijn huishoudster, die vervolgens zijn levenspartner was geworden. Beel had met zijn kinderen een en ander meegemaakt, maar in de jaren vijftig was Beel een beleefde rauwdouwer, die in naam van het landsbelang en de regering op doortastende wijze orde op zaken stelde. Hij was als een olifant in een porseleinkast tekeergegaan om de hofkwestie in 1956 in het voordeel van Bernhard te laten aflopen. Dat was hem indertijd gelukt. Hij had eraan meegewerkt om de dierbaarste vriendschap in haar leven stuk te maken. Louis keek Juliana beschaamd aan. Hij wilde haar niet belasten met zijn wroeging over de kwestie. Hij wilde haar laten praten over de zaken die haar tot diep in haar ziel hadden verwond. Achteraf voelde hij een diepe schaamte dat hij Bernhard destijds had geholpen. Ten behoeve van het landsbelang had

Louis keer op keer het initiatief genomen om Juliana eronder te krijgen.

Louis pakte een karaf met armagnac uit het dressoir en schonk de glazen halfvol. Juliana nam een slok en voelde de warmte van de drank. Ze zocht naar woorden om te spreken over de dingen die voorbij waren, over de tijd dat zij de troon besteeg. Haar moeder hoopte na de oorlog op een nieuwe samenleving, maar daar was weinig van terechtgekomen. Alles werd weer net zoals het was geweest. Het oude verzuilde partijenstelsel werd in ere hersteld en Wilhelmina gaf er na de restauratie in 1947 de brui aan. Juliana verving haar als regentes voor korte perioden, zodat Den Haag de tijd kreeg om haar inhuldiging voor te bereiden. Voor Juliana kwam de vervroegde opvolging ook als een verrassing. Ze was in 1947 net voor de vierde keer moeder geworden. Ze vertelde over de tijd dat zij door het land trok om te luisteren naar de verhalen over de ontberingen van haar onderdanen. Juliana probeerde de mensen die het meest hadden geleden te troosten door haar aandacht en aanwezigheid. Ze vertelde Beel dat zij in 1946, terwijl zij hoogzwanger was, repatrianten uit Indië wilde verwelkomen en hoe Bernhard haar nog had gewaarschuwd voor de ziektekiemen die de repatrianten onder de leden hadden, maar zij wilde haar plicht niet verzaken. Juliana moest en zou gaan, want ze was altijd al koppig geweest. Kort daarna was ze ziek geworden: rodehond. Ze had er niet veel last van gehad, maar de gevolgen kwamen pas aan het licht na de bevalling. Marijke werd met een ernstige oogaandoening geboren en die kwam volgens de artsen door de rodehond.

'We moeten de operatie afwachten,' had de oogarts, professor Weve, nadrukkelijk gezegd. Juliana vond de gedachte dat Marijke blind bleef onverdraaglijk. Ze bad om genezing, maar die bleef uit. Juliana keek naar haar jongste dochter, die een verband over haar ogen had. Het was de middag na de operatie. Ze hadden kortgeleden Marijkes eerste verjaardag gevierd. Juliana, Bernhard, dokter Weve en een drietal geconsulteerde medisch specialisten stonden rond haar ziekenhuisbed. Het huilen van Marijke toen ze uit de narcose kwam, ging Juliana door merg en been. Ze vroeg dokter Weve of zij haar dochtertje in de armen mocht nemen. De oogarts knikte, terwijl hij de medische prognose met Bernhard besprak. De arts kon over het toekomstige verloop en de genezing op dat moment nog weinig zinnigs zeggen. Om de zes maanden zou Marijkes gezichtsvermogen getest worden. Marijke hield op met huilen toen zij de armen van haar moeder om zich heen voelde. Juliana streelde haar over haar hoofd en kalmeerde haar.

'Over een paar daagjes komt onze kleine meid weer thuis,' fluisterde Juliana haar dochter zachtjes in het oor. Ze moest Marijke achterlaten in het ziekenhuis, maar de volgende dag zou ze er weer zijn. Juliana voelde zich persoonlijk verantwoordelijk; als zij niet zo eigenwijs was geweest om per se die Indische repatrianten te willen ontvangen, was Marijke gezond ter wereld gekomen. Bernhard legde zich evenmin neer bij Marijkes slechtziendheid. Hij had het erover met artsen en vrienden. Met een van hen, generaal Henri Koot, besprak hij Marijkes toestand: het feit dat zij vermoedelijk blind zou blijven aan één oog en slechtziend aan het andere. Generaal Koot had een dochtertje van zes jaar met tuberculose. De familie Koot was in contact gekomen met een volksvrouw die zijn dochter op wonderbaarlijke wijze had genezen. Bernhard reageerde verbaasd, want hij kende de generaal als een verstandig man die zich niet overgaf aan vage zweverij.

'Hoe heeft ze dat dan gedaan?' vroeg Bernhard nieuwsgierig.

'Tja, dat valt moeilijk uit te leggen. Ze heeft een geneeskundige gave,' antwoordde de generaal.

'Een soort wonderdokter dus?' vroeg Bernhard cynisch.

'Nee, dat nu ook weer niet. Ze is een nuchtere Amsterdamse vrouw van drieënvijftig, als je haar op straat tegen zou komen zou ze je niet eens opvallen,' zei generaal Koot.

'Wat doet ze dan precies?' vroeg Bernhard geïnteresseerd.

'Ze mediteert,' antwoordde de generaal.

'Dus geen Afrikaanse dansen rond het kampvuur?' vroeg Bernhard.

'Ik begrijp het ook niet, maar ze kan zieke mensen genezen,' antwoordde de generaal. Bernhard dacht na. 'Ik wil jullie wel met haar in contact brengen,' bood Koot aan. Bernhard stond wel open voor natuurgeneeskunde. Hij had in Afrika meerdere keren gezien dat een dorpsmedicijnman een zieke genas door rituelen en het toedienen van kruiden.

Bernhard bracht de kwestie onder de aandacht van zijn vrouw terwijl ze in de kinderspeelkamer van paleis Soestdijk stonden. De gouvernante van hun dochters, Rita Penning, was er ook. Zij hield Marijke op haar arm terwijl Beatrix, Irene en Margriet in de speelhoek zaten te knutselen.

'De dochter van generaal Koot is genezen van tbc door de behandeling van een Amsterdamse volksvrouw, ene mejuffrouw Hofmans. Ze schijnt een genezende gave te hebben. Ze krijgt doorgevingen,' zei Bernhard.

'Doorgevingen? Van wie dan?' vroeg Juliana verbaasd.

'Van de allerhoogste baas,' antwoordde Bernhard glimlachend, terwijl hij omhoogwees. 'Misschien moet zij een keer naar Marijke kijken.'

'Professor Weve zal ons dat niet in dank afnemen,' merkte Juliana op.

'Die hoeft het toch niet te weten. En baat het niet, dan schaadt het ook niet,' zei Bernhard overtuigend.

'Als je erop staat, moet Rita haar maar een keer opzoeken. Wil je dat voor ons doen, Rita?' vroeg Juliana.

Een paar dagen later liep Rita op een regenachtige middag over de Overtoom in Amsterdam-West. Ze sloeg een zijstraat in en ging bij een buurtcafé naar binnen.

'Ik kom voor juffrouw Hofmans,' zei ze tegen de barman, die haar naar een achterkamer verwees. Rita schoof het tochtgordijn opzij en stapte de kleine zaal binnen waar zo'n dertig mensen naar een vrouw achter een lessenaar zaten te luisteren. Rita bleef achterin staan. Haar blik kruiste een moment die van juffrouw Hofmans.

Het viel Rita op dat juffrouw Hofmans ondanks haar middelbare leeftijd en grijze haar nog een jeugdige en vitale uitstraling had.

'Het belangrijkste bij tegenslag blijft de vraag: waarom overkomt mij dit? Waarom wil God dat ik dit kruis draag? Wat heeft Hij met mij voor?' zei juffrouw Hofmans vol overtuiging tegen de mensen. Ze pauzeerde even. Haar arm ging langzaam omhoog. 'God spreekt op vele manieren tot ons. Het enige wat u hoeft te doen is luisteren naar Zijn stem. Elke dag opnieuw,' vervolgde juffrouw Hofmans terwijl ze de mensen aankeek. Ze sloot de bijeenkomst af met de woorden: 'Ik hoop u allen volgende week weer te zien.'

Verschillende mensen stonden op. Ze liepen naar juffrouw Hofmans toe. Rita zag dat ze de mensen aanraakte. De een pakte ze bij de arm, de ander hield ze bij de hand terwijl ze enkele persoonlijke woorden wisselde. Rita liep naar voren en wachtte op haar beurt.

'Juffrouw Hofmans,' sprak Rita terwijl zij haar een hand gaf. 'Rita Penning. De gouvernante van de dochters van prinses Juliana.' Juffrouw Hofmans hield Rita's hand vast terwijl ze haar vriendelijk aankeek.

'Margaretha Hofmans,' zei ze.

'Prins Bernhard zou graag willen dat u een keer naar zijn jongste dochter kijkt. Zij lijdt aan een oogziekte,' zei Rita.

'O, dat wist ik niet,' antwoordde Greet.

'Marijke wordt behandeld door professor Weve,' zei Rita, terwijl juffrouw Hofmans haar hand losliet.

'Marijke is vorig jaar geboren, nietwaar?' vroeg Greet.

Rita knikte instemmend.

'Ze is te jong voor mijn werk,' zei Greet beslist. Ze waren de laatste gasten in de zaal achter in het café. Greet keek Rita onderzoekend aan.

'Het is dus niet mogelijk om haar te genezen?' vroeg Rita.

Juffrouw Hofmans zweeg terwijl ze Rita aandachtig aankeek.

'Als ik het mag vragen, hebt u misschien een persoonlijk verlies geleden?' vroeg Greet.

Rita knikte verrast.

'Hebt u dat van generaal Koot gehoord?' vroeg Rita.

'Nee,' antwoordde Greet rustig.

'Hoe weet u dat dan?' vroeg Rita.

'Dat voel ik,' antwoordde Greet vriendelijk.

'Mijn man is omgekomen in een jappenkamp in Indië,' zei Rita. Greet keek haar aan en knikte begrijpend. Rita zag mededogen in Greets ogen, wat ze vreemd vond omdat ze elkaar niet kenden.

'Mag ik u nog iets persoonlijks vragen?' vroeg Greet. 'Hoe verwerkt u dat verlies?' Rita dacht na. Ze voelde zich overvallen door Greets directe vragen en trok haar schouders op.

'Ik mis hem, ik voel me vaak verdrietig. Soms ook bitter omdat ik hem op deze manier heb verloren,' antwoordde Rita. 'Ik hield van hem.'

'Arm kind,' zei Greet troostend en moederlijk. 'Soms duurt het jaren voordat wij Gods bedoelingen begrijpen.'

'Als er al een bedoeling is,' reageerde Rita nuchter.

'Het is onze taak om die te ontdekken. Voor die opgave staan wij allemaal, elke dag opnieuw,' antwoordde Greet.

Later die middag bracht Rita op het paleis verslag uit aan Juliana. Er was iets fascinerends aan Greet Hofmans, maar Rita kon niet precies omschrijven wat dat was. Greet Hofmans had indruk op haar gemaakt omdat zij intuïtief het verlies van haar man had aangevoeld. Rita kon het nauwelijks geloven. Ze had na haar gesprek met Hofmans generaal Koot gebeld en gevraagd of hij het tegen Hofmans had gezegd, maar dat was niet het geval. Hoe kon die vrouw dit weten? Ze was toch niet helderziend? Juliana en Rita begrepen er niets van. Ze besloten Hofmans aan het hof uit te nodigen. Juliana was sceptisch. Ze had zo haar twijfels over genezeressen die opdrachten doorkrijgen van God.

Een paar dagen later zag Juliana door het raam van haar werkkamer een vrouw in een grijs mantelpakje uit de hofauto voor het paleis stappen. Greet Hofmans zag eruit als een gewone vrouw van middelbare leeftijd. Juliana zag op het eerste gezicht niets opval-

26

lends aan haar. Juliana ontving haar in haar werkkamer, die een vrolijke sfeer uitstraalde door het binnenvallende zonlicht en de vazen met bloemen op de salontafel en op haar bureau. Greet werd binnengelaten door een lakei. Juliana liep juffrouw Hofmans tegemoet en gaf haar een hand.

'Ik heb veel goeds over u gehoord,' zei Juliana terwijl ze de tanige gestalte in zich opnam. Greet Hofmans was mager, had een doorleefd gezicht en grijs opgestoken haar. Ze droeg geen sieraden.

'Majesteit,' zei Greet terwijl ze een kleine buiging maakte.

'Zegt u maar mevrouw, hoor,' antwoordde Juliana.

'Majesteit mag ik pas zeggen na de inhuldiging in september?' vroeg Greet bedeesd.

'Nee, dan blijft het ook gewoon mevrouw,' antwoordde Juliana glimlachend. 'Wilt u een kopje thee?'

Greet knikte terwijl ze op de leren bank gingen zitten. Juliana schonk de thee in.

'Mijn man denkt dat het goed zou zijn als u eens naar onze jongste dochter kijkt. Marijke lijdt sinds haar geboorte aan een ernstige lensvertroebeling, aangezien ik de rodehond heb gehad tijdens mijn zwangerschap,' zei Juliana terwijl ze het kopje thee aan juffrouw Hofmans gaf. 'Professor Weve heeft al het mogelijke op oogheelkundig gebied gedaan. Met één oog ziet Marijke nauwelijks iets en met het andere ziet ze slecht.'

'Ik ben geen arts,' merkte juffrouw Hofmans op.

'Ik heb mij laten vertellen dat u zieke mensen geneest,' zei Juliana.

'U bedoelt de dochter van generaal Koot?' vroeg Hofmans. Juliana knikte.

'Ik heb er ook geen verklaring voor, maar bij sommige mensen heb ik een helende werking. Doorgaans breng ik alleen aanvaarding tot stand, zodat iemand weer door kan met zijn leven,' zei Greet.

'Hoe wist u van Rita's overleden echtgenoot?' vroeg Juliana.

'Een doorgeving,' antwoordde Greet spontaan.

'Een doorgeving?' vroeg Juliana verbaasd.

'Het enige wat ik doe is luisteren naar mijn innerlijke stem.'

'Wat bedoelt u daar precies mee?' vroeg Juliana.

'Met die innerlijke stem kan ik met God praten,' zei Greet, 'maar anderen kunnen dat ook. Alleen zijn de meeste mensen daar niet in geïnteresseerd. Ze zijn te druk en te gejaagd om ernaar te luisteren. Of ze zijn alleen maar op materiële bevrediging uit en niet op spirituele verdieping.'

Juffrouw Hofmans nam een slokje van haar thee. Juliana bood haar een schaaltje met petitfours aan, maar Greet wees deze af.

'Ik mediteer al jaren,' zei Hofmans. 'Door meditatie kan een mens in contact komen met het Hogere.' Juliana luisterde aandachtig naar juffrouw Hofmans terwijl ze sprak over innerlijke beleving en verdieping, die volgens haar de sleutel waren tot bewustwording.

'Ik ben altijd op zoek geweest,' zei Greet. 'Vanaf mijn vijftiende zat ik al met mijn neus in de Geheime Leer, de rozenkruisersleer, de kosmologie en de spiritistische literatuur.'

'U bent godsdienstig opgevoed?' vroeg Juliana belangstellend.

'Nee majesteit. Ik ben niet godsdienstig opgevoed, maar met een geestelijke leidraad,' antwoordde juffrouw Hofmans.

'En die is?' informeerde Juliana.

'Wat gij niet wilt dat u geschiedt, doe dat ook een ander niet,' antwoordde Greet glimlachend. Juliana raakte geboeid door Hofmans' volkse nuchterheid en haar aanspraak op geestelijke verdieping. Juliana vond dat een opmerkelijke combinatie.

'U bent niet kerkelijk?' vroeg Juliana.

'Nee, dat is helemaal niets voor mij,' antwoordde Greet lachend. 'Wat doen de kerken? De kerken prediken het zondaarschap. Verlossing is alleen mogelijk via het lidmaatschap van zo'n kerk en dan alleen nog door boetedoening, dat is toch niet de boodschap van Jezus?'

Juliana dacht na over deze opmerking. Juffrouw Hofmans vertelde dat zij pas op latere leeftijd in aanraking was gekomen met het christendom. Ze had zich er altijd over verbaasd dat de leer van de christelijke kerken precies het tegenovergestelde predikte van wat Christus had gezegd.

'Jezus zegt dat je een kind van God bent en dat het koninkrijk Gods in je is. De kerk, of het nu de katholieke kerk, de Nederlands hervormde of welke andere kerk dan ook is, gaat juist tussen de mens en zijn godsbeleving staan,' zei juffrouw Hofmans glimlachend. Juliana moest ook glimlachen om haar eigenzinnige observatie.

'En waarom is dat volgens u zo?' vroeg Juliana.

'Tja, dat is een goede vraag.'

'U weet het antwoord. Ik zie het aan u,' zei Juliana.

'Ik denk dat het om de macht gaat,' antwoordde Greet, 'om de gelovigen eronder te houden. De kerk heeft in haar geschiedenis iedereen vervolgd die zich op persoonlijke religieuze beleving beriep en die arme zielen eindigden na te zijn gefolterd op de brandstapel, ze werden dan ketters of heksen genoemd.'

'Maar dat gebeurt gelukkig niet meer, dat was alleen maar zo in de donkere Middeleeuwen,' merkte Juliana relativerend op.

'De kerk praat de mensen nog steeds een zondecomplex aan met alle angsten van dien en vervolgens prijst die kerk Christus aan als de verlosser van alle mensen die lijden onder dit zondecomplex, dat klopt gewoon niet,' vatte juffrouw Hofmans haar betoog samen.

'Tja, als u het zo stelt,' merkte Juliana glimlachend op.

'Ik vind dat een kwalijke zaak. Je innerlijke stem moet je helpen om je los te maken van dat eeuwige zondebesef, zodat je vrij wordt als mens en door te mediteren in contact kunt komen met je innerlijke meester,' zei juffrouw Hofmans.

Juliana raakte steeds meer onder de indruk van Greet Hofmans. Ze nam geen blad voor de mond en dat beviel Juliana, want over slippendragers struikelde zij dagelijks al genoeg in haar paleis.

'Denkt u iets te kunnen doen voor Marijke?' vroeg Juliana.

'Ik heb mevrouw Penning gezegd dat Marijke nog te jong is voor mijn werk,' antwoordde juffrouw Hofmans, 'dat is jammer, maar het is niet anders.'

Juliana dacht na, zocht naar een manier om deze Amsterdamse vrouw over te halen haar geneeskundige kracht bij Marijke aan te wenden.

'U bent autodidact?' vroeg Juliana.

'Ik ben wat, mevrouw?'

'U hebt uzelf allerlei dingen geleerd?' vroeg Juliana opnieuw.

'Ja, dat klopt, maar ik hoop niet dat ik verkeerde verwachtingen heb gewekt, want dat zou ik erg jammer vinden.'

'U kunt dus weinig voor onze dochter doen,' concludeerde Juliana.

'Dat kan ik pas zeggen als ik haar heb gezien.'

's Middags maakten Juliana en Greet een wandeling door het bos achter het paleis. Hofmans sprak op ongedwongen wijze over haar verleden, hoe zij als oudste dochter was opgegroeid in een arm Amsterdams gezin. Haar vader was een strenge man, die niet alleen hard voor zichzelf was geweest, maar ook voor haar moeder, haar broer en haar twee zussen. Haar vader had geen vaste baan gehad, dan was hij werkloos, dan weer sportleraar. De armoede had diepe sporen nagelaten in het gezin Hofmans. Al op jonge leeftijd moest Greet gaan werken als dienstbode bij een familie van gegoede komaf op de Amsteldijk. Zij had als kind een goede band met haar moeder, die haar belangstelling voor literatuur had meegegeven. Greet sprak op gelijke voet met Juliana over haar armoedige jeugd ondanks het verschil in afkomst en leeftijd. Juliana was op dat moment eind dertig en Greet al halverwege de vijftig.

'Als kind wilde ik danseres worden,' zei juffrouw Hofmans terwijl ze over het bospad vooruitliep. 'Ik wilde zweven, dansen, sprongen maken.' Zij spreidde haar armen en maakte spontaan een sprong in de lucht, alsof ze een ballerina was. Juliana moest lachen. Ineens kreeg deze vrouw van middelbare leeftijd, die zo stijf gekleed en gekapt was de beweeglijkheid van een veel jongere vrouw.

'Maar ja, we hadden geen cent,' zei Greet. 'We waren al blij als we genoeg te eten hadden, en ik moest ook nog voor mijn broer en zussen zorgen.'

'Wat is er van ze geworden?' vroeg Juliana.

'O, ze zijn allemaal goed terechtgekomen, hoor. Mijn broer is reclametekenaar geworden. Mijn zus Hermien kon met financiële hulp van andere mensen naar het conservatorium en Lies is sport-lerares geworden,' antwoordde Greet.

'Lies Hofmans?' vroeg Juliana verrast. 'Zo heette mijn zwemle-rares.'

'Dat was mijn zus, mevrouw,' riep Greet Hofmans trots. 'Lies ging in Apeldoorn wonen. Ze werd door uw moeder gevraagd, dat weet ik nog heel goed, dat was nogal wat, dat een volksvrouw zwemles gaf aan een prinses.'

'Inderdaad, Lies heeft mij als kind zwemles gegeven,' beaamde Juliana. 'Als ik begon te huilen en eruit wilde, duwde ze mij met haar badstok terug het water in, dat moest van mijn moeder.'

'Lies lijkt op vader, ik lijk meer op mijn moeder,' zei Greet.

'Doe haar in ieder geval de hartelijke groeten van mij,' zei Julia-na.

'Toen u uw diploma had gehaald mocht Lies theedrinken op paleis Het Loo.'

'Daar herinner ik mij niets van,' zei Juliana.

'Als ik het mag vragen, mevrouw, hebt u een gelukkige jeugd ge-had?' vroeg juffrouw Hofmans.

'Denkt u dat?' vroeg Juliana.

'In ieder geval een jeugd zonder geldzorgen,' zei Greet.

'Dat mag dan wel zo zijn, maar mijn moeder wilde niet dat ik naar een gewone school ging. Ik moest naar een paleisklasje en ik zat altijd met die hofdames opgescheept,' zei Juliana.

Greet kon zich de keerzijde van een koninklijke opvoeding wel voorstellen.

'Was u liever een gewoon burgerkind geweest?' vroeg ze. Juliana gaf geen antwoord op Greets vraag. Ze wilde zich niet te veel blootgeven tijdens deze eerste ontmoeting, maar ze was wel ge-charmeerd door de eerlijkheid en directheid van Greet. Juliana re-aliseerde zich eens temeer dat de door haar ontboden gasten zich altijd zo formeel en plechtstatig gedroegen, en ze stelde het op prijs dat Greet niet werd afgeremd door de majesteitelijke omgeving. Ze hoopte dat Hofmans Marijke kon genezen.

'Leven uw ouders nog?' vroeg Juliana belangstellend.

'Mijn moeder is in 1929 overleden, ze kreeg een dwarslaesie. Ze lag thuis en was hulpbehoevend, en ik zorgde voor haar en het gezin. Een half jaar later stierf mijn vader,' antwoordde juffrouw Hofmans.

'Dat zal niet gemakkelijk voor jullie zijn geweest.'

'Nee, dat was het zeker niet,' antwoordde Greet, 'maar ik heb ook goede herinneringen aan die tijd. Tijdens haar ziekbed heeft mijn moeder mij van alles geleerd over muziek, literatuur en theosofie.'

'Theosofie?' vroeg Juliana.

Juffrouw Hofmans knikte. 'Mijn moeder heeft mij geleerd dat elk mens door meditatie contact kan maken met de onzichtbare wereld, dat alle mensen uit dezelfde goddelijke bron komen,' zei Greet overtuigd.

'Ik heb mij altijd aangetrokken gevoeld tot de theosofie,' zei Juliana, 'het is een wereldbeschouwing die het beste van boeddhisme, islam, kabbala, westerse spiritualiteit en christendom in zich verenigt.'

'Hebt u ook een spirituele leermeester?' vroeg Greet.

'Mijn moeder,' antwoordde Juliana en ze schoot in de lach. 'Ik zou willen dat ik zo iemand had, dat lijkt mij heerlijk.'

'Mijn eerste leermeester was Krishnamurti, die had een leefgemeenschap op landgoed Eerde bij Ommen. Mijn zus en ik gingen 's zomers naar die bijeenkomsten waar duizenden mensen bijeenkwamen, dat was heel bijzonder,' zei Greet Hofmans.

'Waarheid is een land zonder wegen ernaartoe,' merkte Juliana op.

'Dat heeft Krishnamurti gezegd toen hij een eind maakte aan zijn wereldleraarschap,' zei Greet. 'Nadat mijn ouders waren overleden gingen Lies, Hermien en ik elke zomer naar die kampen op zijn landgoed, dat was heel leuk. Het leven in Amsterdam was zo'n sleur. Ik werkte toen in een textielfabriek.'

'U ging elke zomer met uw zussen naar Ommen?' vroeg Juliana.

'Ja, tot Hermien in 1936 aan kanker overleed. Ze was zanglerares in Zaandam en pas drieëndertig jaar oud toen ze stierf. Ik heb daar flink mee geworsteld. Ik begreep niet waarom er zoveel ellende in de wereld is,' zei Greet opstandig.

'Op die vraag zullen wij wel nooit antwoord krijgen,' zei Juliana terwijl zij naar een houten bank onder een boom liep. Hofmans volgde haar en ze gingen zitten. Juliana keek bedachtzaam voor zich uit en realiseerde zich dat ze het fijn vond dat ze iemand had ontmoet die zich in haar bijzijn zo vrij uitsprak over van alles. In de verte hoorden ze een paard aankomen, Bernhard kwam uit het bos galopperen. Hij zag de twee vrouwen op de bank zitten en trok de teugels aan. Greet Hofmans stond op en deed een stap opzij, terwijl Juliana het nerveuze paard bij zijn martingaal vastpakte.

'Nero doet niets, hoor,' zei Juliana geruststellend terwijl Greet terughoudend naar het snuivende paard keek.

'Bernhard, dit is juffrouw Hofmans,' zei Juliana. Bernhard ging in zijn stijgbeugels staan, leunde voorover en reikte haar de hand. Greet Hofmans stapte naar voren om zich voor te stellen.

'Henri Koot is erg met u ingenomen,' zei Bernhard terwijl Juliana over Nero's vochtige hals streelde. 'Hopelijk kunt u onze dochter genezen.'

'Hoogheid, ik verricht geen wonderen,' antwoordde juffrouw Hofmans bescheiden.

'We zullen zien,' zei de prins terwijl hij de teugels liet vieren. Nero strekte zijn hals en hapte het gras vlak voor de voeten van Greet Hofmans weg, die van schrik een stap achteruit deed. Bernhard lachte goedmoedig naar zijn vrouw. Hij dreef zijn paard aan en verdween stapvoets richting koninklijke stallen.

'Baron Walraven van Heeckeren geeft ook hoog van u op,' zei Juliana.

'We hebben een kleine leefgemeenschap op het landgoed van de baron in Hattem,' beaamde Greet.

'Woont u daar?' vroeg Juliana.

Greet knikte instemmend. 'We hebben daar ook een kapel.'

'Een soort religieuze gemeenschap zoals in een klooster?' vroeg Juliana.

'Nee, dat niet. Wij staan midden in de samenleving, maar de nadruk ligt wel op geestelijke verdieping.'

'Ik vind u anders een heel nuchtere vrouw,' merkte Juliana op.

'Maar dat ben ik ook, mevrouw!' antwoordde Greet.

~

Man en vrouw

N a haar inhuldiging in september 1948 veranderde het dagelijkse leven van Juliana ingrijpend. Zij paste haar dagindeling aan; ze stond 's ochtends om zeven uur op, ontbeet met haar dochters en ging daarna naar haar werkkamer. Haar werk bestond uit het bestuderen van lopende staatszaken, wetsontwerpen en koninklijke besluiten. Als zij iets niet begreep of vragen had, nodigde zij de betrokken minister uit om de zaak toe te lichten. Deze kwam dan naar paleis Soestdijk en besprak de kwestie met de koningin in haar ruime werkkamer met uitzicht op het park. Langs de wanden stonden kasten vol met boeken over staatsrecht en de geschiedenis, evenals vele ingelijste foto's van haar vier dochters. Vaak nodigde Juliana haar gasten na een lang gesprek uit om te blijven lunchen in de eetkamer, die ook uitkeek op het park achter het paleis. Juliana informeerde bij die gelegenheden uitgebreid naar het gezinsleven van de minister, ze wist zich de namen van hun vrouw en kinderen te herinneren. De eetkamer was sober ingericht met gepolitoerde meubelen, die op een donkere parketvloer stonden. Er hing weinig aan de wand, behalve een gobelin dat Bernhard en zij als huwelijksgeschenk hadden gekregen van de Nederlandse Antillen. Tijdens het avondeten in de eetkamer praatte Juliana bij met haar dochters over hun dagelijkse avonturen en beslommeringen. Het ging er aan tafel ongedwongen aan toe. Juliana wilde haar huis vrijwaren van de 'gouden-kooisfeer' waarin zij zelf was opgegroeid. Ze stond erop dat haar dochters zo normaal mogelijk opgroeiden tussen de Baarnse jeugd. Na de lagere school gingen zij naar het Baarns lyceum en naar de plaatselijke hockeyclub. Ze fietsten elke dag ongeacht het weer naar school, omdat Juliana niet wilde dat zij per hofauto werden gebracht, dan zouden ze alleen maar meer opvallen tussen de andere kinderen. Juliana wilde dat haar dochters zoveel mogelijk aan de normale wereld deelnamen. 's Avonds kwam het gezin bijeen in de grote bibliotheek, die ook als huiskamer diende, waar Juliana spelletjes deed met haar dochters tot ze rond een uur of tien naar bed gingen. Op zondagochtend gaf Juliana haar kinderen zelf bijbelonderwijs en 's middags werd er in het park achter het paleis gewandeld of paardgereden. Als hij thuis was draaide Bernhard in de bibliotheek een van de films die hij tijdens zijn reizen had geschoten.

Juliana nam haar taak als regerend vorstin serieus. Ze moest elk besluit van haar regering met een koninklijke handtekening bekrachtigen en wilde geen daarvan ongezien laten passeren. Wilhelmina had zich voorgoed teruggetrokken op paleis Het Loo en wilde zich op geen enkele wijze meer met staatszaken bemoeien. Juliana besprak de lopende zaken wekelijks met de minister-president en haar vertrouwelingen in het Kabinet der Koningin, die haar adviseerden. Ook stond ze aan het hoofd van een honderdnegentig man sterke hofhouding, waarover Bernhard de dagelijkse leiding had, naast zijn werkzaamheden als inspecteur-generaal van de strijdkrachten. Hij was eveneens commissaris bij tal van grote Nederlandse ondernemingen en reisde veel om de belangen van het bedrijfsleven in het buitenland te behartigen. Hij sprak zijn talen en was heel succesvol in het opbouwen van nieuwe handelscontacten voor die ondernemingen. Er ging in die tijd geen Nederlandse handelsdelegatie op pad zonder de bezielende leiding van de prins, soms was hij weken van huis. Juliana hield naast haar werk als staatshoofd weinig tijd over voor haar dochters, maar ze wist dat de kinderen in goede handen waren bij Rita en bovendien zag ze haar dochters elke dag bij het avondeten. Deze situatie was in haar ogen niet ideaal, maar het koningschap trok een grote wissel op haar moederschap. Ondertussen was ze bevriend geraakt met de voormalige verzetsstrijdster, juriste en eerste vrouwelijke directeur van het Kabinet der Koningin, Marie Anne Tellegen. Juliana en Marie Anne bespraken dagelijks de lopende zaken. Juliana had haar vanaf het begin laten weten dat zij een openhartige discussie op prijs stelde en daar had juffrouw Tellegen gehoor aan gegeven. Zij sprak de vorstin nooit in het openbaar tegen, maar nam als ze onder elkaar waren geen blad voor de mond.

Juliana was met Marie Anne in haar werkkamer toen de dienstauto van het ministerie van Algemene Zaken halt hield voor het paleis. Een lakei opende het portier voor minister-president Drees, en Juliana en Marie Anne wachtten tot hij binnen zou komen. Juliana had Drees de afgelopen tijd leren kennen als een man die de tijd nam om met haar over staatszaken te praten. De keren dat zij met hem van mening verschilde, bleef de minister-president altijd geduldig, een houding die Juliana tijdens haar eerste regeringsjaar het vertrouwen gaf om zich openlijk uit te spreken. Ze voelde er weinig voor om de wekelijkse gesprekken met meneer Drees louter en alleen voor de vorm te voeren, want in dat geval konden zij deze bijeenkomsten net zo goed meteen afschaffen, dat had zij hem meteen na haar inhuldiging al laten weten. Meneer Drees kwam binnen en groette de koningin en mejuffrouw Tellegen. Hij nam plaats op de stoel voor haar bureau en opende zijn aktetas, waar hij een viertal dossiers uit haalde die hij op het bureau legde.

'Waar zullen we mee beginnen?' vroeg Juliana.

Drees vouwde het dossier dat boven op zijn stapel lag open en pakte er een document uit.

'Ik heb hier een Koninklijk Besluit dat nog steeds op uw hand-tekening wacht,' zei Drees.

Juliana pakte het document aan en bekeek het vluchtig.

'De kwestie-Lages,' zei zij.

Drees haalde zijn vulpen uit zijn binnenzak, draaide de dop eraf en gaf haar zijn pen.

'U wilt dat ik nu teken?' vroeg Juliana verbaasd.

'Ja graag, mevrouw,' zei Drees. Sinds haar aantreden als vorstin had Juliana meer dan tien koninklijke besluiten ondertekend die het doodvonnis van een veroordeelde oorlogsmisdadiger be-krachtigden. Ze had Drees al eerder over haar principiële aarzelin-gen verteld, over het feit dat zij er steeds meer moeite mee kreeg om zo'n doodvonnis te bekrachtigen in de wetenschap dat er een mens ter dood zou worden gebracht, maar ze had nog nooit gewei-gerd om haar handtekening te zetten. Soms was er wel enige aan-drang van de minister-president nodig geweest.

'Het spijt mij, meneer Drees, maar ik onderteken geen papieren meer waardoor een ander mens wordt gedood,' zei Juliana vastbe-raden. Zij had deze kwestie uitgebreid met Marie Anne besproken, maar haar opstelling kwam voor Drees als een verrassing. Hij zuchtte diep, alsof hij een ongehoorzame leerling in zijn klas tot de orde moest roepen.

'U moet niet vergeten dat het hier om de zwaarste categorie oorlogsmisdadigers gaat. De heer Lages is verantwoordelijk voor de deportatie van duizenden Nederlandse joodse mensen,' zei hij streng.

'Dat weet ik, meneer Drees,' antwoordde Juliana, 'maar mijn handtekening maakt de executie tot een feit.'

'Uw handtekening is slechts een formaliteit,' zei Drees op afge-meten toon.

'Nee, het is een koninklijke bekrachtiging van het vonnis van het Bijzondere Gerechtshof,' merkte Juliana vastberaden op. Zij wilde deze keer voet bij stuk houden. Ze vond het onverdraaglijk dat ze al meer dan tien keer een handtekening had gezet die leidde tot de dood van een veroordeelde. Juliana wilde niemands beul zijn, ongeacht wat hij had gedaan. Deze veroordeelde oorlogsmisdadigers moesten desnoods levenslang worden opgesloten, maar ze wilde niet langer meewerken aan executies. Drees keek haar aan en borg zijn vulpen met een zorgelijke blik in zijn ogen op in zijn binnenzak.

'U weet net zo goed als ik dat het kabinet de verantwoordelijkheid draagt.' Juliana zweeg. Drees besloot de kwestie te laten rusten tot de volgende week, dan zou hij erop terugkomen.

'Meneer Drees, u moet begrijpen dat ik in zo'n ernstige zaak mijn eigen verantwoordelijkheid draag,' antwoordde Juliana beslist. Drees ging hier wijselijk niet op in en schoof het dossier ter zijde. Het was de eerste keer dat Juliana de daad bij het woord had gevoegd en dit baarde hem zorgen. Nooit eerder had zij geweigerd.

'Er is nog een andere kwestie,' zei hij kalm.

'En die is?' vroeg Juliana.

'De situatie in Indië escaleert met het uur. We hebben betrouwbare inlichtingen dat de communisten in Madioen een greep naar de macht hebben gedaan,' zei Drees.

'En wat gaat het kabinet daaraan doen?' informeerde Juliana.

'We bereiden een tweede politionele actie voor,' antwoordde Drees.

'Terwijl de eerste actie alleen maar tot bloedvergieten heeft geleid en niets heeft opgelost?' vroeg Juliana geïrriteerd.

'We hebben geen keus, mevrouw,' antwoordde hij kalm.

'Dat zie ik anders,' zei Juliana, 'het Atlantic Charter gebiedt ons Indië tot onafhankelijkheid te brengen!' Drees reageerde niet maar schudde zijn hoofd. Hij zocht naar de juiste toon om de koningin vermanend toe te spreken zonder haar openlijk terecht te wijzen.

'Het kabinet wil een onafhankelijk Indonesië in een unie met Nederland. De taak waar we nu voor staan is het kabinet-Hatta te beschermen tegen een communistische staatsgreep, want anders komt er van zo'n unie niets terecht,' zei hij.

'Dienen we dan niet met premier Hatta te praten?' vroeg Juliana.

'Hatta traineert de uitwerking van het Linggadjati-akkoord. De heer Beel heeft hem als Hoge Vertegenwoordiger van de Kroon de wacht aangezegd,' antwoordde Drees.

'Waarom?' vroeg Juliana nieuwsgierig.

'Beel en de andere christelijke partijen zijn ronduit tegen verdere onderhandelingen. De heer Romme weigert principieel te capituleren voor terreur,' gaf Drees haar te kennen. Juliana keek Marie Anne Tellegen aan, maar die zweeg. Ze moest het nu alleen doen.

'Vindt u het goed als ik een keer met de heer Romme van gedachten wissel?' vroeg Juliana aan Drees.

Hij wilde haar afraden zich te bemoeien met politieke aangelegenheden, maar zweeg diplomatiek. Hij wist dat haar mening er staatsrechtelijk helemaal niets toe deed, hun besprekingen hadden slechts een formeel karakter. Hij pakte zijn aktetas in, stond op, pakte zijn hoed en keek haar aan. 'Wilt u dat ik de heer Romme verwittig?' vroeg Drees.

'Ik geef de voorkeur aan een informeel gesprek. Ik neem zelf wel contact met hem op,' antwoordde Juliana terwijl ze met Drees naar de deur liep.

'Mevrouw,' zei hij beleefd ten afscheid terwijl hij haar een hand gaf. Juliana's aanvankelijke onzekerheid als vorstin was omgeslagen naar een verlangen om deel te nemen aan de politieke besluitvorming.

's Avonds zat Juliana samen met Bernhard in de bibliotheek annex huiskamer. Hij las de krant in de stoel voor de open haard terwijl een lakei het vuur opporde door er wat houtblokken op te gooien. Juliana was blij dat Bernhard een avond thuis was. Ze hadden samen met hun dochters gegeten, die als hun vader thuis was altijd opgewonden en uitgelaten waren. Ze hadden de kinderen naar bed gebracht en Bernhard stopte zijn pijp en schonk zichzelf een glas cognac in. Hij hield de kristallen karaf omhoog.

'Een bodempje dan,' zei Juliana terwijl ze op het kleed voor de open haard ging zitten. Hij gaf haar het glas, dat ze op de vloer zette.

'Ik heb je gemist,' fluisterde ze. Ze sloeg haar armen om hem heen en kuste hem hartstochtelijk. Juliana ging tegen zijn benen aan zitten, keek in het vuur en draaide zich naar hem toe. 'Heb je nog met Washington gebeld?'

'Ja, en ik heb begrepen dat de Amerikanen het kabinet onder druk gaan zetten om een nieuw bloedbad in Indië te voorkomen,' zei hij. Juliana slaakte een zucht van opluchting. Hopelijk zouden de Amerikanen haar regering tot rede kunnen brengen.

'Beel moet met Hatta en Soekarno gaan praten,' zei Bernhard.

'De christelijke partijen in Nederland willen Indië niet opgeven,' zei Juliana.

'Ze zullen wel moeten,' merkte Bernhard op, 'Engeland heeft India de onafhankelijkheid verklaard. Wij zullen hetzelfde met Indië moeten doen. Er zit niets anders op.' Juliana was blij dat Bernhard en zij het eens waren.

'Maar Romme wil daar niets van weten. Probeer jij het kabinet er maar van te overtuigen dat wij de plicht hebben om ons in te zetten voor vrede in plaats van voor een volgende militaire actie, dat leidt alleen maar tot bloedvergieten. De wereld snakt naar vrede,' zei Juliana bevlogen.

'Vrede?' vroeg Bernhard.

'Ja, dat is de enige oplossing,' antwoordde Juliana beslist.

'Maar liefje, we staan aan het begin van een nieuwe wapenwedloop,' zei Bernhard kordaat.

'Dat is toch absurd,' antwoordde Juliana terwijl ze opstond. 'Ik kan mij daar zó boos over maken, alsof niemand iets heeft geleerd van de oorlog.'

Bernhard keek zijn vrouw goedmoedig aan.

'Zijn ze Hiroshima en Nagasaki nu al weer vergeten? Als die kernwapens worden verspreid, dan worden ze gebruikt ook. Daar kun je gif op innemen,' zei Juliana verontwaardigd. 'We moeten ons best doen om een nieuwe richting te vinden.'

'Als het Westen niets doet, wordt Moskou de baas!' zei Bernhard.

'Dat is toch onzin,' zei Juliana vol overtuiging.

'Nee hoor, dat heet realpolitik, lief,' merkte Bernhard op.

'Maar we moeten juist samenwerken met Moskou,' bracht Juliana hiertegen in. Bernhard schoot in de lach.

'Vind je dat om te lachen?' vroeg Juliana beledigd.

'Ja, dat is niet reëel, geloof mij nou maar,' zei Bernhard. Juliana zag het als haar roeping om alles in het werk te stellen om ervoor te zorgen dat het wel reëel werd. Zij zei dat niet tegen haar man, die de voorkeur gaf aan een sterk Atlantisch verbond dat zich bewapende tegen het communistische gevaar.

De volgende avond rond de klok van negenen liep Juliana in het gezelschap van Marie Anne Tellegen het Haagse café-restaurant Du Vieux Doelen binnen. Het was er druk en rokerig. Bij de bar werden de twee vrouwen hartelijk begroet door Jeanet Geldens, de secretaresse van Wilhelmina.

'Ik moet je de groeten doen van je moeder,' zei Jeanet.

'Hoe gaat het met haar?' vroeg Juliana.

'Goed. Ze is elke dag weer blij dat ze van die mennekes in de regering verlost is,' zei Jeanet. Juliana knikte terwijl ze het café rondkeek. Restaurant Du Vieux Doelen was de pleisterplaats van alle politici die in Den Haag bleven overnachten, en Juliana zag dat de fractieleider van de Katholieke Volks Partij, Carl Romme, aan de stamtafel *de Volkskrant* zat te lezen. De rook van zijn sigaar steeg boven zijn krant uit. Juliana wist dat Romme en Drees bevriend waren, dus waarschijnlijk had Drees hem al geïnformeerd over haar wens om met hem over het Nederlandse koloniale beleid van gedachten te wisselen. Juliana wist maar al te goed dat de katholiek Romme samen met zijn sociaal-democratische vriend Drees de Nederlandse politieke agenda bepaalde. Romme was dertien jaar ouder dan zij. Hij was advocaat geweest in Amsterdam en al op jonge leeftijd was hij tot hoogleraar benoemd in Tilburg. Voor de oorlog was hij minister van Sociale Zaken. Carl Romme was opgegroeid in een politiek milieu. Hij had een goed ontwikkeld politiek instinct en wist aan welke touwtjes hij moest trekken om zijn zin te krijgen.

'Ik denk dat ik even bij meneer Romme aanschuif,' zei Juliana.

'Die weet zich geen raad,' antwoordde Jeanet.

'Dat zal wel meevallen.'

'Het is een man van de oude stempel, als het aan hem lag zou het kiesrecht voor vrouwen morgenochtend meteen worden teruggedraaid,' zei Jeanet lachend.

'Dat geloof ik niet. Hij is heel intelligent.'

'Dat kan wel zo zijn, maar dat zegt nog niets over zijn politieke opvattingen,' merkte Jeanet op.

'Nou, dan zal ik mijn best maar eens gaan doen om hem op andere gedachten te brengen.' Juliana was vastberaden.

'Sterkte,' zei Jeanet terwijl ze Juliana en Marie Anne veelbetekenend aankeek. Juliana liep tussen de rokende en pratende mannen door, die hoffelijk voor haar opzij gingen. Bij de stamtafel waar de corpulente meneer Romme de krant las, vroeg ze: 'Mag ik even bij u komen zitten?'

Carl Romme sprong als een soldaat in de houding.

'Maar natuurlijk, majesteit,' antwoordde hij beleefd.

'Blijft u rustig zitten,' zei Juliana, maar Romme schoof al een stoel voor haar naar achteren.

'U komt hier vaker, majesteit?' vroeg Romme belangstellend.

'Noemt u mij toch mevrouw,' zei Juliana, 'de gesprekken in dit café zijn toch informeel?'

Romme knikte instemmend.

'Port alstublieft,' zei Juliana tegen de ober die aan kwam lopen.

'Voor mij nog een pils,' zei Carl.

'Ja, ik kom hier wel vaker, dit is het enige café in Den Haag waar de obers normaal tegen mij doen. Ik zou graag een kwestie met u bespreken, als u dat tenminste goedvindt,' zei Juliana terwijl ze een sigaret opstak.

'Maar natuurlijk, majesteit!' antwoordde Romme.

'Noemt u mij geen majesteit,' merkte Juliana resoluut op. 'Ik ben geen standbeeld.' Romme keek haar strak aan terwijl hij naar de juiste toon zocht. 'Ik moet u opbiechten dat ik niet gewend ben aan een amicale omgang met onze vorstin,' zei Romme, 'en eerlijk gezegd lijkt mij dat ook niet op zijn plaats.'

'Ach, ik ben maar een gewoon mens net als ieder ander,' merkte Juliana nuchter op.

'Dat ben ik niet met u eens. U bent niet als ieder ander,' zei Romme.

'Helaas niet.'

'Dat betreurt u?' vroeg Romme.

Juliana zag de ober laverend tussen de gasten door terugkomen met een dienblad in zijn hand. Hij zette het glas port en de pils voor hen neer. Juliana bedankte hem met een hoofdknik. Ze pakte haar port en bracht een toast uit.

'Op uw gezondheid, meneer Romme.'

'En op de uwe,' voegde Romme eraan toe.

'We krijgen nog veel met elkaar van doen,' merkte Juliana op.

'In wat voor opzicht bedoelt u dat?' vroeg Romme.

Juliana zweeg even. Ze wilde hem niet in een ongemakkelijke positie brengen. Ze kende zijn reputatie, evenals het feit dat hij van zijn Kamerleden in de fractie geen tegenspraak duldde en zich binnen zijn fractie zeer autoritair gedroeg én dat hij van vrouwen onderdanigheid verlangde. Hij kon haar echter niet als een ondergeschikte toespreken of terechtwijzen. Wellicht zou hij haar beleefd aanhoren, ongeacht wat zij te melden had. Juliana nam daar geen genoegen mee, daarvoor was het onderwerp te belangrijk. Ze besloot hem uit zijn tent te lokken.

'Ik ken uw ambitie om minister-president te worden en als u dat eenmaal bent, spreken wij elkaar elke week onder vier ogen bij mij thuis op het paleis,' zei Juliana glimlachend.

Romme glimlachte beleefd terug. Juliana wist dat een politicus nooit ofte nimmer openlijk zijn ambities blootgaf, daardoor zou hij kwetsbaar worden en dat was het laatste waar een man als Romme behoefte aan had.

'Helaas moet ik u corrigeren. Ik ben fractieleider en zal dat voorlopig blijven,' antwoordde Romme op zakelijke toon.

'De eerste politicus die eerlijk is over zijn ambities moet ik nog ontmoeten, misschien kunt u mij dat genoegen doen,' probeerde Juliana opnieuw terwijl zij hem beminnelijk aankeek, maar Romme liet zich niet zo gemakkelijk vangen.

'Ik moet u teleurstellen, mevrouw,' antwoordde hij.

Juliana besloot om open kaart te spelen.

'Dan zal ik ook mijn teleurstelling uitspreken over uw koloniale opvattingen, die vind ik namelijk zeer ouderwets,' zei Juliana op luide toon zodat ook anderen in het café haar konden horen. Romme voelde zich lichtelijk geschoffeerd door haar openlijke kritiek. Hij voelde er niets voor om in een café een inhoudelijk gesprek over zijn politieke opvattingen aan te gaan met het staatshoofd. Hij kon zich nu wel het een en ander voorstellen bij de observaties van Drees, die wekelijks met haar van gedachten wisselde en hem tussen de regels door had laten weten dat hij niet op haar politieke opinies zat te wachten. Haar weigering om het Koninklijk Besluit betreffende de executie van Willy Lages te ondertekenen was inmiddels bij iedereen in politiek Den Haag bekend.

'In dit café wordt toch nooit over politiek gesproken,' merkte Romme op in een poging om het gesprek te smoren.

Juliana keek hem lichtelijk geïrriteerd aan, omdat hij haar niet serieus nam. Alsof vrouwen niet zelfstandig konden denken. 'Het is aan ons om een nieuwe wereldvisie te ontwikkelen. Het proces van dekolonisatie is daar een onvermijdelijk onderdeel van, anders zullen in die arme landen nieuwe oorlogen uitbreken. Ik maak mij grote zorgen over een tweede politionele actie, dat heb ik meneer Drees ook al laten weten. Ik zou zo'n actie uiterst onverantwoord vinden,' zei Juliana vastberaden.

Romme zuchtte diep, alsof hij naar zijn huishoudster luisterde, die haar beklag deed over zijn vuile voetstappen in de zojuist gedweilde gang. 'We hebben geen andere keus, mevrouw.'

'U hoopt dat we Indië alsnog kunnen behouden?' vroeg Juliana.

'Indië hoort al driehonderd jaar bij het koninkrijk,' antwoordde Romme.

'Het Indische volk heeft net als ieder ander volk recht op zelfbeschikking. Ik praat vaak over deze kwestie met mijn echtgenoot en die is het volledig met mij eens,' zei Juliana beslist. Romme zuchtte nog dieper en keek haar aan.

'Het kabinet denkt daar anders over en eerlijk gezegd vind ik dat u dit soort zaken met de minister-president moet bespreken tijdens uw wekelijkse onderhoud,' merkte hij op, maar Juliana liet zich de mond niet snoeren door deze katholieke bullebak, die weigerde verder met haar van gedachten te wisselen, alsof haar mening er in feite niet toe deed.

'U moet niet vergeten dat het mijn plicht is om de starre denkbeelden binnen mijn regering te corrigeren, meneer Romme.'

'Ik ben geen lid van uw regering, majesteit!'

'Nog niet, meneer Romme, nog niet!' zei Juliana. Zij pakte haar glas op en liep boos naar de bar, waar Jeanet en Marie Anne haar op stonden te wachten. Ze ging naast hen staan en keek verwijtend naar Romme, die weer achter zijn *Volkskrant* verdween. Juliana dronk haar glas in één keer leeg, zette het op de bar en gebaarde de ober om het opnieuw vol te schenken. Ze had geprobeerd om met Romme te praten, maar deze onverzettelijke conservatief had haar min of meer afgepoeierd. Hij nam haar niet serieus en dat kwetste haar. Het was nu eenmaal haar lotsbestemming om vorstin te worden van Nederland en ze had deze opdracht aanvaard. Van tevoren had Juliana goed nagedacht over hoe ze haar taak inhoud wilde geven, en ze wilde van het regenteske van haar moeder af, ze wilde bovendien meedenken met haar ministers zodat er sprake was van een dialoog over de koers die haar regering zou varen. Juliana was vrij van elk politiek partijbelang en dat maakte haar naar eigen inzicht bij uitstek geschikt om te functioneren als een politicus zonder partij. Haar verlangen om deel te nemen aan de regering was na haar inhuldiging alleen maar toegenomen, maar dit vereiste ook een bereidheid van de andere kant. Juliana voelde dat zij het bij het rechte eind had wat de toekomst van Indië betrof, maar Carl Romme weigerde daarover met haar te praten. Hij was bereid om door te gaan met het onderdrukken van het Indische volk en wilde voor de tweede keer het Nederlandse leger inzetten, zodat de Nederlandse economische belangen beschermd zouden worden. Zij wist dat de rivieren op Java zich opnieuw zouden vullen met de lichamen van Indische vrijheidsstrijders, dat het water rood zou kleuren van het bloed van mannen die vochten voor hun recht op zelfbeschikking en die uiteindelijk werden vermoord in haar naam, wat ze een weerzinwekkende gedachte vond. Ze wilde over dit uitzichtloze probleem de discussie aangaan met de verantwoordelijke politici. Ze wilde adviseren en mocht dat nodig zijn haar invloed uitoefenen, want haar visie op Indië was helder, maar dan moest de bereidheid om te luisteren aan de andere kant wel aanwezig zijn, zodat het gesprek uitsteeg boven het uitwisselen van beleefdheden. Dat was haar dit keer niet gelukt. Romme had de deur dichtgesmeten. Hij wilde niet op haar argumenten ingaan terwijl het in zijn vermogen lag om het bloedvergieten in Indië een halt toe te roepen. Zij had dit onder zijn aandacht proberen te brengen en het resultaat was niet meer dan een meewarige glimlach geweest. Juliana overwoog om terug te lopen naar zijn tafel en het gesprek opnieuw te beginnen, maar zij wist dat het geroezemoes van de aanwezige politici zou verstommen terwijl Romme haar ten overstaan van alle aanwezigen opnieuw beleefd zou afwimpelen. Zij schoof haar port opzij, trok haar jas aan en knikte naar Jeanet en Marie Anne ten teken dat ze wilde vertrekken. De gesprekken in het café verstilden even toen Juliana naar de uitgang liep. In de deuropening schoof ze het roodfluwelen tochtgordijn opzij, keek achterom en zag dat Carl Romme zijn *Volkskrant* liet zakken. Buiten op straat keek zij haar twee vriendinnen aan.

'Romme wees mij als een kind terecht,' merkte Juliana boos op.

'Trek het je niet zo aan,' zei Marie Anne.

'Dat doe ik wel,' antwoordde Juliana. 'Ik wilde een zinnig gesprek met hem voeren over de koloniale kwestie. Ik geloof uit de grond van mijn hart dat nieuwe moordpartijen niets opleveren behalve honderden slachtoffers aan beide kanten, en dat is geen oplossing. Ieder weldenkend mens zal het recht op zelfbeschikking van het Indische volk moeten erkennen.'

'Behalve meneer Romme,' antwoordde Marie Anne.

'En al die andere politici in mijn regering!' zei Juliana kwaad terwijl ze met grote stappen wegliep. Marie Anne en Jeanet keken elkaar aan.

'Net haar moeder,' merkte Jeanet laconiek op. Marie Anne knikte instemmend.

De volgende ochtend ontfermde Juliana zich over haar jongste dochter Marijke in het bijzijn van Rita Penning. Juliana nam Marijke op haar arm en fluisterde lieve woordjes in haar oor terwijl ze naar het raam liep. Ze wees naar buiten waar de merels van boom tot boom vlogen.

'Zie je de vogels?' fluisterde Juliana in Marijkes oor terwijl ze nauwlettend haar blik volgde in de hoop dat ze de voorbijvliegende vogels nakeek, maar dat was niet het geval. Greet Hofmans zat een boek te lezen in de hoek van de kamer. Zij was die nacht op uitnodiging van Juliana op het paleis blijven logeren, de terugreis naar Hattem was volgens Juliana te ver om zo laat op de avond te maken. Bernhard had verbaasd gereageerd dat juffrouw Hofmans al weer was blijven overnachten. Hij had zijn vrouw gewezen op de noodzaak om afstand te bewaren. Bernhard vond dat een hofauto haar ook als het regende en stormde terug kon rijden naar Hattem, maar Juliana stond erop dat juffrouw Hofmans bleef. Ze hadden samen de avond doorgebracht. Juliana had haar een boek gegeven over mystiek en religie dat grote indruk op haarzelf had gemaakt. Juliana wilde haar kennis graag delen. Juffrouw Hofmans had een klein uur zitten lezen, maar sloeg het boek nu met een klap dicht, stond op en liep naar Juliana toe, die Marijke aan Rita gaf. Rita liep met de jongste dochter de kamer uit.

'Het spijt me, maar ik weet niet wat ik ermee aan moet!' zei juffrouw Hofmans terwijl ze het boek aan Juliana gaf.

'Veel van de dingen waar u zich mee bezighoudt, vallen onder de mystiek,' merkte Juliana verbaasd op, 'daar gaat dit boek toch over?'

'Ja, maar het woord mystiek begrijp ik niet zo goed. Het is te veel belast met allerlei waarden. Aan wat ik doe wil ik liever geen naam geven. Ik zou er zelfs geen weten,' antwoordde juffrouw Hofmans.

Juliana keek haar verrast aan.

'U moet toch een soort theorie hebben over de dingen die u doet?' vroeg Juliana nieuwsgierig.

'Ik heb een heel simpele theorie,' merkte Greet op.

'En die is?' vroeg Juliana.

'Dat wij bereid moeten zijn om ons kruis te dragen, dat is de zin van het leven,' zei Greet.

'Net als Christus?' vroeg Juliana.

Greet Hofmans knikte.

'En Marijke dan?' vroeg Juliana.

'Ook zij zal als zij opgroeit haar kruis moeten leren dragen,' antwoordde Hofmans. Greet was er vanaf de eerste ontmoeting duidelijk over geweest dat zij bij Marijke geen wonderen kon verrichten. Genezing was niet uitgesloten, maar ook zeker niet gegarandeerd. Marijke was te jong om in gesprek met mejuffrouw Hofmans te treden. Juliana nodigde haar desondanks steeds opnieuw uit. Zij was gefascineerd geraakt door deze volkse vrouw en het was nu al de vijfde keer dat zij elkaar zagen. De laatste drie keer was juffrouw Hofmans blijven logeren.

'Zou u mij een plezier willen doen?' vroeg Greet.

'Ja, als dat in mijn vermogen ligt,' antwoordde Juliana.

'Dat denk ik wel,' merkte juffrouw Hofmans op. 'Wilt u mij bij mijn voornaam noemen?'

Juliana schoot in de lach. 'Natuurlijk,' zei ze.

'Noemt u mij gewoon Greet.'

'Goed, dat zal ik doen, maar niet in bijzijn van leden van de hofhouding of mijn echtgenoot,' zei Juliana, 'dan blijft het juffrouw Hofmans.'

'Dat is goed,' zei Greet glimlachend.

'En noem mij dan Jula.'

'Alleen als wij onder elkaar zijn,' antwoordde Greet.

Juliana knikte instemmend.

'In alle andere gevallen hou ik het op majesteit,' zei Greet.

'Of mevrouw,' zei Juliana nadrukkelijk.

'Mevrouw majesteit,' antwoordde Greet lachend.

'Tutoyeren doen wij onder elkaar en vousvoyeren in gezelschap,' zei Juliana.

'Dat spreekt voor zich,' zei Greet.

'Hoe laat vertrek je naar Hattem?' vroeg Juliana.

'Om half een,' zei Greet.

'Goed, dan kunnen we nog even samen lunchen,' zei Juliana opgewekt.

Na de lunch en het afscheid van Greet liep Juliana gehaast door de lange gang naar de andere paleisvleugel. Ze had zojuist gehoord dat Bernhard zich voorbereidde op een buitenlandse reis, waar hij niets over had gezegd. Ze wilde zijn vertrek niet missen. Bernhard stak veel tijd in de opbouw van de economische relaties met de Zuid-Amerikaanse landen, dat vonden hij en de regering belangrijk. Bernhard nam zijn taak serieus en leerde in de avonduren samen met zijn particulier-secretaris De Graaff Spaans. Professor Van Dam was de laatste tijd een paar keer per week naar het paleis gekomen om les te geven aan de prins, die avond aan avond zat te blokken op de Spaanse werkwoorden, vervoegingen en verbuigingen. Juliana liep Bernhards vertrekken binnen en zag tot haar geruststelling dat hij nog niet was vertrokken. Bernhards adjudant borg een gala-uniform op in een foedraal en hing deze in een openstaande reiskoffer. Bernhard stond in een tweedcolbert achter zijn bureau, een witte anjer op zijn revers gespeld.

'Ik hoor zojuist dat je weer op reis gaat?' vroeg Juliana vriendelijk. Hij keek haar glimlachend aan terwijl hij zijn agenda en reispapieren ordende en in zijn kalfsleren aktetas stopte. Ondanks haar positie als staatshoofd stelde Juliana een regelmatig huiselijk leven op prijs en dat hield in 's avonds dineren in het gezelschap van hun dochters. De laatste tijd was daar de klad in gekomen, omdat Bernhard steeds vaker afwezig was.

'Ik ben over een week weer thuis,' antwoordde Bernhard routineus.

'Had je dat niet even kunnen zeggen?' vroeg Juliana terwijl ze naar zijn bureau liep, dat overvol stond met ingelijste foto's van vrienden en zakenrelaties. Midden op zijn bureau stond een tweetal ivoren olifanten met daaromheen allerlei snuisterijen.

'Heeft mijn secretaris het dan niet doorgegeven aan jouw secretaris?' informeerde Bernhard laconiek. Juliana schudde haar hoofd.

'Waar ga je naartoe?' vroeg zij nieuwsgierig.

'Ik moet de landingsrechten voor de KLM in Mexico regelen,' antwoordde Bernhard op zakelijke toon, alsof hij een dienstmededeling deed aan zijn secretaresse. Juliana keek zijn adjudant en lakei doordringend aan. Zij begrepen de boodschap en verlieten de kamer. Zij keek toe terwijl Bernhard zijn pijpen in een reisetui opborg. Hij was een en al dynamiek, voor in de veertig, gezond van lijf en leden en zeer aantrekkelijk. Zij wist dat zijn verschijning enthousiaste reacties opriep bij andere vrouwen. Al meerdere keren was ze getuige geweest van die vrouwelijke aandacht.

'Ik zie je nauwelijks nog,' zei ze timide.

'Tja, het werk gaat voor het meisje,' antwoordde Bernhard.

'Maar je bent er bijna nooit meer,' merkte Juliana zonder enig verwijt op.

'Het is de ene handelsmissie na de andere. Het bedrijfsleven heeft mij nodig voor de contacten. En ik moet je zeggen dat ik het met plezier doe,' zei Bernhard.

Zij ging naast hem staan en legde haar hand op zijn arm.

'Maar ik heb je hier ook nodig,' zei zij beheerst. Hij keek haar aan en sloeg zijn armen om haar heen.

'Volgende week gaan wij met zijn tweeën een paar dagen naar Porto Ercole,' zei Bernhard geruststellend.

'Daar hou ik je aan,' antwoordde Juliana enthousiast. Bernhard kuste haar en zij ging op haar tenen staan om zijn kus te beantwoorden. Over haar schouder zag hij dat zijn adjudant in de deuropening op zijn horloge wees.

'Ik moet nu echt gaan,' zei Bernhard. Juliana drukte hem stevig tegen zich aan, maar hij maakte zich los uit haar omhelzing. Zij hoorde in de verte het klapwiekende geluid van de rotor van de helikopter, die op het gazon achter het paleis warm stond te draaien om hem naar Schiphol te brengen. Zijn adjudant sloot de twee leren reiskoffers en reed deze een voor een de gang op. Bernhard deed zijn tweedcolbert uit, trok een leren vliegeniersjack aan en kuste Juliana in het voorbijgaan op haar wang. Ze bleef een moment in zijn werkkamer zitten en keek naar de vele ingelijste foto's die aan de wand hingen, waarop hij lachend stond afgebeeld met mannen van wie zij de meesten niet kende. Zij snoof de geur van zijn pijptabak op. Zij wist maar al te goed dat hij avonturen zocht die zij hem in de geborgenheid van haar huis niet kon geven. Ze had het geprobeerd, maar ze kon zijn rusteloosheid niet tot bedaren brengen. Daar had ze zich bij neergelegd, hij kwam immers altijd weer thuis. Het enige wat haar verontrustte was het feit dat de tijd tussen zijn reizen steeds korter werd.

~

Het Oude Loo

D e seizoenen verstreken en de kinderen werden groter. Juliana liep op een warme zomerochtend in 1950 in een katoenen jurk door haar geliefde rosarium in het gezelschap van Greet Hofmans, die ondertussen een huisvriendin was geworden. Ze keek naar de speelplaats aan de overkant van het grasveld. Marijke was drie jaar geworden en droeg een bril met dikke glazen. Haar gezichtsvermogen was niet toegenomen. Marijkes oudere zusje, Irene, duwde enthousiast de schommel heen en weer onder het toeziend oog van Rita Penning.

'Mama, kijk,' riep Irene vanuit de verte terwijl zij de schommel met Marijke hoog de lucht in duwde. Juliana zwaaide naar haar dochters.

'Ik had mij nog zo voorgenomen om het anders te doen,' zei Juliana met een lichte teleurstelling in haar stem.

'Wat?' vroeg Greet.

'De opvoeding. Ik ben zelf ook opgevoed door gouvernantes en ik vond dat geen onverdeeld genoegen,' zei Juliana terwijl ze even stil bleef staan. Ze keek weemoedig naar haar dochters die aan de overkant van het grasveld speelden.

'Volg je hart,' zei Greet.

'Maar er ligt elke dag zo'n stapel dossiers op mijn bureau,' antwoordde Juliana.

'Daar heb je toch ministers voor?' vroeg Greet.

'Ja, maar ik wil meer doen dan lintjes doorknippen,' zei Juliana terwijl ze met een mesje een witte roos afsneed. 'Als wij vrouwen de macht zouden hebben, zou de wereld er heel anders uitzien.'

'Maar jij bent een vrouw met macht,' zei Greet.

'Daar vergis je je in.'

'Wat zou je dan willen veranderen?'

'Ik zal alles doen om een nieuwe oorlog te voorkomen,' zei Juliana beslist.

'God zal je daarbij helpen.'

'Was het maar zo eenvoudig. De bewapeningswedloop draait op volle toeren. Niemand, maar dan ook niemand in Den Haag gelooft in de kracht van het pacifisme. Mijn man niet. Mijn ministers al helemaal niet. Het enige wat zij willen is bewapenen, de NAVO groot en machtig maken. Er worden elk jaar honderden miljoenen guldens uitgegeven aan wapens. Geld dat je beter zou kunnen besteden aan de woningnood of de sociale problemen in het land, maar telkens als ik daarover begin, kijken ze mij meewarig aan. Ze gaan er zelfs niet op in.'

'Krijg je wel voldoende steun van je echtgenoot?' vroeg Greet.

'Op dat gebied staan we helaas lijnrecht tegenover elkaar,' zei Juliana terwijl ze nog een roos afsneed met het vlijmscherpe mes. Juliana kwam altijd tot rust in haar rosarium. Ze genoot van de geur van de bloemen.

Over het grasveld kwam de heer Kaiser aanlopen, een vertrouweling van Wilhelmina. Hij organiseerde conferenties over oorlog en vrede op Het Oude Loo – een kasteel in de bossen bij Apeldoorn. Volgens de heer Kaiser betekende de naam Het Oude Loo 'licht'. De conferenties duurden enkele dagen en stonden alleen open voor genodigden. Er was een gastheer van naam en er werd uitgebreid gediscussieerd over een bepaald thema. Kaiser werd als organisator van de conferenties financieel ondersteund door Wilhelmina. Hij kwam uit een voorname familie, was halverwege de vijftig en had een brede samengeknepen mond. Hij droeg een manchester jas. Ondanks zijn artistieke uiterlijk was hij vastberaden, het type man dat als hij zich eenmaal een mening had gevormd, deze niet meer losliet. Kaiser was principieel tegen de nieuwe bewapeningswedloop na de Tweede Wereldoorlog. Hij vond het een grote leugen dat vrede door de dreiging van geweld moest worden afgedwongen, dat was een dwaling die de politici aan het volk opdrongen. Volgens hem was bewapening niets anders dan een loopplank naar een nieuwe oorlog. Juliana had hem vaak gevraagd wat er dan moest gebeuren. Hij antwoordde dat de geschiedenis had geleerd dat als de mens de problemen van deze wereld trachtte op te lossen, hij alleen maar nieuwe problemen schiep. De enige goede levenshouding was onze relatie met God onder ogen te zien en vanuit dat besef te leven. Over deze dingen werd op Het Oude Loo vrijelijk van gedachten gewisseld. Juliana voelde zich op haar gemak tijdens deze bijeenkomsten. In tegenstelling tot in de Haagse kringen voelde zij zich tijdens deze conferenties gesteund in haar visie op oorlog en vrede. Juliana had er meerdere keren bij Bernhard op aangedrongen om mee te gaan, dan hoorde hij eens een ander geluid, maar hij moest helemaal niets hebben van 'die zwevers'. Bernhard was te aards voor het geestelijke leven.

Na de verwoesting van de oorlog hadden Kaiser en vele anderen zich afgekeerd van het wereldlijke en materiële bestaan, dat volgens hen alleen maar tot narigheid leidde. Ook Greet Hofmans hing deze visie aan. Juliana had haar meegenomen als toehoorster; Hofmans en Kaiser hadden elkaar al eerder leren kennen. Greet was wat dat betreft een uitgesproken persoonlijkheid, die geen blad voor de mond nam. Zij had humor en kon al pratende over de diepste dingen in lachen uitbarsten, in tegenstelling tot de heer Kaiser, die vaak peinzend over de problemen van deze wereld in somberheid verzonk.

Die middag verzamelde zich een aantal geestverwanten in de bibliotheek van paleis Soestdijk. Greet hield in kleine kring een bijeenkomst. Juliana had enkele vrienden en gelijkgezinden uitgenodigd, onder wie baron Van Heeckeren, Rita Penning, de familie Pierson en Mijnssen. Juliana was zeer op baron Walraven van Heeckeren gesteld, die Greet onderdak verleende op zijn landgoed te Hattem. Greet organiseerde in Amsterdam en in Hattem wekelijks bijeenkomsten die werden bezocht door tientallen mensen, die hulp zochten bij het oplossen van hun lichamelijke en geestelijke problemen. Uit nieuwsgierigheid had Juliana een keer zo'n zitting bezocht. Ze wilde weten hoe het in zijn werk ging, of de lamme weer kon lopen en de blinde weer kon zien, maar dat was zoals zij al had verwacht niet het geval. Tijdens zo'n bijeenkomst luisterde Greet, en dan kreeg ze een ingeving of een doorgeving van boven en sprak die uit. Het kon een advies zijn om het een of ander aan de behandelende arts te vragen of bij praktische problemen dit of dat te doen. Soms betrof het een nuttig advies dat hielp en een andere keer had het weinig om het lijf. Greet maakte onderscheid tussen beter maken en genezen. Het adviseren van de mensen die haar opzochten leidde soms tot beter maken, maar genezing was iets anders. Genezen raakte het wezen van de mens. Genezen is de zieke mens te leren inzien dat de ziekte zijn of haar kruis is dat moet worden aanvaard, of men nu beter wordt of niet. Als iemand die aanvaarding heeft verworven, dan is de mens genezen, wat niet altijd wil zeggen dat de betrokkene ook beter wordt, maar wel dat hij of zij verlost is en dat is het belangrijkste. Greet zag het als haar taak om mensen die in nood en ziekte verkeerden te helpen. Het enige mysterieuze waren de doorgevingen die zij van boven ontving. Door te luisteren of iemand aan te raken maakte zij contact met de problemen van de ander en gaf ze deze door aan het hogere. Vervolgens kreeg zij antwoord voor degene die hulp zocht. Het was Juliana vaker opgevallen dat Greet goed kon luisteren, wat op zich al een therapeutische uitwerking had. Greet sprak mensen moed in en daarmee verlichtte zij hun angsten. De gasten in de bibliotheek zaten zwijgend om Hofmans heen, die met gesloten ogen op een stoel zat. Haar handen lagen gevouwen in haar schoot. Langzaam deed zij haar ogen open en keek in het rond.

'In de winter van 1942 zag ik vanuit mijn raam hoe een joodse familie werd meegenomen,' zei Greet. Zij vertelde hoe Nederlandse agenten samen met Duitse soldaten met harde hand een joodse familie een vrachtwagen in dreven. Hun koffers werden hun achterna gegooid. Een joodse jongen sjouwde twee koffers met zich mee en verplaatste ze om de beurt enkele meters, tot grote woede van een Nederlandse agent, die de jongen vastgreep en een klap gaf. De jongen schopte de agent tegen zijn been en kreeg vervolgens een pak slaag. De jongen werd opgetild en in de laadruimte van de vrachtwagen gesmeten. Zijn vader nam zijn huilende zoon op schoot. Greet keek vragend de kring rond.

'Waarom zoveel wreedheid? Wat is daar de zin van, dat vroeg ik aan God,' zei Greet rustig. De aanwezigen wachtten aandachtig af. 'Opeens werd ik vervuld van een gevoel. Liefde en medelijden stroomden door mij heen, dit medelijden gold niet alleen de jongen, maar ook de politieman. Ik voelde dat mijn liefde en medelijden naar beiden uitgingen,' zei Greet. Juliana dacht net als de anderen na over deze geschiedenis.

'Betekent dit dat iedereen ongeacht zijn daden vergiffenis verdient?' vroeg baron Van Heeckeren.

'Uiteindelijk wel,' antwoordde Greet.

'Idealiter mag dat wel zo zijn,' merkte Juliana op, 'maar we mogen niet uit het oog verliezen dat wij niet in een ideale wereld leven.'

'We kunnen er in ieder geval naar streven,' zei Greet.

'Bij wijze van leidraad in ons handelen?' vroeg Juliana. Greet knikte opnieuw instemmend. Juliana had dat principe al meerdere keren in praktijk proberen te brengen, maar dat riep telkens weerstand op.

Juliana kwam na de bijeenkomst op deze kwestie terug bij Greet, terwijl ze samen met Walraven van Heeckeren en Rita Penning een wandeling maakten door de tuin achter het paleis. Greet vond dat je zelfs bij de ergste categorie misdadigers de bereidheid moest tonen om vergeving te schenken. De doodstraf loste niets op en was niets anders dan een vorm van vergelding. Juliana knikte instemmend. Rita had Marijke bij zich, die een vrolijke zomerjurk droeg en een hoornen bril met dikke glazen op haar neus had. Terwijl Juliana met Greet sprak, speelden Rita en Walraven met de hond, een Jack Russel, die blaffend om Rita en Marijke heen holde. Walraven pakte een stok, gooide deze een twintigtal meters weg. Tim rende erachteraan en kwam even later kwispelend terug met de stok. Walraven pakte de stok met beide handen vast en tilde hem met hond en al op. Marijke moest hier om lachen.

'Tim houdt stok vast,' zei de kleine prinses tegen Rita.

'Horen jullie dat?' riep Rita enthousiast tegen Juliana en Greet, die zich meteen omdraaiden. Walraven hield de stok met beide handen omhoog terwijl de hond in de lucht bungelde.

'Marijke ziet het,' zei Rita terwijl Marijke naar de hond aan de stok wees.

'Nee maar,' riep Juliana blij verrast.

'Het is heel goed mogelijk dat Marijke ooit weer volledig zal zien,' merkte Greet op. Juliana zag dat Bernhard in zijn Engelse sportwagen het terrein opreed. Ze riep haar echtgenoot, maar hij hoorde haar niet, totdat hij de motor van de Aston Martin afzette.

'Bernhard,' riep Juliana, 'je raadt nooit wat er zojuist is gebeurd.' Rustig liep de prins naar het groepje dat rond zijn dochter stond. Walraven had de stok losgelaten en Tim rende blaffend naar de prins. Hij haalde de hond even aan.

'Marijke zag met eigen ogen dat Tim zich vastbeet aan de stok,' zei Juliana opgewonden.

'Dat is goed nieuws,' zei Bernhard.

'Greet denkt dat Marijke weer volledig zal zien,' zei Juliana. Bernhard knikte blij, maar hij kon zijn scepsis niet onderdrukken.

'O, is dat zo, juffrouw Hofmans?' vroeg hij haar.

'Het is mogelijk, hoogheid,' antwoordde Greet.

'U hebt weer een telegram van boven gekregen?' vroeg Bernhard terwijl hij de vrouwen sceptisch aankeek. Greet gaf geen antwoord.

'Maar dat is toch fantastisch!' riep Juliana.

'Ja, dat is heel fantastisch,' zei Bernhard cynisch terwijl hij zich omdraaide en wegliep. Juliana tilde Marijke op en gaf haar een knuffel. Ze wist dat Bernhard inmiddels serieuze bezwaren had tegen Greets verblijf op het paleis. De omgang met deze vrouw tastte volgens hem het decorum van het hof aan, maar Juliana was het daar niet mee eens. De kwestie was al een paar keer aan de orde gekomen, maar Juliana had haar echtgenoot niet op andere gedachten kunnen brengen.

De noodzaak van een hernieuwde oriëntatie op de vredesgedachte leefde niet alleen bij Juliana maar in brede kring na de Tweede Wereldoorlog. Ieder weldenkend mens ging ervan uit dat een nieuwe oorlog tegen elke prijs moest worden voorkomen. Wanneer de mens zich uitsluitend zou laten leiden door materieel gewin, politieke macht of veroveringen, dan zou de mens zichzelf in zijn blinde vergeldingsdrift te gronde kunnen richten. De geallieerden hadden Europa weliswaar bevrijd van de Duitse overheersing, maar die strijd zou waarschijnlijk heel anders zijn afgelopen als de Duitse wetenschappers hun rakettenonderzoeksprogramma op tijd hadden kunnen afronden, dan zouden zij een vernietigingswapen tegen de geallieerden hebben ingezet. Volgens Juliana was het mede aan de hoogmoed van de mensen te danken dat Europa tot op de rand van de afgrond was gebracht. Daarom vond ze de bijeenkomsten op Het Oude Loo zo belangrijk, het was een platform voor het ontwikkelen van een nieuwe vredesgedachte, die over politiek en godsdienst heen reikte en bijdroeg tot het behoud van een langdurige vrede. De politiek noch de kerk was in staat geweest om de stormachtige opkomst van het Duitse nationaal-socialisme een halt toe te roepen op het moment dat het nodig was. Juliana en haar moeder Wilhelmina steunden deze vrijplaats waar denkers, theosofen en andere geïnteresseerden enkele dagen onder elkaar konden zijn om met elkaar van gedachten te wisselen over de problemen van deze wereld.

Het kasteel lag diep in de tuinen van het Apeldoornse koninklijke landgoed verborgen. Uit binnen- en buitenland kwamen de genodigden. De organisatie was veeleisend en werd niet door de heer Kaiser alleen geregeld. Hij werd geholpen door mevrouw Pierson, het echtpaar Mijnssen, Walraven van Heeckeren en zijn moeder. Juliana stelde leden van haar hofhouding ter beschikking om alle logistieke problemen op te lossen. De genodigden werden ondergebracht in de kamers van het kasteel en in het nabijgelegen hotel Keizerskroon. De bijeenkomsten begonnen op vrijdag om tien uur 's ochtends en werden op zondagmiddag afgesloten. Juliana voelde zich helemaal in haar element tijdens deze bijeenkomsten. Op de gastenlijst stonden de namen van mensen zoals generaal Koot, mejuffrouw Klompé, Tjeenk Willink, gravin Van Rechteren, baron Van Pallandt, de heer en mevrouw Heijn, de heer en mevrouw Fentener van Vlissingen, de Viruly's, Six, Fokker, Philips en Landré. Juliana vond het belangrijk dat er uit alle gezindten gasten werden uitgenodigd, en dat er ergens een plek was waar de vredesgedachte intens kon worden beleefd door alle standen en verzuiling heen. Uitgangspunt vormde het idee dat het bestaan van vrede was gebaseerd op de simpele acceptatie dat God onoverwinnelijk is, en niet de mens. De geschiedenis had bewezen dat telkens als de mens zich opstelde als heerser van de wereld dit uiteindelijk tot oorlog en ongekende destructie leidde. Er kwamen kopstukken uit intellectuele en religieuze kring en er werden lezingen gehouden over antroposofische onderwerpen. Juliana betreurde het feit dat zij deze belangstelling niet kon delen met Bernhard, die hier niet de minste interesse voor toonde. Ook Eleonore Roosevelt, de vrouw van de Amerikaanse president en vriendin van Juliana, bezocht een bijeenkomst. Zij was het echter niet eens met de stelling dat alle problemen oplosbaar waren door onderwerping aan de wil van God, ze was halverwege het weekend vertrokken omdat ze zich niet kon vinden in Juliana's liefde voor het geloof en haar vredesopvattingen.

Juliana had geprobeerd om Eleonore op andere gedachten te brengen, maar dat gesprek was vastgelopen in politieke argumenten.

Juliana geloofde niet in de waanzin van de Koude Oorlog, zag de communisten niet als het grootste wereldgevaar en laadde door haar neutrale opstelling de verdenking op zich dat zij sympathiseerde met het communisme, wat in de ogen van Eleonore een onvergeeflijke fout was. Hoewel Juliana wist dat haar gedachten ook nog niet helemaal duidelijk waren, accepteerde ze dat dat nu eenmaal het gevolg was van het zoeken naar nieuwe wegen en oplossingen. Je moest je daarvoor openstellen, als je alleen maar vasthield aan vaststaande ideeën en dogma's sloot je de mogelijkheid tot vernieuwing uit.

Op vrijdagochtend verzamelden alle genodigden zich in de aula van Het Oude Loo. Er waren ongeveer honderd mensen aanwezig. Een tiental lakeien wees de gasten hun plaats. Juliana zat met de heer Kaiser te wachten tot iedereen binnen was, terwijl een lakei de namen van de gasten afriep.

'De heer en mevrouw Fentener van Vlissingen.' Het echtpaar groette de koningin en volgde de lakei naar hun stoelen.

'De heer en mevrouw Fokker,' riep de lakei op gedragen toon terwijl Juliana het echtpaar met een hoofdknik begroette. Juliana keek rond en zag Greet Hofmans verderop zitten. Zij had Greet een tolk aangeboden om de Engelse lezing te vertalen, maar Greet vond dat te storend. Greet zat naast barones Van Heeckeren van Molecaten, de moeder van Walraven. Juliana was met hen beiden bevriend geraakt. De heer Kaiser stond op en heette iedereen welkom. Hij introduceerde de hooggeëerde gast, Martin Buber, die de ochtendlezing voor zijn rekening nam. Kaiser vertelde dat Martin Buber een beroemd boek had geschreven over de crisis waar de mensheid het afgelopen decennium doorheen was gegaan.

'De oorlog heeft ons duidelijk gemaakt dat niet de mens over de wereld heerst, maar dat de Schepper over Zijn Creatie regeert. Dientengevolge kan de wereldvrede alleen maar effectiever worden gestimuleerd door een heroriëntering op deze fundamentele waarheid. Dames en heren, een warm applaus voor onze gast en spreker Martin Buber,' zei Kaiser, waarna hij plaatsmaakte. Een beschaafd applaus klonk op in de aula alvorens Buber het woord nam.

De daaropvolgende maandagochtend liep Juliana opgetogen naar de kamer van Bernhard in de andere paleisvleugel. Ze was zojuist op Soestdijk aangekomen en had graag gezien dat Bernhard haar verwelkomde, maar dat was niet het geval. Beatrix, Irene en Margriet waren al vroeg in de ochtend naar school vertrokken, dus ze had alleen Marijke even gezien. Juliana liep zonder te kloppen naar binnen en zag Bernhard achter zijn bureau een brief schrijven. Aan de muur hingen schilderijen, een autostuur, geweien en andere jachttrofeeën.

'Zo, ben je er weer?' merkte Bernhard laconiek op.

'Je had erbij moeten zijn,' zei Juliana opgewonden, 'het was heel bijzonder.'

'Eleonore Roosevelt vond het maar een stelletje religieuze fanatiekelingen onder elkaar,' merkte Bernhard op.

'Ja, zij begreep er niets van, die wil alles alleen maar in politieke termen zien,' zei Juliana.

'En wat is daar mis mee?'

'Niets, maar het is slechts één manier om tegen de dingen aan te kijken.'

Bernhard pakte bedachtzaam zijn pijp uit de houder die voor hem stond, stak hem aan en blies de rook de kamer in alvorens hij het woord tot zijn vrouw richtte.

'Ze heeft mij opgebeld en haar zorg uitgesproken over de bijeenkomst,' zei Bernhard ernstig.

'Dat is nergens voor nodig,' zei Juliana.

'Om je de waarheid te zeggen maak ik mij ook zorgen,' zei Bernhard.

'Waarover?'

'Over die religieuze dweperij.'

'Dat valt wel mee,' zei Juliana kalm.

'En dat is niet het enige!' zei Bernhard.

Juliana keek hem vragend aan.

'Juffrouw Hofmans heeft genoeg tijd gehad om haar geneeskundige talent uit te proberen op Marijke, maar dat heeft niet tot het gewenste resultaat geleid,' zei Bernhard beslist.

'Dat weten we nog niet,' zei Juliana.

'Ik zie eerlijk gezegd geen enkele reden waarom zij nog langer aan het hof zou moeten bivakkeren,' zei Bernhard.

'Ik stel haar gezelschap op prijs,' merkte Juliana op.

'Mijn adjudant vertelde mij dat zij in Baarn gaat wonen. Klopt dat?' vroeg Bernhard.

'Ja, bij de familie Mijnssen, dat heb ik geregeld,' antwoordde Juliana.

'Dat mens hoort niet aan het hof thuis. Hoe vaak moet ik je dat nog zeggen?' zei Bernhard fel.

'Dat is aan mij om uit te maken,' antwoordde Juliana.

'Es stimmt nicht.'

'Ik kan goed met haar praten, dat vind ik belangrijk. Wij praten zelden nog met elkaar.'

'Ik heb een overvolle agenda, dat weet je.'

'Ik ontvang ook weleens andere berichten.'

'Wat wil je daarmee insinueren?' vroeg Bernhard geïrriteerd.

Juliana voelde er niets voor om haar goede stemming te laten bederven en liep zwijgend naar de deur.

'Klopt het dat baron Van Heeckeren je particulier-secretaris wordt?' vroeg Bernhard.

Juliana draaide zich bij de deur om en knikte instemmend.

'Juffrouw Hofmans woont toch op zijn landgoed?'

'Ja,' antwoordde Juliana rustig.

'Mediteert de baron ook elke dag voor een betere wereld?' vroeg Bernhard laatdunkend.

Juliana zweeg en verliet met een luide zucht zijn werkkamer. Bernhard keek zijn vrouw na terwijl hij zijn pijp opnieuw aanstak.

De auto van de minister-president stopte voor het bordes van het paleis. Een lakei opende het portier voor Willem Drees, die gehaast de trap van het bordes opliep. Juliana wachtte in bijzijn van baron Van Heeckeren in haar werkkamer op de minister-president. Drees werd aangekondigd en binnengelaten door een lakei. Hij liep op de koningin af en gaf haar een hand.

'Mevrouw,' zei Drees terwijl hij zijn hoed op de stoel neerlegde en zijn jas uittrok.

'Meneer Drees, ik wil u voorstellen aan mijn nieuwe particulier-secretaris, baron Van Heeckeren,' zei Juliana. De minister-president en de baron gaven elkaar vriendelijk een hand.

'Ik sta tot uw dienst en ben altijd op het paleis bereikbaar,' zei de baron beleefd. Drees knikte minzaam alvorens de baron vertrok, opende zijn aktetas en haalde er gewoontegetrouw een stapel werkdossiers uit.

'Ik heb in het kabinet nogmaals uw wens besproken om oorlogsmisdadigers zoals Willy Lages gratie te verlenen, maar iedereen blijft pertinent tegen,' zei Drees op straffe toon.

'Daar was ik al bang voor,' zei Juliana.

'Er zijn al vragen in de Kamer gesteld waarom de doodvonnissen van het Bijzondere Gerechtshof niet worden uitgevoerd,' zei Drees bezorgd.

'Kunt u niet zeggen dat ik principieel tegen deze executie ben?' vroeg Juliana. Drees zuchtte diep.

'U weet dat dat niet kan,' antwoordde hij kortaf.

'Ik vind die ministeriële verantwoordelijkheid soms een onmogelijke zaak. Elke volksvertegenwoordiger mag zijn zegje doen, maar van mij wordt altijd maar verwacht dat ik zwijg,' zei Juliana verontwaardigd.

'Zo is dat nu eenmaal vastgelegd in de grondwet,' zei Drees, 'daar kunt u, of ik, niets aan veranderen.'

Juliana stond op vanachter haar bureau, liep naar het raam en keek naar buiten. Drees wachtte af wat er ging komen.

'Ik heb wat de Indische kwestie betreft ook gelijk gekregen,' zei Juliana, 'dat is toch duidelijk.'

'Wij voerden in 1948 het regeringsbeleid uit,' zei Drees.

'Het tweede militaire fiasco in Indië was als het aan mij had gelegen voorkomen, dat weet u heel goed,' zei Juliana resoluut.

Drees ging rechtop zitten.

'We hadden geen keus. We waren aangewezen op de adviezen van Beel in Batavia,' zei Drees berustend. Juliana wist dat ze het gelijk aan haar kant had, maar had een sterk vermoeden van wat er werkelijk bij de Indische kwestie speelde.

'Het is mijn overtuiging dat de heer Romme en zijn kompanen de belangen van het Nederlandse bedrijfsleven veilig wilden stellen, daar draaide het allemaal om,' zei Juliana.

Drees schudde verontwaardigd het hoofd terwijl hij een manier zocht om een eindeloze discussie in de kiem te smoren.

'U stelt de zaken soms te simplistisch voor,' zei Drees.

'In dat geval prijs ik mij gelukkig met mijn eenvoud, meneer Drees,' antwoordde Juliana.

Drees stopte zwijgend de dossiers terug in zijn aktetas en stond op.

'U gaat weer?' vroeg Juliana verbaasd.

'Met uw welnemen, mevrouw,' zei Drees terwijl hij zijn jas aandeed. Ze was verrast door zijn plotselinge vertrek.

'U vertrekt midden in ons gesprek,' zei Juliana verbaasd.

'Ik wil het vandaag graag kort houden,' antwoordde Drees, terwijl hij haar een hand gaf.

Juliana liet hem beduusd uit.

Argentijnse vrienden

O p de ochtend van 26 maart 1951 stond het Fokker-vliegtuig met draaiende propellers voor de vertrekhal van
Schiphol. Prins Bernhard nam in het uniform van inspecteur-generaal van de Nederlandse strijdkrachten afscheid van
zijn vier dochters, Juliana, Rita Penning en Dirk Stikker, de minister van Buitenlandse Zaken. Er stak een scherpe koude wind op.
Juliana zette de kraag van haar jas omhoog opdat zij geen kouvatte
op het winderige platform, terwijl Bernhard zijn dochters een voor
een in zijn armen nam, de jongste twee tegen zich aan drukte en
beloofde dat hij snel weer thuis zou zijn. Zijn oudste twee dochters
Beatrix en Irene waren nu dertien en elf jaar. Hij kuste Irene
op beide wangen en streek over haar hoofd en beloofde Beatrix dat
hij aan haar zou denken wanneer hij aan de andere kant van de
oceaan aan het werk was.

'Hoe lang is het vliegen, pap?' vroeg Irene.

'Heel lang, en we moeten ook nog een paar tussenlandingen
maken,' antwoordde Bernhard.

'Bel je ons als je er bent?' vroeg Beatrix bezorgd.

'Zal ik doen,' beloofde hij zijn oudste dochter, terwijl hij haar in zijn armen nam. Hij zei haar vaarwel, deed een stap opzij, keek zijn vrouw glimlachend aan en kuste haar vluchtig op beide wangen.

'Ik wens je een goede reis,' zei Juliana terwijl zij haar hoed vasthield in de wind. Zij pakte hem bij zijn arm in het besef dat zij hem net als bij zijn andere reizen zou missen. Zij had ondertussen wel geleerd om met dit gemis om te gaan, maar ze vond het altijd weer moeilijk om alleen achter te blijven. Ze liet ten slotte zijn arm los en Bernhard gaf Dirk Stikker een hand.

'Goede reis,' wenste Dirk hem toe.

'We spreken elkaar snel weer,' zei Bernhard waarna hij wegliep, zijn hand opstak en naar de achterblijvers wuifde. Bernhards adjudant en particulier-secretaris stonden boven aan de trap op hem te wachten, terwijl een zevental Nederlandse ambtenaren van Economische en Buitenlandse Zaken al in het toestel zat. Juliana wist maar al te goed dat deze overzeese handelsreizen en delegaties onder leiding van Bernhard hard nodig waren voor de opbouw van de Nederlandse industrie, maar hij verbleef steeds vaker en langer in het verre buitenland. Ze kon er niet met hem over praten. Bernhard trok volledig zijn eigen plan en leek het onderhouden van zijn zakelijke relaties en vriendschappen over de hele wereld belangrijker te vinden dan zijn huwelijk. Deze reis ging naar Uruguay, Chili en Argentinië. Juliana sloeg geëmotioneerd haar arm om Beatrix, die met tranen in haar ogen naar haar vader in de cockpit zwaaide. Hij had het kleine raampje geopend en stak zijn hand vrolijk lachend naar buiten. Het gebulder van de motoren van het Fokker-vliegtuig zwol aan. Juliana keek met haar dochters het wegrijdende toestel na, terwijl Rita Penning Marijke en Margriet stevig bij de hand hield op het winderige platform.

De prins bezocht in Buenos Aires een oude vriendin, die altijd zeer behulpzaam was bij het leggen van de contacten, Catalina von Pannwitz-Roth, dochter van een schatrijke Duits-Argentijnse grootgrondbezitter en vleestycoon. Hij kende haar nog uit zijn jeugd. Voor de broertjes Aschwin en Bernhard Lippe-Biesterfeld was ze 'tante Käthe'. Als jongen had Bernhard vaak gelogeerd op het landgoed van de familie Pannwitz, Hartekamp, dat in de buurt van Bennebroek en Heemstede lag. De familie Pannwitz onderhield op haar beurt innige contacten met de Duitse keizer, die in Doorn woonde. Bernhard had zich met zijn broer Aschwin vaak vergaapt aan de kunstverzameling en rijkdom van de familie Pannwitz, die deels in Nederland, deels in Argentinië verbleef. Ze hadden van landgoed Hartekamp een salon gemaakt waar veel Duitse aristocraten, diplomaten en kunstliefhebbers op zondag bijeenkwamen. Tante Käthe was nu weliswaar op leeftijd, maar nog steeds springlevend. In 1940 had zij haar Hollandse schilderijen uit de zeventiende eeuw aan rijksmaarschalk Göring verkocht en was voorgoed naar Buenos Aires vertrokken. Bernhard voelde zich als een vis in het water in de Duitse gemeenschap in Buenos Aires, hij was er onder landgenoten en sprak zijn moedertaal. Veel gevluchte Duitsers probeerden na de oorlog een nieuw bestaan in Argentinië op te bouwen. Tante Käthe was op tijd uit Europa vertrokken. Zij had er geen moeite mee dat het in de Argentijnse hoofdstad wemelde van de voortvluchtige Duitsers, die met open armen werden ontvangen door de Argentijnse elite rondom kolonel Juan Perón. Honderden miljoenen Amerikaanse dollars uit Duitsland waren als vluchtkapitaal net vóór de Duitse capitulatie op Argentijnse bankrekeningen in veiligheid gebracht. De Argentijnse leider en zijn beeldschone vrouw Eva Duarte waren bijzonder geliefd in eigen land én in de Duits-Argentijnse gemeenschap. Perón liet Bernhard Buenos Aires binnenrijden in een koets bespannen met vier paarden en begeleid door lansiers in uniform, waardoor deze zich zeer gestreeld voelde. Hij geloofde in een persoonlijke manier van zakendoen en wist dat concurrerende offertes in Zuid-Amerika niets betekenden. Daar deed men op een andere manier zaken dan in Europa of de Verenigde Staten. Samen dineren, uitgaan en plezier maken waren belangrijk, want in Buenos Aires werd alleen zakengedaan met vrienden. Het Nederlandse bedrijfsleven gaf de prins en zijn secretaris De Graaff dossiers over zaken die hij op poten moest zetten. Bernhard voerde talloze be-

sprekingen, hij had een goed geheugen en greep vaak de gelegenheid aan om op het hoogtepunt van de feestvreugde de zaak af te
ronden. Tijdens het dessert van een officieel diner, onder het spelen van dansmuziek, gedurende een autorit of onderweg naar een
kranslegging vroeg Bernhard een minister of president hoe het ervoor stond met een bepaald contract, invoervergunningen of de
mogelijkheden voor verbetering van de Nederlandse export. Hij
had deze vragen goed voorbereid met secretaris en ingenieur De
Graaff, die tegelijkertijd zijn economisch adviseur was. Het was
een speciale gave van Bernhard dat hij officiële betrekkingen amicaal wist te maken, zodat er een ontspannen sfeer ontstond.

Ondertussen was Bernhard bevriend geraakt met Alfredo
Hirsch, die op zijn beurt weer bevriend was met de Peróns. Zo
kreeg Bernhard direct toegang tot de Peróns om zaken te doen.
Juan was tien jaar ouder dan Bernhard, maar zijn vrouw Eva was
juist weer tien jaar jonger. Eva was een jonge, slanke vrouw uit het
volk met lang blond haar en bruine ogen, die veel voor de armen
deed. De Argentijnse economie bloeide als nooit tevoren door het
Duitse vluchtkapitaal en de opbrengsten van de agrarische expor-
ten naar het hongerende Europa. Perón gebruikte dit geld om de
zware industrie in Argentinië op te bouwen. De ontvangst op het
presidentiële paleis in Buenos Aires was stijlvol. Juan en Eva droegen galakleding, evenals prins Bernhard, die schitterde in zijn uniform als hoogste Nederlandse militair. Hij was al een week in de
Argentijnse hoofdstad. De zakelijke besprekingen waren zo goed
als afgerond en hij had besloten om nog enkele dagen uit te rusten
in een hotel in Patagonië alvorens terug te reizen naar Nederland.

Een klein orkest speelde in de balzaal. Bernhard werd door tante Käthe rondgeleid. Zij stelde hem voor aan allerlei gasten, onder
wie de aantrekkelijke dertigjarige Duits-Argentijnse Irma Lauterbach. Irma zei dat zij al veel goeds over Bernhard had gehoord van
Catalina Pannwitz. Bernhard lachte en nodigde haar ter plekke uit
om hem te vergezellen tijdens zijn driedaagse vakantie in Patagonië en ze nam de invitatie aan. De Peróns hadden Bernhard de afgelopen week een Nederlandse begeleider toegewezen, Willem Sas-

sen, die hem in de balzaal op de voet volgde. Sassen nam Bernhard apart en gaf onderwijl een officier van de presidentiële wacht een teken dat het orkest moest ophouden met spelen. Een Nederlandse ambtenaar liep achter de prins aan met een kussen waarop twee Nederlandse onderscheidingen lagen. Prins Bernhard pakte het lint waaraan het Grootkruis in de orde van Oranje-Nassau van het kussen en hing het voorzichtig om Eva's hals.

'Het doet mij veel genoegen u het Grootkruis in de orde van Oranje-Nassau te overhandigen,' zei Bernhard in het Engels vanwege de aanwezigheid van de Engelse diplomaten. Vervolgens hing hij Juan het andere lint met Grootkruis om. De Peróns waren zeer ingenomen met de hoge Nederlandse onderscheiding.

De volgende ochtend leunde Bernhard over de reling van de veerboot die over Lago Nahuel Huapi in Patagonië voer. De boot Modesta Victoria voer van Puerto Blest naar het hotel Llao Llao, zo'n twintig kilometer van de toeristenplaats San Carlos de Bariloche. Aan boord bevonden zich ook Willem Sassen en Irma Lauterbach. Het seizoen was voorbij en het luxehotel gesloten, maar voor het hoge bezoek uit Nederland was het speciaal weer geopend. Bernhard stond op het dek van de boot in overhemd en katoenen broek naast Irma te genieten van de natuur. Ze keken over het water. Hij wilde een paar dagen uitrusten in het vijfsterrenhotel. Er stond een lichte bries, maar de lucht was wolkeloos en strakblauw. Bernhard was tevreden. Zijn rondreis door Uruguay, Chili en Argentinië was een groot succes geworden, hij had zijn missie boven verwachting volbracht. De Nederlandse delegatie had een contract afgesloten met de Argentijnse caudillo, kolonel Juan Perón, ter waarde van 258 miljoen gulden voor de levering van spoorwagons en locomotieven door het Nederlandse bedrijf Werkspoor. Iedereen aan boord was opgetogen en voldaan. 's Middags vloeide de champagne rijkelijk op het terras van het hotel en Bernhard en Irma amuseerden zich kostelijk. Zij nodigde hem uit voor een wandeling door de tuin van het hotel. Ze dineerden 's avonds met zijn tweeën op zijn hotelkamer en Irma vroeg wanneer hij weer naar Buenos

Aires kwam, maar dat wist hij niet, het zou vast niet langer dan zes maanden duren. Hij hield van Argentinië en zijn inwoners. Hij keek naar de Duits-Argentijnse vrouw die tegenover hem zat, met haar zwarte lange haar, bruine ogen en Europese trekken. Ze was in zijn ogen een combinatie van het beste van beide continenten. Een perfect samenspel van Zuid-Amerikaanse schoonheid, temperament en Duitse intelligentie.

'Du bist mein Liebchen,' zei hij teder terwijl hij haar streelde.

Halverwege april landde de landmachthelikopter op het gazon voor paleis Soestdijk. Juliana, Rita en de oudste dochters stonden met dikke jassen aan te wachten op het bordes tot de helikopter op het natte gras stond. Hun haren waaiden alle kanten op door de klapwiekende rotor. Twee officieren brachten een welkomstgroet uit voor de prins, die terugsalueerde en naar zijn gezin liep, waar Beatrix hem om de nek vloog. Op zijn werkkamer hing Bernhard zijn leren vliegeniersjack over de stoel terwijl zijn adjudant een leren reiskoffer naar binnen reed. Bernhard haalde de cadeaus voor zijn dochters eruit, die meteen werden uitgepakt onder toeziend oog van Rita en Juliana.

'Op school noemen ze je de Vliegende Hollander,' zei Beatrix trots terwijl Marijke op haar vaders knie klom.

'En hoe gaat het met mijn kleintje?' vroeg Bernhard.

'Heel goed,' antwoordde Marijke. De kinderen waren opgewonden over hun vaders thuiskomst.

'Gaan jullie met Rita mee?' vroeg Juliana ten slotte. Marijke schudde van nee en zei dat zij bij papa wilde blijven.

'Kom Marijke!' zei Rita beslist. Marijke wilde niet mee, maar Rita tilde haar op, nam Margriet bij de hand en verliet met de oudste dochters in haar kielzog de kamer.

'En, hoe gaat het hier?' vroeg Bernhard belangstellend. Hij probeerde Juliana te omhelzen, maar zij bewaarde afstand.

'We hebben wat te vieren,' riep hij enthousiast.

'Wat dan?' vroeg Juliana.

'We hebben in Buenos Aires een contract voor Werkspoor

binnengehaald van 258 miljoen gulden,' zei hij trots.

'Gefeliciteerd,' antwoordde zij op neutrale toon.

'Dank je,' zei hij terwijl hij de veters van zijn schoenen lostrok.

'Ik heb van de president van de Nederlandsche Bank, meneer Holtrop, begrepen dat de Peróns tien procent provisie krijgen,' zei Juliana.

'Heeft Holtrop dat gezegd?' vroeg Bernhard verbaasd.

Juliana knikte.

'Zo gaat dat daar, anders kan Werkspoor geen zaken doen,' antwoordde hij rustig.

'En zijn er ook wapens aangeboden?' vroeg Juliana.

Bernhard zuchtte diep en knikte terwijl hij zijn schoenen uitschopte.

'Het kabinet heeft daar wellicht geen problemen mee maar ik wel, en het stoort mij dat je een hoge onderscheiding uitreikt aan die lui,' zei Juliana geïrriteerd.

Bernhard keek haar aan alsof hij het in Keulen hoorde donderen.

'Juan en Eva stelden dat zeer op prijs, dat kun je je toch wel voorstellen,' merkte Bernhard op.

'En de Peróns hebben je Willem Sassen als begeleider toegewezen?' vroeg Juliana.

'Van wie heb je dat nu weer gehoord?'

'Dat doet er niet toe.'

'Ik vind het vervelend dat er wordt gekletst.'

'Was Sassen jouw begeleider?' vroeg Juliana.

Hij knikte.

'Benno, alsjeblieft, dat kan toch niet, dat besef je toch hopelijk wel?' riep Juliana verontwaardigd.

'Je struikelt in Buenos Aires over dat soort mensen.'

'Voortvluchtige oorlogsmisdadigers zul je bedoelen.'

'Doe niet zo naïef,' zei hij.

'Ik ben niet naïef,' repliceerde zij.

'Jawel. Je krijgt trouwens de hartelijke groeten van tante Käthe, een goede vriendin van Hermann Göring. Voor de oorlog zijn we nog met haar op vakantie geweest, of ben je dat al vergeten,' merkte Bernhard geamuseerd op.

'Alsof dat een excuus is,' zei Juliana waarna zij driftig zijn kamer verliet. Bernhard schudde zijn hoofd.

'Een hartverwarmende ontvangst, moet ik zeggen,' riep hij haar na, maar zij had de deur al dichtgetrokken.

~

Een koppig meisje

*D*e grondwet van het Nederlandse koninkrijk stelde dat de regering altijd namens de koningin sprak. De koningin was onschendbaar en de minister-president droeg de volle ministeriële verantwoordelijkheid voor al haar gedragingen en uitspraken. In regeringskringen maakten Willem Drees en zijn collega-ministers zich zorgen over de pacifistische bijeenkomsten op Het Oude Loo en de invloed ervan op Juliana. De politici zaten soms met hun handen in het haar. Wat moesten zij met Juliana's weigering om het Koninklijk Besluit voor de executie van oorlogsmisdadiger Willy Lages te ondertekenen? Zij konden daar geen verantwoordelijkheid voor nemen en ze konden evenmin in het openbaar toegeven dat er een meningsverschil bestond tussen het kabinet en de koningin. De heren politici begrepen Juliana niet en vreesden haar uitgesproken standpunten. Juliana werd als bijzonder bemoeizuchtig ervaren, al werd dit nooit ofte nimmer openlijk gezegd. De verontrusting onder de politici werd vooral binnenskamers tot uiting gebracht. De politici maakten zich zorgen over wat haar volgende stap zou zijn. Prins Bernhard ergerde zich eveneens aan de opstelling van zijn vredelievende vrouw. Hij was geen voorstander van het pacifisme, hij was de man van de bewapening, van de NAVO. Bernhard was voor een sterk militair overwicht in de Koude Oorlog tegen het communisme. Tot zijn vrienden behoorde CIA-directeur Alan Dulles. In Amerika kwam de heksenjacht tegen de communisten in die jaren pas goed op gang. Bernhard kwam er vaak, en door zijn lobbywerk voor de Nederlandse industrie en het Nederlandse leger kwam hij in contact met veel Amerikaanse militair industriëlen. Hij deelde de Amerikaanse visie op oorlog en vrede. Hij was er ook principieel op tegen geweest dat zijn kinderen de school bezochten van de pacifist Kees Boeke in Bilthoven, maar Juliana had in de keuze van de lagere school van haar dochters voet bij stuk gehouden. Bernhard wilde niet dat zijn dochters besmet zouden raken met het pacifistische gedachtegoed. Hij had erop aangedrongen dat zijn dochters na de lagere school het Baarns lyceum bezochten. Pacifisme en neutraliteit kwamen in de buurt van het gedogen van het communisme, terwijl daar volgens Bernhard en de Amerikanen het grootste gevaar in school voor de toekomst van het vrije Westen. Volgens Bernhard kwamen Juliana's ideeën en overtuigingen voort uit onzekerheid en naïviteit.

De minister-president en de minister van Buitenlandse Zaken zagen de bui dan ook al hangen boven de Amerikaanse reis van het koninklijk echtpaar in 1952. Juliana en Bernhard zouden naar Amerika gaan om het Amerikaanse Congres in Washington te bedanken voor onder andere de naoorlogse Marshall-hulp die West-Europa economisch weer op de been had geholpen. Drees, Stikker, Bernhard en anderen zagen dit als een uitgelezen kans om uiting te geven aan de Nederlandse trouw aan Amerika, maar Juliana dacht hier anders over. Zij bracht haar standpunten tijdens haar wekelijkse onderhoud met de minister-president naar voren.

'Ik heb het recht om onze bondgenoten te waarschuwen indien ik dat nodig vind,' zei Juliana tegen Willem Drees.

'Dat is waar, maar een herstel van de vooroorlogse neutralistische politiek is geen haalbare kaart,' antwoordde Drees.

'O, dat zie ik anders, want de Nederlandse deelname aan de NAVO verplicht ons toch niet tot een jaarlijkse verhoging van de defensiebegroting met tientallen miljoenen guldens,' zei Juliana.

'Dat is de realiteit,' merkte Drees op.

'Dat geld kan beter worden besteed om de woningnood op te lossen en voor de bestrijding van de armoede in ons land.'

'Zeker, maar het bondgenootschap legt ons nu eenmaal verplichtingen op,' bracht Drees daartegen in.

'Wat voor verplichtingen?' vroeg Juliana terwijl zij opstond. Ze probeerde zich te beheersen. Drees gaf geen antwoord op haar vraag. 'Tot wat verplicht het ons? Tot meedoen aan die oorlogshetze tegen de Sovjet-Unie?' vroeg zij hem op felle toon. Drees schudde het hoofd in het besef dat de kloof tussen hen beiden met elk gesprek toenam.

'Het communistische gevaar moet tegen elke prijs bestreden worden!' zei Drees.

'Ik geloof niet in die strijd van de Amerikanen tegen het communisme. Volgens mij is het slechts een argument om de Amerikaanse bewapeningsindustrie onbeperkt te financieren, daar gaat het om,' zei Juliana terwijl Drees naar een manier zocht om het gesprek een andere wending te geven. Hij kon niet elk gesprek afbreken en voortijdig vertrekken. Hij keek haar doordringend aan.

'U gelooft niet in het rode gevaar?' vroeg Drees.

'Nee, u dan wel?'

'Ja zeker,' antwoordde Drees.

'Ik zie er de noodzaak niet van in dat er jaarlijks honderden miljoenen guldens aan wapentuig moeten worden uitgegeven in de Verenigde Staten,' zei Juliana.

'Mevrouw, dat is nodig om onze veiligheid te garanderen.'

'En dan vinden zij mij naïef,' merkte Juliana met een spottende glimlach op.

De minister-president deed er wijselijk het zwijgen toe.

'Begrijpt u dan niet dat Amerika een oorlogseconomie heeft?' vroeg Juliana, 'op oorlog voeren is de welvaart van de Verenigde Staten sinds hun onafhankelijkheid gebouwd.'

'Ik begrijp uw mening, mevrouw, maar de militaire dreiging die ze opbouwen is er om de vrede te garanderen, dat noemen ze afschrikking,' antwoordde Drees.

Juliana begreep niet dat Drees de Amerikaanse gedachtegang niet doorzag, dat het vijandsbeeld van de Sovjet-Unie werd gebruikt om de bewapeningswedloop op te jagen, zodat alle bondgenoten van de NAVO elk jaar weer hun defensiebegroting moesten opvoeren om de Amerikaanse wapenindustrie te financieren. Hoewel zij tijdens de conferenties op Het Oude Loo nooit over politiek spraken, deelden Juliana en de andere deelnemers hun visie op de Koude Oorlog. Zij nam zich voor om tijdens haar Amerikaanse reis haar ideeën uit te dragen, dat beschouwde zij als haar missie, tot grote bezorgdheid van het Nederlandse kabinet.

Minister-president Drees nam de minister van Buitenlandse Zaken, Dirk Stikker, in vertrouwen. Dirk ging vaak met zijn vriend prins Bernhard op jacht op de koninklijke Kroondomeinen op de Hoge Veluwe. Dirk bracht de nijpende kwestie ter sprake terwijl zij met het jachtgeweer over de arm over een bospad liepen. Op afstand volgden de drijvers met hun aangelijnde jachthonden.

'Je vrouw schrijft zelf haar redevoeringen voor haar Amerikaanse rondreis,' zei Dirk.

'Ja, dat heb ik gehoord,' antwoordde de prins.

'Op het ministerie lezen we die teksten met verbazing,' zei Dirk.

'Dat kan ik mij voorstellen,' antwoordde Bernhard lachend.

'Ze zijn pacifistisch en tegen de bewapening,' merkte Dirk op.

Prins Bernhard knikte.

'Je hebt geen idee waarvoor ze pleit,' zei Dirk.

'Ik ben bang van wel,' zei de prins.

'Ze pleit voor een dialoog met Moskou.'

De prins knikte wederom.

'Wat moeten we daarmee?' vroeg Dirk bezorgd.

'Verscheuren en in de prullenbak gooien,' antwoordde de prins laconiek, maar Dirk zag er de grap niet van in.

'Dat lost niets op,' zei hij bezorgd.

'Ik weet het. Ze bijt zich erin vast,' merkte Bernhard op.

'En wat kunnen wij daaraan doen?' vroeg Dirk.

Bernhard haalde zijn schouders op, bleef stilstaan en zag twee patrijzen wegvliegen. Hij pakte snel de camera die om zijn hals hing om een foto van de wegvliegende patrijzen te nemen. Dirk pakte een zilveren flacon uit de binnenzak van zijn groene jagersjas, schroefde de dop eraf en bood de flacon aan Bernhard aan, die een slok nam en de flacon teruggaf. Dirk liet de sterke drank op zich inwerken.

'Ik kan haar moeilijk tot de orde roepen,' zei Dirk.

'Ik zal wel met haar praten,' zei Bernhard.

'En er is nog iets. Freddie wil een brouwerij in Boston overnemen en als commissaris van het bedrijf ben ik ervoor,' zei Dirk, 'het zou helpen als jij bij dat gesprek aanwezig zou willen zijn.'

'Dat doe ik graag voor hem,' antwoordde Bernhard.

Enkele dagen later zat Bernhard in een prince-de-galle-kostuum en met een witte anjer in zijn knoopsgat in de werkkamer van Juliana. De directeur van het Kabinet der Koningin, juffrouw Tellegen, was aanwezig, evenals baron Van Heeckeren, en de secretaris-generaal van het ministerie van Algemene Zaken, de heer Boon, die naarstig in zijn papieren zocht. Hij pakte er een vel tussenuit.

'We hebben uw Amerikaanse rede voor het Congres opnieuw geformuleerd volgens de gangbare diplomatieke maatstaven,' zei Boon op timide toon. Juliana pakte het vel papier aan, zette haar leesbril op en las de tekst aandachtig. Iedereen wachtte zwijgend af.

'Wij hebben uw wens tot vrede gehandhaafd,' voegde de heer Boon er minzaam aan toe, terwijl hij opstond en de koningin op de betreffende passage in de tekst wees. Juliana las langzaam en aandachtig, deed vervolgens haar leesbril af en keek de secretaris-generaal aan alsof zij door een wesp gestoken was.

'Maar de rest is weg!' riep zij boos. Zij gaf de tekst aan Walraven van Heeckeren. Juliana trok een lade van haar bureau open, pakte er enkele getypte velletjes uit en gaf er een aan de heer Boon en een ander aan Bernhard.

'Deze rede spreek ik uit voor het Amerikaanse Congres,' zei Juliana kordaat. Ze wachtte hun reactie af en keek een moment naar Walraven van Heeckeren. Meneer Boon las de tekst, evenals Bernhard, die als eerste hardop verzuchtte: 'Waarom lees je de tekst van meneer Boon niet voor, dan is alles opgelost.'

'Dat kan en wil ik niet,' zei Juliana.

'Waarom niet?' vroeg Bernhard geërgerd.

'Het gaat om de overtuiging van het Nederlandse staatshoofd, als ik die niet eens kan uitdragen, dan blijf ik liever thuis!' zei Juliana.

'De ambassadeur in Washington, de heer Van Roijen, maakt zich ernstig zorgen over de toon en inhoud van uw toespraak,' zei Boon.

'En waar maakt dat heerschap zich zo druk om?' vroeg Juliana.

'Hij vreest een te pacifistische toon. Daar kun je bij de Amerikanen niet mee aankomen,' zei Boon.

'Ik maak zelf wel uit waar ik mee aankom, en niet de heer Van Roijen of u,' zei Juliana kordaat.

'Ze willen je alleen maar helpen,' probeerde Bernhard nogmaals. Juliana zweeg. Boon keek Bernhard aan en berustte in de impasse die was ontstaan.

'Ik zal het nogmaals met de minister bespreken,' zei Boon.

'Doet u dat vooral,' antwoordde Juliana enigzins verbolgen. De bespreking was ten einde. Boon verzweeg voor Juliana het feit dat de Nederlandse ambassadeur in Washington na lezing van haar tekst en haar weigering om de diplomatieke tekst voor te lezen haar een bijzonder koppig meisje had genoemd.

Die middag fietste Juliana door de straten van Baarn naar het huis van de familie Mijnssen. Ze reed het erf op en stak haar hand op naar mevrouw Mijnssen, die vanuit de keuken terugzwaaide. Juliana parkeerde haar fiets tegen het schuurtje achter het huis. Ze liep naar de caravan van haar vriendin en klopte op de deur. Even later deed Greet open. De twee vrouwen kusten elkaar hartelijk, blij om elkaar weer te zien.

'Kom binnen,' zei Greet.

'Ik heb je gemist,' zei Juliana.

'Dat is goed om te horen,' antwoordde Greet. Ze pakte Juliana vast en keek haar bezorgd aan. 'Je ziet er belabberd uit.'

Juliana ging met een vermoeide zucht op de bank zitten. 'Zo voel ik mij ook.'

Greet ging naast Juliana zitten en keek haar liefdevol aan.

'Vertel,' zei Greet. Ze keek Juliana bemoedigend aan. Het zonlicht scheen door de ramen van de caravan. 'Lucht je hart maar.'

'Ik heb sinds mijn inhuldiging meerdere doodvonnissen ondertekend, maar ik kan het niet meer opbrengen. Drees komt er elke week op terug. Ik heb het met Marie Anne besproken, die vindt ook dat ik bij mijn standpunt moet blijven en Willy Lages gratie moet verlenen,' zei Juliana.

'Ze kunnen je toch niet dwingen om mensen ter dood te veroordelen?' vroeg Greet.

'Het zit staatsrechtelijk nogal ingewikkeld in elkaar, als ik bij mijn weigering blijf, moet het kabinet aftreden,' zei Juliana.

'Gaan ze dat doen?' vroeg Greet.

'Ik ben bang van niet.'

'Dus?'

Juliana nam een slokje van de thee die Greet had ingeschonken.

'Ik zal mijn hoofd moeten buigen,' zei Juliana berustend.

'Kun je het niet uitstellen?'

'Dat doe ik al jaren,' antwoordde Juliana, 'en dat is niet het enige. Ze maken nu weer stampij over mijn toespraak voor het Amerikaanse Congres.' Juliana werd steeds bozer. 'Ik kan die lui soms wel wat doen!'

'Doe wat je hart je ingeeft en laat je niet van de wijs brengen door die mannen,' zei Greet.

'Was het maar zo eenvoudig.'

'Het is zo eenvoudig,' zei Greet vastberaden.

'Ze zouden jou minister moeten maken.'

'Ik heb geen talent voor hypocrisie,' antwoordde Greet en Juliana schoot in de lach.

Een paar dagen later ontving koningin Juliana haar minister van Buitenlandse Zaken, Dirk Stikker, en de heer Boon in het gezelschap van Marie Anne Tellegen en baron Van Heeckeren op haar werkkamer. De koninklijke reis naar Amerika was in volle voorbereiding en kon niet meer worden afgezegd, ondanks de bezwaren van Bernhard en de minister. Dirk Stikker ijsbeerde voor haar bureau langs terwijl hij op schampere toon gedeelten van haar tekst voorlas. Dat deed Juliana pijn, want ze had veel tijd en aandacht aan het herschrijven besteed. Stikker bladerde door de vijf pagina's terwijl hij geërgerd zijn hoofd schudde.

'Het wemelt van dit soort opmerkingen. Hier over co-existentie van de gehele mensheid. Eén menselijk geslacht onder de liefde en leiding van één God. Onze menselijke wetgevingen zoeken de goddelijke leiding. Veelal falen zij, maar zij streven verder. Wij leven in de dageraad van een tijd waarin wij zullen moeten trachten dit te doen als één mensheid. Het menselijke geslacht zou één familie moeten zijn in het Oosten en Westen. Een verdeelde en gespleten mensheid is als een gespleten persoonlijkheid, die zichzelf uiteindelijk te gronde zal richten.' Dirk Stikker zuchtte diep terwijl hij Juliana aankeek. Marie Anne, Walraven en Boon zwegen. Stikker bleef Juliana aankijken, alsof hij op een verklaring wachtte, maar die kwam niet.

'Mevrouw, dit kan toch niet! Ik wens hier geen verantwoordelijkheid voor te nemen,' zei Stikker ten slotte.

'Dat is uw zaak,' antwoordde Juliana kalm.

'Dan laat u mij geen andere keus dan mijn ontslag aan te bieden,' zei minister Stikker.

'Is dat een dreigement?' vroeg Juliana.

'U laat mij gewoon geen andere keus.'

'Ik zie het als mijn plicht om onze Atlantische bondgenoot te wijzen op de gevaren van een nieuwe wapenwedloop met het Oostblok. Ik wijs er alleen maar op dat de mensheid één familie is, die elkaar niet moet bestrijden,' antwoordde Juliana resoluut.

Stikker haalde voor de zoveelste keer diep adem en zocht naar een manier om haar alsnog te overtuigen, maar hij wist dat zijn moeite vergeefs was.

'Deze reis is georganiseerd als dankzegging voor de bevrijding en de Amerikaanse Marshall-hulp, niets meer en niets minder,' zei Stikker.

'En ik wil van de gelegenheid gebruikmaken om onze bondgenoot te wijzen op de gevaren van de wapenwedloop met de Sovjet-Unie,' antwoordde Juliana glimlachend.

'U moet uw vingers niet branden aan politieke uitspraken,' zei Stikker betuttelend.

'Ik begrijp niet waar jullie zo bang voor zijn,' merkte Juliana op.

'De Amerikanen zien het communisme als het grootste gevaar dat de wereld bedreigt en dat dus met alle mogelijke middelen moet worden bestreden,' zei Stikker.

'Ja, en daarom heb ik het over de mensheid als één familie, die elkaar niet moet uitroeien en dat vind ik geen politieke uitspraak, meneer Stikker!'

'Maar dat is het helaas wel,' merkte Stikker op.

Juliana verloor haar geduld en keek Stikker boos aan.

'Wat wilt u dan dat ik zeg: dat Heineken het beste bier van de hele wereld brouwt?' Dirk Stikker beet op zijn lip, hij was een van de commissarissen van de brouwerij. Walraven van Heeckeren probeerde zijn glimlach achter zijn hand te verbergen. Hij bewonderde haar vasthoudendheid, want zij stond alleen tegenover haar ministers en echtgenoot, zonder haar hoofd te buigen, en dat dwong respect bij hem af. Ze hield vast aan haar vredeswens en bleef vraagtekens zetten bij de grote investeringen van Amerika en zijn bondgenoten in de bewapening. Zij geloofde net als hij en anderen uit de Oude Loo-kring niet in het demoniseren van de communisten.

Juliana en Bernhard vertrokken op 1 april 1952 met het vliegtuig Prinses Beatrix van de KLM. De minister van Buitenlandse Zaken, Stikker, baron Van Heeckeren, juffrouw Tellegen, leden van de civiele en militaire hofhouding, de grootmeesteres, de ceremoniemeester, de hofmaarschalk, hofdames en kamerheren, RVD-ambtenaren, secretarissen en adjudanten vergezelden Juliana en

Bernhard tijdens de lange vliegreis over de oceaan. Na twee tussenlandingen landde het toestel de volgende dag op de luchthaven van Washington, en nadat een Nederlandse vlag door een raampje in de cockpit aan een standaard was bevestigd, reed het toestel naar het platform waar president Truman en zijn echtgenote stonden te wachten. Juliana was de eerste die in de geopende cabinedeur verscheen. Ze zag er aantrekkelijk uit in een zijden japon met een cape van zilvervos en met een zwart hoedje op. Bernhard kwam achter haar het vliegtuig uit. Ze bleven boven aan de vliegtuigtrap staan terwijl de saluutschoten klonken, daarna liepen ze de trap af waar ze hartelijk werden begroet door de president en zijn vrouw. Na de saluutschoten speelden de mariniers het Nederlandse en het Amerikaanse volkslied. De grote open auto's werden voorgereden.

De ontvangst in Washington was hartelijk. Het lenteweer was aangenaam en Juliana genoot van de rit naar het Witte Huis. Langs de route stonden wuivende Amerikaanse burgers. Het Witte Huis deed Juliana aan paleis Soestdijk denken vanwege de lichte kleuren en net als thuis kregen zij en Bernhard ook hier aparte kamers toegewezen. Tijdens het drie weken durende bezoek zouden Bernhard en Juliana een aantal officiële bezoeken samen afleggen, maar voor het merendeel volgden zij een apart programma; Bernhard als commissaris van een aantal grote Nederlandse ondernemingen en als inspecteur-generaal van de Nederlandse strijdkrachten, Juliana als bezoekend staatshoofd op de vele ontvangsten en recepties. Op 2 april kreeg het koninklijk echtpaar een diner aangeboden door president Truman en de volgende avond hield Juliana haar rede voor het Amerikaanse Congres in Washington. Zij benadrukte het feit dat er een sterke broederschap was gegroeid tussen Amerika en Nederland sinds de succesvolle geallieerde kruistocht tegen het Duitse kwaad. Juliana refereerde aan alle dappere Amerikaanse soldaten die hun leven hadden gegeven voor de bevrijding van West-Europa. Zij sprak haar diepe dank uit voor dat grote offer en voor de Amerikaanse hulp bij de economische wederopbouw van zowel Nederland als het verwoeste Duitsland. Dat getuigde van moed en de bereidheid tot het schenken van vergiffenis. Zij sprak haar vrees uit voor de herbewapening die sinds de oorlog gaande was, voor het ontstaan van een nieuwe spiraal van geweld en vernietiging, die alleen door een nieuwe visie kon worden doorbroken. Juliana hoopte dat de productie die was gericht op de militaire bewapening zou worden aangewend voor het behoud van de vrede. De kring van landen rond de Atlantische Oceaan moest zich niet laten meeslepen door de militaire inspanningen van de landen achter het IJzeren Gordijn, maar juist op basis van vertrouwen werken aan de vrede tussen alle volkeren op aarde. Zij sprak zich uit tegen de toenemende isolatie van de Atlantische landen en pleitte voor een strijd voor de vrede. Het Atlantisch Pact mocht zich niet voorbereiden op een volgende oorlog, maar moest zich juist positief opstellen. Het vergde moed om een oorlog te winnen, maar het vergde nog meer moed om de vrede te bewaren en uit te dragen naar alle landen, zelfs die van onze vijanden. Het geloof in conflicten als een blijvende karakterisering van de menselijke samenleving getuigde van een toekomstbeeld dat te afschuwelijk was om te aanvaarden. Durfden wij het alternatief onder ogen te zien, namelijk dat dit het moment in de geschiedenis van de mensheid was om de wereldvrede te bewerkstelligen? De keuze was duidelijk: leven of vernietiging. Minister Stikker hoorde haar redevoering voor het Amerikaanse Congres bezorgd aan, huiverig als hij was dat zij van haar tekst afweek en zou gaan improviseren, maar dat gebeurde gelukkig niet. Hij had zich thuis in Nederland enorm ingespannen om het aantal pacifistische, neutralistische, vermanende en spiritueel diepzinnige passages tot een minimum te beperken, waardoor hij uiteindelijk als minister de politieke verantwoordelijkheid voor haar tekst op zich had genomen, nadat hij met secretaris-generaal Boon keer op keer het rode potlood had gehanteerd. Haar vredesboodschap kon leiden tot verwarring bij het Amerikaanse volk, dat toch al niet in zijn gewone doen was. De oorlog in Korea was tijdens hardnekkige onderhandelingen vastgelopen. De gevolgen van de heksenjacht van senator Joseph McCarthy tegen de communisten in eigen land waren goed voelbaar. McCarthy zaaide paniek onder vredesactivisten en progressief-liberale krachten in Amerika. Hij leidde een fanatieke beweging die alle on-Amerikaanse activiteiten wilde uitdrijven en geen enkel begrip toonde voor het communisme, dat volgens hem het kwaad in levenden lijve was. De uitspraken van Juliana vielen niet helemaal in goede aarde. Menig Congreslid had gehoopt de rede van deze vrouw zonder enige politieke betekenis uit te zitten, doch was gaandeweg wakker geschrokken van Juliana's ferme taal. Het Congres had geluisterd naar een vrouw die de Amerikaanse neiging tot confrontatie in twijfel trok, die de spot dreef met de bewapening, die pleitte voor wereldvrede en voor toenadering tot de communistische landen. Een stille verbazing maakte zich meester van de Congresleden tegen het einde van haar rede.

Tijdens de persconferentie die op haar redevoering volgde, dromden de journalisten van CBS, ABC, NBC en de grote Amerikaanse kranten samen. Juliana, Bernhard, Stikker en een tweetal ambtenaren van de rijksvoorlichtingsdienst zaten achter de tafel. Verschillende Amerikaanse journalisten staken hun hand op. Juliana wees een vrouwelijke journalist op de derde rij aan.

'Als ik u goed begrijp, majesteit, bent u het niet eens met het huidige Amerikaanse beleid?' vroeg de journaliste.

'Ik ben van mening dat alle landen zouden moeten samenwerken voor de vrede. Ik geloof niet dat een nieuwe wapenwedloop aan beide zijden uiteindelijk tot een oplossing zal leiden,' antwoordde Juliana kalm. Dirk Stikker keek Bernhard aan, die geërgerd zijn hoofd schudde.

'Gelooft u niet in de dreiging van het communisme?' vroeg de journaliste.

'Ik vrees geen enkele overheersing van de wereld, nu niet en in de nabije toekomst evenmin. Ik ben voor de vrede. Ik ben tegen een nieuwe oorlogseconomie. Hier en in het buitenland. Ik vecht liever voor vrede,' zei Juliana terwijl Bernhard met veel misbaar opstond vanachter de tafel. Flitslichten van vele camera's schoten aan. Bernhard liep demonstratief van het podium en fluisterde

Dirk Stikker in zijn oor: 'Ze is krankzinnig geworden!' Stikker knikte instemmend en stond ook op. Hij gebaarde de RVD-functionarissen dat de persconferentie ten einde was, om zo de politieke schade te beperken. Haar woorden over vrede en co-existentie pasten niet in de Amerikaanse mentaliteit waarin een pleidooi voor de vrede werd beschouwd als een steunbetuiging aan een communistische mantelorganisatie. In Amerika bestond de vrees dat als de oorlog tegen het communisme in Korea en Azië verloren werd, Europa door de oprukkende communistische horden onder de voet zou worden gelopen. En wie dat in twijfel trok, maakte zich in Amerika verdacht als sympathisant van de communisten. Juliana trok die Amerikaanse angst nu openlijk in twijfel. Zij sympathiseerde met de vredesbeweging die in Nederland in 1951 was opgericht onder de naam 'De Derde Weg'. De aanhangers van de vredesbeweging volgden Washington noch Moskou maar streefden naar Europese onafhankelijkheid van de Verenigde Staten én de Sovjet-Unie.

Op 4 april 1952 sprak Juliana de NAVO-afgevaardigden toe: 'De NAVO is een groep van naties die gerangschikt zijn rond een zee. Ik ken maar één voorbeeld hiervan in de geschiedenis en dat is het Romeinse Rijk, een rijk dat een afschrikwekkende indruk maakte op zijn omgeving,' zei Juliana tegen de verzamelde generaals en officieren. Ze ging niet zover de gedachte uit te spreken dat elke vorm van bewapening een loopplank naar een volgende oorlog was, maar benadrukte het feit dat de NAVO nooit imperialistisch mocht worden in de zin van oorlogszuchtig en gericht op overheersing en vernietiging van andere volkeren. Dirk Stikker hield opnieuw zijn hart vast. Hij zag liever dat zij zich onthield van dergelijke toespraken en zich beperkte tot handjes schudden, medailles uitdelen, kransen leggen en recepties van Amerikaanse oorlogsweduwen bezoeken.

Juliana had er een hekel aan als zij alleen maar als folkloristische bezienswaardigheid werd gezien, dat maakte haar opstandig en dan was ze niet meer in staat tot vriendelijk en oppervlakkig gedrag. Niet alleen de Nederlandse ministers, ook Bernhard ergerde zich steeds meer aan de ferme taal die zijn vrouw uitsloeg tijdens officiële bijeenkomsten. Tot zijn zakenrelaties en vrienden behoorde de top van de Amerikaanse militair industriëlen, die hem respectvol aanspraken met 'General PeeBee' en die hem min of meer beschouwden als koning van Nederland. Juliana en Bernhard leefden in verschillende werelden. De toespraken vergden veel energie van Juliana. Na de drukke dagen in Washington reisde ze door naar Philadelphia, waar een ontvangst en een receptie op het programma stonden. Soms leek het wel of iedereen een Nederlandse voorvader had en de Nederlandse koningin een handje wilde geven, alsof zij een sprookjesprinses was. Juliana voelde zich als een filmster, die dagelijks werd bewonderd en toegejuicht. Ze onderging deze kermis gelaten en was blij dat ze het weekend kon uitrusten bij de familie Roosevelt. Per vliegtuig reisde ze naar Kingston aan de Hudson, een rustig stadje dat in een ver verleden door Nederlanders was gesticht. Juliana logeerde zonder haar vertrouwelingen, Walraven en Marie Anne, bij Eleonore Roosevelt. Zij legde samen met haar in de stromende regen een krans bij het graf van Franklin Roosevelt in Hyde Park. Ze vertrokken op vrijdagmiddag naar het buitenhuis van Eleonore, dat in de bossen lag. Val Kill Cottage was een Amerikaans landhuis, dat eenvoudig was ingericht met houten meubilair. Eleonore sprak opnieuw haar onbegrip uit over de bijeenkomst op Het Oude Loo die zij voortijdig had verlaten. Ze hoopte dat Juliana zich niets liet wijsmaken door dat stelletje 'religious fanatics'. Juliana ging er niet op in, ze kwam tot rust en wandelde op zaterdagochtend alleen in de regen door de zacht ruisende bossen. Ze genoot van de stilte in het woud. Zaterdagmiddag arriveerde Bernhard tegelijkertijd met de kinderen Roosevelt. Ze gebruikten de lunch in een ontspannen familiesfeer. Bernhard kondigde aan dat hij de volgende ochtend vroeg naar New York zou vertrekken om zijn broer Aschwin op te zoeken, die een aanstelling had gekregen als assistent-curator in het Metropolitan Museum of Modern Art. Juliana zou dan op maandagochtend naar New York komen, waar het officiële program weer op volle toeren zou draaien, en dan was er geen tijd meer om met elkaar te praten. Ze vroeg Bernhard om na de lunch een wandeling te maken. Ze trokken laarzen en regenjassen aan en hij wandelde voor haar uit het bos in. Zij haalde hem in, gaf hem een arm en zag dat hij moeilijk liep.

'Rugpijn?'

'Nee, mijn hals,' antwoordde hij terwijl hij zijn nek masseerde.

'Ik zag al eerder dat je pijn hebt bij het lopen,' merkte Juliana op. Hij knikte instemmend. Hij zou zijn chirurg, professor Nuboer, in Utrecht opzoeken als zij terug waren in Nederland.

'Anders ga je hier toch naar een arts,' zei Juliana.

'Ik weet al precies wat die mij gaat vertellen,' zei Bernhard.

'Wat dan?'

'Niet meer vliegen, niet meer paardrijden, dat soort adviezen,' zei hij zuchtend.

'Als de artsen dat nodig vinden, dan zul je je daaraan moeten houden,' merkte Juliana bezorgd op.

'Ik ben pas eenenveertig,' zei Bernhard. 'Ik ben geen oude man die 's middags een dutje moet doen.'

'Dat heeft er niets mee te maken. Je bent soms zo eigenwijs,' zei Juliana. Bernhard keek haar aan, maakte zich van haar los en liep weg. 'Wat is er?' vroeg Juliana. 'Heb ik weer eens iets verkeerd gezegd?'

Bernhard draaide zich om en keek haar indringend aan.

'Je zegt alleen maar verkeerde dingen.'

'Dat valt wel mee, hoor.'

'Dat denk je maar.'

'Veel mensen zijn het met mij eens.'

'Dat zeggen ze uit beleefdheid, omdat ze het nogal pijnlijk vinden,' voegde Bernhard er bits aan toe.

'Dat geloof ik niet.'

'Het is wel zo, geloof mij nu maar.'

'Wat vinden ze dan zo pijnlijk?' vroeg Juliana.

'Moet ik je dat nu nog vertellen?'

'Ja, heel graag,' zei Juliana.

Hij liep door, hij wilde er eigenlijk niet meer op ingaan en keek in het rond. De hoge bomen stonden er nog druipend bij van de harde regenbuien van eerder die dag. Op het bospad lagen plassen. Juliana kwam op haar rubberlaarzen naast hem lopen.

'Ik vind alles beter dan zwijgen, daar kan ik niet tegen, dat weet je,' zei zij beslist.

'Alles is al zo vaak gezegd, maar je wilt niet luisteren. Ik weet ook niet meer wat ik tegen je moet zeggen. Dirk Stikker zei laatst tegen me dat hij niet begreep hoe ik het met je uithield,' zei Bernhard.

'Dat meen je niet!'

'Jawel,' antwoordde Bernhard.

'Ik ben toch geen onmogelijk mens,' merkte Juliana op.

'Nee, maar je gedraagt je soms wel onmogelijk. Het enige wat je moet doen is je aan de protocollaire gedragsregels houden,' zei Bernhard op een toon alsof hij een ongehoorzaam personeelslid toesprak.

'Ja, maar ik wil meer doen,' zei Juliana.

'Dat vraagt niemand van je.'

'Nee, maar dat wil ik zelf,' antwoordde zij kalm.

'Ja, en dat is nu precies het probleem.'

'Je overdrijft.'

'Helemaal niet. Ik wil dat je naar mij luistert. Jij bent mijn vrouw,' zei hij streng.

'Dat kun je toch niet menen?'

'Jawel,' antwoordde hij kortaf.

'En als ik dat niet doe?'

'Dan zoek je het zelf maar uit,' antwoordde hij boos.

'Benno, doe niet zo lelijk tegen mij!'

'Ik heb schoon genoeg,' zei hij kwaad, 'van dat geklets over zaken waar je geen verstand van hebt. Ik schaam me dood. Op die persconferentie in Washington dacht ik dat ik door de grond zou zakken, dat doe je mij nooit meer aan, begrijp je dat?'

'Ik moet jou gehoorzamen?' vroeg Juliana verrast.

Hij knikte bevestigend.

'En als ik dat niet doe?' vroeg zij.

'Dan zijn de gevolgen voor je eigen rekening, dan wil ik niets meer met je te maken hebben,' antwoordde hij.

Juliana bleef aangeslagen op het bospad achter, terwijl Bernhard omkeerde en terugliep naar het landhuis. Ze spraken 's avonds tijdens het diner met de familie Roosevelt niet meer met elkaar. 's Nachts lag zij te piekeren en wilde naar hem toe gaan om het goed te maken, maar ze durfde hem niet wakker te maken. Op zondagochtend om zeven uur vertrok Bernhard naar New York.

Het staatsbezoek duurde nog twee weken. Juliana reisde van Michigan naar Georgia, en van San Francisco naar Los Angeles. Ze wist amper hoeveel mensen zich aan haar hadden voorgesteld tijdens de ontelbare ontvangsten. Duizenden handen had ze de afgelopen weken geschud. Zij legde een bezoek af in Canada en bezocht het huis waar zij in de oorlog had gewoond, waar Margriet was geboren. Ook bezocht ze het winkeltje van het Rode Kruis in Nicholas Street waar zij in de oorlog had gewerkt. Tot haar spijt zag ze dat het een toeristische attractie was geworden met tientallen foto's van haarzelf en haar vier dochters. Te midden van de journalisten die haar elk uur van de dag op de voet volgden dacht Juliana met weemoed terug aan de rustige jaren die zij hier in de oorlog had doorgebracht.

Juliana reisde naar Los Angeles, waar de Nederlandse ambassade een afscheidsreceptie had georganiseerd in een hotel. Samen met Walraven en Marie Anne ging ze ernaartoe. Er waren ongeveer honderd gasten in de zaal. Na de formaliteiten deed Juliana zich samen met Marie Anne te goed aan een koud buffet, toen er een Nederlandse vrouw naar haar toe kwam.

'Ik woon hier al vijf jaar en ik vind het heel moedig van u.'

'Wat vindt u moedig?' vroeg Juliana terwijl ze de salade op haar bord schepte.

'Dat u zich uitspreekt tegen de Commie Hunt,' zei de vrouw.

'Dank u. Ik heb de afgelopen weken zo'n zestig lezingen gehouden door het hele land, en gelukkig hoor ik ook veel positieve reacties,' zei Juliana.

'Ga zo door,' zei de vrouw en ze liep weg. Juliana zag vanuit haar ooghoeken dat Bernhard aan de andere kant de zaal binnenkwam. Hij werd enthousiast begroet door een aantrekkelijke elegante vrouw van halverwege de dertig. Juliana stond achter twee Amerikaanse vrouwen, die haar niet herkenden. Ook zij keken naar de prins en de vrouw aan de andere kant van de zaal.

'De prins is zo charmant en aantrekkelijk, en zij is ook al zo mooi,' zei de ene Amerikaanse vrouw.

'Wie is zij dan?' vroeg de ander.

'Lady Anne Orr-Lewis,' zei de eerste.

'Was zij tijdens de oorlog niet zijn maîtresse?' vroeg de ander.

'Dat zeggen ze, ja.'

Juliana keek Marie Anne onaangenaam verrast aan.

'Hij is zo knap,' verzuchtte de eerste nogmaals.

'Ja, inderdaad,' zei de ander terwijl ze wegliepen. Juliana zag de intieme omhelzing van Bernhard met de vrouw. De vrouw fluisterde hem iets in zijn oor en Bernhard lachte, sloeg zijn arm om haar middel en trok haar naar zich toe. Juliana trok bleek weg, zette haar bord op tafel en verliet aangeslagen met Marie Anne achter zich aan het hotel. Enkele hoffunctionarissen volgden de koningin, maar Marie Anne gebaarde naar ze dat zij hen met rust moesten laten. Buiten gekomen liep Juliana het gazon op waar ze op een bank onder een palm ging zitten. Ze voelde zich verraden en huilde. Marie Anne zweeg. Ze gaf haar een zakdoekje voor de tranen.

'Ik heb het altijd als kwaadaardig geroddel beschouwd,' zei Juliana gekwetst.

'Misschien is ze gewoon een goede vriendin.'

'Een goede vriendin?' herhaalde Juliana ongelovig.

'Ja,' zei Marie Anne.

'Die indruk kreeg ik anders niet,' zei Juliana, 'ik wil dat deze zaak tot op de bodem wordt uitgezocht.'

Marie Anne knikte instemmend.

'Het heeft geen zin om het aan Bernhard te vragen, want hij zal het glashard ontkennen,' zei Juliana. Ze stond op van de bank en liep over het gazon naar de parkeerplaats.

De volgende dag stapte Bernhard op het vliegveld bij Los Angeles met een piloot in de vluchtsimulator van een nieuw type jachtvliegtuig waar hij een proefvlucht mee zou maken. Bernhard werd door de Amerikaanse piloten 'Captain ZetKaHa' genoemd. De testpiloten respecteerden hem, want hij was een ervaren vlieger, die honderden uren had getraind in verschillende vluchtsimulatoren en duizenden uren vliegervaring had. Tijdens zijn reizen zat hij liever in de cockpit dan in de cabine. Bernhard had zijn brevet gehaald voor verschillende typen vliegtuigen zoals de Dakota, de DC-4, de Friendship en grote transportvliegtuigen. Hij had een meer dan gemiddelde kennis van navigatie, kompassen, aërodynamica, meteorologie en luchtvaartregels en greep elke kans om een nieuw type vliegtuig uit te proberen met beide handen aan. Het was zijn grote droom om eens de geluidsbarrière te doorbreken. Bernhard was lid van een Amerikaanse vereniging van testpiloten. Hij zette tijdens het vliegen alles van zich af en concentreerde zich volledig op zijn instrumenten. Hij was er trots op dat hij een allround piloot was en op voet van gelijkheid kon praten met testpiloten, ontwerpers en ingenieurs. Zijn oordeel over de kwaliteit van een nieuw vliegtuig voor de Nederlandse luchtmacht woog zwaar en hij was in tegenstelling tot veel ambtenaren en politici terzake kundig. Na de geslaagde proefvlucht met het nieuwe type jachtvliegtuig sprak hij 's avonds op zijn hotelkamer met Tom Jones, de Chief Executive Officer van Northrop Industries. Voor hen op tafel lagen de bouwtekeningen van het vliegtuig en als opgewonden jongens wezen ze elkaar op de details en de aërodynamische lijnen.

'It's an amazing fighterplane,' zei Bernhard vol bewondering, terwijl hij een fles Jack Daniel's pakte en de glazen volschonk.

'You can fly it again tomorrow morning,' zei Tom.

'That would be real nice,' antwoordde Bernhard terwijl hij een toast uitbracht. De kamer stond blauw van de rook. Er werd op de deur geklopt, Bernhard deed deze open en zag tot zijn verrassing zijn vrouw staan.

'Kan ik je nu meteen spreken?'

'Ik ben aan het werk. Kan het niet tot morgen wachten.'

'Nee, het kan niet wachten,' antwoordde Juliana.

Ze liep de hotelkamer binnen.

'I'm sorry, Tom. Duty calls,' zei Bernhard verontschuldigend.

Tom rolde de tekeningen snel op, trok zijn colbert weer aan, gaf Bernhard een hand en vertrok. Bernhard stak zijn pijp aan en keek kwaad naar zijn vrouw.

'Wat is er zo dringend?' vroeg hij.

Juliana ging op een stoel tegenover hem zitten.

'Ik heb twee vragen,' zei ze.

'En dat moet nu?' vroeg Bernhard.

'Ja, dat moet nu,' antwoordde zij kalm.

'Shoot,' zei hij bevelend.

'Heb jij een verhouding met Lady Anne Orr-Lewis?' vroeg Juliana. Bernhard was verrast door haar vraag, hij keek haar taxerend aan en besefte meteen zijn fout om Anne te begroeten op de afscheidsreceptie.

'Ze is een kennis van me,' antwoordde Bernhard.

'En dat moet ik geloven!' riep Juliana fel uit.

Bernhard besefte dat hij in een mijnenveld terecht was gekomen waar hij heel zorgvuldig doorheen moest lopen.

'Ik heb het nagevraagd bij een zeer goed geïnformeerd persoon, die mij de nodige feiten heeft gegeven,' zei Juliana.

'En wie kan dat wel zijn?' vroeg Bernhard.

'Dat doet er niet toe,' zei Juliana.

'Allemaal leugens en kwaadsprekerij,' zei Bernhard.

'Je kunt kiezen,' zei Juliana, 'de waarheid spreken of erover blijven liegen.' Bernhard dacht na wie zijn vrouw over Anne verteld zou kunnen hebben, maar realiseerde zich dat het er in feite niet meer toe deed, zijn vrouw was blijkbaar op de hoogte.

'Heb jij een verhouding met die vrouw?' vroeg Juliana nogmaals.

'Gehad, heel kortstondig, in de oorlog in Londen,' antwoordde Bernhard.

'Terwijl ik alleen in Ottawa zat met onze dochters, had jij dus een verhouding!' riep Juliana ontzet.

'Je moet het begrijpen. Ik was alleen. De stad werd gebombardeerd, we wisten niet wat de toekomst ons zou brengen. Heel veel mannen hadden in die tijd mesalliances, dat was toen normaal,' zei hij kalm.

'En verder ging het niet?' vroeg zij met ingehouden woede.

'Nee,' zei hij, 'met mijn hand op mijn hart.'

'Je liegt,' riep zij.

'Hoe bedoel je?' vroeg hij.

'Het ging veel verder,' zei zij.

'Ik weet niet wie je dat op de mouw heeft gespeld, maar het zijn leugens,' zei hij vol overtuiging.

'Leugens?' herhaalde zij terwijl zij haar best deed om zich te beheersen.

'Ja.'

'Door te liegen maak je het alleen maar erger.'

'Hoezo erger?'

'Ik heb een foto op mijn kamer liggen waarop jij met die vrouw staat en twee jongens,' zei Juliana.

'Die zijn van haar.'

'Dat weet je zeker?'

'Ja, heel zeker.'

'Ik vraag het je opnieuw en ik heb je al gezegd dat je het door dat gelieg alleen maar erger maakt.'

'Het zijn haar kinderen,' antwoordde Bernhard opnieuw.

'Mijn bron zegt iets anders,' zei Juliana.

Bernhard zuchtte diep, keek zijn vrouw aan en spreidde zijn armen alsof het een kwestie van overmacht was geweest.

'Schoft,' riep Juliana.

Hij keek zijn vrouw aan, die opstond en naar hem toe liep. Ze gaf hem een klap in zijn gezicht en liep de hotelkamer uit. In de dagen die volgden sprak ze niet meer tegen hem. Juliana voelde zich tot in haar ziel gekwetst en besprak de situatie met Walraven en Marie Anne alvorens ze terugvlogen naar Nederland. Ze wist niet wat ze moest doen. Zou ze het thuis aan haar oudste dochters vertellen of moest ze ter wille van de lieve vrede de schone schijn ophouden? Uiteindelijk na veel gepieker en dingen tegen elkaar af te wegen kwam zij tot het besluit dat het beter was om de feiten thuis te verzwijgen.

~

Tafel en bed

Op 30 april, na de terugkeer uit de Verenigde Staten, nam de voltallige koninklijke familie een defilé af op het bordes van het paleis. Juliana, Bernhard en de kinderen stonden samen met de leden van de hofhouding op de trappen terwijl een stroom van gymnastiekverenigingen, soldaten, padvinders en Oranjeverenigingen uit het hele land voorbijmarcheerde. Walraven had de secretaris van Bernhard laten weten dat Juliana hem later die dag persoonlijk wilde spreken.

Juliana zat in haar werkkamer achter haar bureau in bijzijn van Marie Anne en Walraven. Bernhard kwam met een witte anjer in zijn knoopsgat vrolijk lachend de kamer binnen.

'Je wilde mij spreken,' zei Bernhard routineus.

'Ik wil je hierbij informeren over de veranderingen aan mijn hof,' zei Juliana zonder hem aan te kijken.

Bernhard keek haar rustig aan, voornamelijk omdat hij heer en meester was over alle paleisdiensten, dus alle door zijn vrouw gewenste veranderingen zouden alleen kunnen worden gerealiseerd met zijn instemming.

'Ik wil dat je je verblijven zo inricht dat je niet meer in mijn vleugel van het paleis hoeft te komen,' zei Juliana streng. Bernhard keek baron Van Heeckeren en juffrouw Tellegen verbouwereerd aan, maar zij reageerden niet. Zij keken onverstoorbaar voor zich uit.

'Overleg vanwege protocollaire verplichtingen verloopt via baron Van Heeckeren of juffrouw Tellegen,' zei zij.

'Wie heeft deze onzin bedacht?' vroeg hij terwijl hij Van Heeckeren en Tellegen verwijtend aankeek.

'Ik heb dat bedacht en niemand anders,' antwoordde Juliana rustig.

'Je moet niet zo dwaas doen,' zei hij.

'Ik doe dwaas?' vroeg zij met nauwelijks ingehouden woede.

'Ja,' antwoordde Bernhard.

'Hoe durf je dat nog te zeggen,' riep Juliana, 'na alles wat er is gebeurd!'

'Kunnen jullie ons even alleen laten,' vroeg Bernhard vriendelijk aan Walraven en Marie Anne.

'Zij vertrekken pas als ik het zeg,' riep Juliana boos.

'Ik vind het niet gepast om deze delicate kwestie in het bijzijn van het personeel te bespreken,' zei Bernhard autoritair.

'Ze zijn volledig op de hoogte,' antwoordde Juliana.

Bernhard stond onaangenaam verrast op.

'Had je soms verwacht dat ik dit geheim zou houden?' vroeg Juliana.

Hij schudde zijn hoofd en terwijl hij naar de deur liep, zei hij alleen maar: 'Je hoort nog van mij.'

Juliana probeerde zich te beheersen, maar de tranen welden op in haar ogen. Walraven gaf haar een bemoedigend klopje en zei haar vaderlijk: 'Goed gedaan.'

's Middags fietste Juliana door de regen over het bospad naar het dorp. Zij had erover gedacht om Greet hier niets over te zeggen, omdat het te pijnlijk en te persoonlijk was, maar aan de andere kant wilde zij in vertrouwen haar huwelijksproblemen met een goede vriendin kunnen bespreken. Ze hadden elkaar al een tijd niet meer gezien en Greet verwelkomde haar in de deuropening met open armen. Juliana trok haar natte regenjas uit, die Greet te drogen hing over een stoel. In de beslotenheid van de caravan maakte Juliana Greet deelgenoot van de gebeurtenissen die in Amerika hadden plaatsgevonden. Greet hoorde Juliana's verhaal aan. Ze was geschokt door het nieuws van de buitenechtelijke kinderen.

'Ik ben bereid om veel te accepteren, maar dit gaat mij te ver,' zei Juliana aan het eind van haar verhaal. Greet knikte begrijpend en schonk thee in.

'Wat ga je nu doen?' informeerde Greet rustig.

Juliana haalde haar schouders op.

'Wat kan ik nog doen?' zei ze. 'Ik ben woedend.'

'Dat is logisch,' zei Greet.

'Door een toevallige samenloop van omstandigheden ben ik erachter gekomen, anders had hij het tot in lengte van dagen verzwegen,' zei Juliana opstandig.

'Ik geef toe dat het bijzonder kwetsend is,' beaamde Greet.

'Het vergiftigt zelfs al mijn herinneringen: terwijl ik zwanger was van Margriet en Marijke, hield hij er een ander op na, die ook nog eens kinderen van hem baarde.'

'Hebben jullie sinds dat gesprek in Los Angeles nog met elkaar gepraat?'

'Nee,' antwoordde Juliana.

'Ook thuis niet meer?'

'Ja, ik heb hem wel gesproken in het bijzijn van Walraven en Marie Anne.'

'En waar ging dat over?'

'Ik heb hem laten weten dat hij in zijn eigen vleugel moet blijven,' antwoordde Juliana, 'en dat ik alleen contact met hem wil over protocollaire verplichtingen. Ik kan onder deze omstandigheden geen dagelijkse confrontatie aan.'

'En hoe reageerde hij?'

'Kwaad, ik zou nog van hem horen.'

'Een scheiding van tafel en bed, maar wel onder één dak leven?'
vroeg Greet.

'Ja, in de praktijk gaat het natuurlijk allang zo.'

'Hij is dus vaker weg dan thuis?'

'Ja, in Amerika hadden we ook voor het grootste deel een apart programma. Ik heb hem een keer gesproken tijdens een boswandeling, toen speelde dit nog niet, maar hij werd wel boos op mij.'

'Waarom?'

'Ik mocht geen politieke uitspraken meer doen. Hij ergerde zich mateloos als ik in het openbaar iets zei over de vrede of over de gevaren van de bewapeningswedloop,' zei Juliana.

'Je moet van hem dus te allen tijde je mond houden?' vroeg Greet.

'Ja, handjes schudden en lintjes doorknippen,' zei Juliana lachend. 'En weet je wat het ergste is?'

'Nee.'

Juliana zweeg een moment en haalde diep adem, alsof zij het eigenlijk niet hardop wilde uitspreken.

'Ik geef nog steeds om hem,' zei ze en kon haar tranen niet langer bedwingen. Greet troostte haar en streelde Juliana over haar rug.

'Het komt allemaal wel goed, meissie,' zei Greet bemoedigend.

Juliana schudde ontkennend haar hoofd.

'Het komt niet meer goed,' zei zij. Greet zag de pijn in haar ogen. Juliana's woede brak door haar verdriet heen. 'Hij kan er toch niet als een soort pasja twee vrouwen met kinderen op na houden en verwachten dat ik dat accepteer?'

'Ik ben het met je eens dat deze situatie zijn liefde voor jou in een kwaad daglicht stelt,' zei Greet.

'Je bedoelt dat hij nooit van mij heeft gehouden?'

'Dat zeg ik niet, maar die indruk wekt hij natuurlijk wel.'

'Ik vind het walgelijk,' zei Juliana fel.

'Heb je het met de kinderen besproken?'

'Nee, die wil ik erbuiten houden.'

'Dat is misschien ook wel beter.'

Bernhard liep die druilerige namiddag door het bos met zijn ter-
riër Martin. Hij was moe en terneergeslagen, en hij betreurde het
bijzonder dat zijn liaison met Anne Orr-Lewis door Juliana was
ontdekt. Het was logisch dat zijn vrouw boos en aangeslagen was,
en hij kon niet verwachten dat zij hem op korte termijn zou vergeven. Het besluit van zijn vrouw om een cordon sanitaire in het paleis aan te leggen was een bevestiging van een al langer bestaande
situatie waarbij zij alle twee hun eigen vleugel in het paleis bewoonden en hun eigen paleisstaf van vertrouwelingen hadden.
Bernhard was oververmoeid teruggekeerd van de Amerikaanse reis
en hij had last van zijn hals en rug, een zeurende pijn die de hele
dag voelbaar was. De volgende dag bezocht hij professor Nuboer
in het universiteitsziekenhuis te Utrecht. De chirurg had een serie
röntgenfoto's van zijn hals en wervelkolom genomen. De foto's
hingen op een lichtbak aan de muur van de spreekkamer. De professor vertelde Bernhard dat bij een auto-ongeluk in 1937 zijn nek-
wervels zwaar waren beschadigd. Indertijd waren die wervels niet
goed gezet en daardoor vergroeid, dat was de oorzaak van zijn
klachten. Hij moest ermee leren leven, want er was nu niets meer
aan te doen. Bernhard moest het paardrijden en andere gevaarlijke
sporten opgeven. Zijn vergroeide halswervels zouden door een
niet al te zwaar auto-ongeluk of een onverhoedse val van zijn
paard kunnen breken, met alle fatale gevolgen van dien. Bernhard
hoorde het medische nieuws gelaten aan. Hij was pas eenenveertig
en moest zijn levensstijl drastisch omgooien. Hij zou ook niet
meer hoog in de Alpen kunnen skiën op ongebaande pistes of ra-
cen in een van zijn sportwagens. Gelukkig kon hij wel blijven vliegen, want als je in de lucht een ongeluk kreeg maakte het weinig
uit of je een zwakke hals had of niet. Hij voelde er weinig voor om
als invalide door het leven te gaan, maar realiseerde zich dat hij
zichzelf in acht moest nemen wilde hij oud worden. Bernhard had
tijd nodig om aan zijn door de chirurg opgelegde beperkingen gewend te raken. Aan de zeurende pijn zou hij wel kunnen wennen,
maar niet aan het idee dat hij bij het minste of geringste zijn nek
kon breken. Hij wilde bovendien niet in angst leven. Hij zocht af-

leiding, wilde niet stilzitten, ging druk in de weer met zijn commissariaten, belegde besprekingen op paleis Soestdijk met zijn vrienden en relaties. Hij vulde elke dag met activiteiten. Hij bleef paardrijden, maar nam geen risico's meer. Het springen met zijn paarden had hij opgegeven. Hij beperkte zich tot stappen, draven en galopperen over de ruiterpaden in het bos achter het paleis en genoot ervan. Hij zag zijn vrouw soms weken achtereen niet en over zijn huwelijksproblemen wilde hij niet te veel nadenken. Hij maakte zich wel zorgen dat zijn vrouw zich steeds meer richtte op de groep rondom juffrouw Hofmans, dat deze Amsterdamse vrouw een 'Dritte im Bunde' was geworden. Hij dacht over een manier om deze ongewenste vrouw van het hof te verdrijven.

Bernhard ontving een van zijn oudste vrienden op het paleis. Hij kende de Engelse journalist Sefton Delmer nog van voor de oorlog toen zij samen voor de Duitse vertegenwoordiging van het Duitse bedrijf IG-Farben in Parijs werkten. Bernhard liet Sefton zijn nieuwe Ferrari zien, die enkele dagen geleden door Kroymans op het paleis was bezorgd. Hij opende de motorkap van de gloednieuwe sportwagen, die voor de paleisgarage stond en wees Sefton op de details van de motor en de dubbele carburateurs die Enzo Ferrari had ontworpen. Zij bewonderden de typische Ferrari-lijnen. Bernhard opende het portier, ging achter het stuur van de bolide zitten, startte de motor en gaf enkele keren vol gas, zodat het typische geluid van de Ferrari-motor loeide. Bernhard zette de motor weer uit en deed zijn Ray Ban-zonnebril af.

'Enzo heeft een geweldige wagen gemaakt, dat is zeker,' zei Bernhard. Sefton knikte instemmend. 'Ben je ooit in zijn fabriek in Maranello geweest?'

'Nee,' antwoordde Sefton.

'We zouden daar eens heen moeten gaan,' zei Bernhard terwijl hij uitstapte. De twee vrienden liepen naar het paleis. Op de overvolle werkkamer schonk Bernhard twee glazen scotch in en gaf er een aan Sefton. Ze stonden bij het raam en keken uit over het park achter het paleis.

'Mijn vrouw weet over mijn relatie met Anne Orr-Lewis en over de jongens,' zei Bernhard.

Sefton reageerde verrast. 'Je had wat discreter moeten zijn,' zei hij.

'Dat heb ik geprobeerd,' verzuchtte Bernhard.

'En, vergeeft ze het je?' vroeg Sefton.

'Nee,' antwoordde Bernhard berustend.

Sefton keek hem vragend aan.

'Ze wil niet accepteren dat wij een verstandshuwelijk hebben,' zei Bernhard kalm.

'Neem haar mee op vakantie naar Afrika. Besteed veel aandacht aan haar, uiteindelijk zal ze je dan wel vergeven,' zei Sefton bemoedigend.

Bernhard schudde ontkennend zijn hoofd.

'Ze kan behoorlijk koppig zijn,' zei hij. De beide mannen zagen Juliana met een zomerhoed op voorbijfietsen.

'Een koningin op een fiets!' merkte Bernhard op.

'Typisch Nederlands,' zei Sefton glimlachend.

Juliana en Bernhard hielden contact via hun secretariaten over de ophanden zijnde staatsbezoeken en andere officiële verplichtingen waarbij hun aanwezigheid gewenst was. Ze waren het er ondanks al hun andere geschillen over eens dat in vroeger tijden de pracht en praal aan het hof te overvloedig was, dat de staatsbezoeken en banketten versoberd en gemoderniseerd moesten worden. Ze hadden beiden een afkeer van ceremoniële plechtigheden, van staatsbezoeken met een rijtoer in een open calèche langs juichende burgers waarbij zij eindeloos glimlachend moesten wuiven. De normale officiële bezoeken vond Bernhard volslagen tijdverlies met al het gebruikelijke ceremonieel, twee diners en al die ontvangsten waarbij honderden mensen aan je werden voorgesteld en waar niemand iets aan had omdat je niet de kans kreeg om met één enkel mens tot een goed gesprek te komen. Juliana en Bernhard wilden allebei minder formaliteiten en minder verkleedpartijen met eindeloos handen schudden en dineren. Ze streefden naar een informeler hof, maar konden zich niet onttrekken aan de regels van het opgelegde protocol. Ze ondergingen deze bezoeken in het gezelschap van de officiële gasten en in het bijzijn van hun vertrouwelingen. Steeds weer stonden dezelfde plichtplegingen op het programma: kranslegging bij het Nationaal Monument op de Dam, rondvaart door de Amsterdamse grachten, bezoek aan het Rijksmuseum, ontvangst van het corps diplomatique, galadiner met verplichte tafelrede, contradiner, regeringsdiner, bezoek aan de Keukenhof, Fokker en Philips. Ook hun dochters werden van jongs af aan opgeleid voor dit soort ceremoniële activiteiten. Beatrix werd in 1952 als veertienjarige tot burgemeester van Madurodam benoemd en moest een rede houden ten overstaan van tientallen officieel genodigden.

Honderden mensen hadden hun handen vol aan de voorbereidingen van alle ontvangsten op de paleizen. Vlaggenmasten werden geplaatst, gebouwen versierd, verkeer werd omgeleid voor de gasten en hun escorte, de bewaking en de beveiliging moest worden geregeld, het opstellen van de erewachten, het onderdak voor de gasten, de aankomst en vertrek per vliegtuig, boot of trein. De Rijksvoorlichtingsdienst zorgde voor de landelijke en internationale pers. Telkens weer sinds Juliana's inhuldiging kwam die machinerie op gang en moesten Bernhard en Juliana eensgezind met hun dochters ten tonele verschijnen alsof ze figuranten waren in een sprookje. Juliana had weleens voorgesteld om dubbelgangers in te huren en de fotografen op grote afstand te houden zodat niemand het verschil zag, dat zou haar veel tijd besparen die ze aan nuttiger zaken zou kunnen besteden.

Niemand merkte tijdens al die officiële ontvangsten, diners en andere ceremoniële plichtplegingen dat Bernhard en Juliana niet meer vertrouwelijk met elkaar omgingen of spraken.

~

Hofmans' vertellingen

*J*uliana bleef die avond bij Greet, ze hadden samen gekookt en gegeten. Zwijgend zaten zij rond de klok van tien bij het kaarslicht in de zithoek. Greet keek Juliana aan en legde haar hand op haar schouder.

'Het zal allemaal wel goed komen als hij wat ouder is,' zei Greet moederlijk.

Juliana was verrast door haar vergevingsgezinde opmerking.

'Hoe kun je dat nou zeggen?' merkte ze op. Greet schonk zwijgend thee in en gaf geen antwoord. Ze keek Juliana berustend aan.

'Ik weiger met een man te leven die aan veelwijverij doet,' zei Juliana fel.

'Maar je houdt nog wel van hem,' zei Greet.

'Dat heeft er niets mee te maken,' antwoordde Juliana opstandig.

Greet wilde geen olie op het vuur gooien, want samenleven als man en vrouw was voor Juliana gezien de situatie onmogelijk, maar een scheiding was gezien haar positie ook uit den boze, dus die laatste mogelijkheid moesten ze wel buiten beschouwing laten.

Ze suggereerde Juliana dat het onder de omstandigheden misschien wel verstandiger zou zijn als zij haar aandacht op andere zaken zou richten.

'Zoals?' vroeg Juliana verbaasd.

Greet hield haar voor dat zij veel goed werk kon doen, niet in materiële zin, maar ze kon wel steun, aandacht en liefde aan haar volk geven. Ze had als vorstin een taak te vervullen. Ze moest haar energie in het realiseren van haar vredesideaal steken, dat kon Juliana als haar roeping zien.

'Ik heb geen roeping,' zei Juliana mokkend.

'Die heb je wel,' hield Greet aan.

'Niet waar,' protesteerde Juliana.

'Je gedraagt je als een teleurgesteld kind, terwijl je een vorstin bent in de bloei van haar leven. Richt je energie op het realiseren van je idealen en blijf niet steken in verbittering en teleurstelling over je huwelijk,' zei Greet vermanend, 'hij is het niet waard.'

'Dat is waar,' beaamde Juliana.

'Ik zou het moedig van je vinden als je je eigen weg gaat en niet blijft steken in zelfmedelijden. Laat je leiden door de geest, concentreer je op de essentiële waarden van het leven, dan zul je merken dat die waarden je volledig in beslag nemen. Je bent het aan jezelf verplicht om het uiterste te geven. Zorg dat je ziel actief wordt, draag dat elke dag uit, dan zul je merken dat je ook anderen inspireert. God heeft ieder mens een aantal unieke mogelijkheden gegeven, gebruik die en handel in wijsheid. Jij hebt een roeping als vorstin, vergeet dat nooit,' zei Greet vol overtuiging.

Juliana liet de woorden van haar vriendin tot zich doordringen.

'Wees bereid om je huwelijk los te laten, breng dat offer, het zal je uiteindelijk alleen maar goed doen,' zei Greet.

'Op wat voor manier?' vroeg Juliana.

'Op de lange termijn zul je beter in staat zijn het leed van anderen te begrijpen. Je hoeft geen heilige te worden, maar ook geen verbitterde vrouw, dat maakt je alleen maar hard,' zei Greet.

Juliana zweeg in het besef dat de wond te vers was, dat ze nog niet in staat was om haar teleurstelling los te laten, te doen alsof er niets was gebeurd, dat kon ze nu gewoon nog niet opbrengen.

'Ik geloof dat God een balans schept tussen de moeilijkheden en vreugde die wij tegenkomen op onze levensweg en dat wij die balans moeten aanvaarden of ten minste naar dat evenwicht moeten zoeken. Er is geen vreugde mogelijk zonder ongeluk en dat evenwicht is alleen te bereiken door de bereidheid om offers te brengen,' zei Greet, 'en dat is momenteel jouw taak.'

Juliana dacht na en wist dat haar vriendin gelijk had, maar zoveel wijsheid kon zij nu niet opbrengen. 'Ik moet hem dus eigenlijk loslaten?' vroeg Juliana.

'Ja,' antwoordde Greet, 'grijp deze situatie aan om je eigen weg te gaan.'

'Ik moet dit dus als een kans zien?' vroeg Juliana verbaasd.

'Ja,' antwoordde Greet volmondig.

'Dat vind ik eigenlijk wel wat veel gevraagd.'

'Waarom?'

'Dat begrijp je toch wel.'

'Je wilt genoegdoening?' vroeg Greet terwijl Juliana instemmend knikte. 'Voor wat?'

'Voor alles wat hij mij heeft aangedaan,' zei Juliana.

'Tja, zo zie jij het, maar hij ziet het waarschijnlijk heel anders. Volgens mij doet hij alleen maar wat hij wil, dat is zijn wet, dat hij jou daarbij kwetst, daar staat hij niet eens bij stil,' zei Greet, 'dat interesseert hem gewoon niet.'

'Dat vind ik afschuwelijk,' zei Juliana.

'Dat kun je wel vinden, maar daar los je niets mee op, het is zonde van de tijd, laat hem los, leid je eigen leven.'

'Zonder hem?' vroeg Juliana.

'Ja,' antwoordde Greet, 'probeer jouw leven niet ondergeschikt te maken aan dat van hem.'

'Maar ik ben met hem getrouwd.'

'Dat betekent niets voor hem en daar kun je de rest van je leven over treuren, maar nogmaals, dat lost niets op. Je kunt maar één ding doen,' zei Greet.

'En dat is?' vroeg Juliana.

'Wees jezelf.'

Een zekere opluchting maakte zich van Juliana meester. De horizon klaarde op in het besef dat zij ook haar eigen leven kon leiden.

'Blijf niet steken in die dichte mist, maar laat de genade over je heen komen,' zei Greet opgewekt. 'Genade kan net zo werken als het licht van de zon die door de nevel in je hoofd breekt. Het enige wat jij hoeft te doen is openstaan voor die helende kracht.'

'Dat is allemaal fraai gezegd, Gré, maar ik moet het toch zelf doen,' zei Juliana.

'Ja, maar het lost niets op om wrok op te bouwen tegen je echtgenoot, dan blijf jij daar voor altijd in steken en daar kom je geen stap verder mee.'

'Je legt de lat wel erg hoog,' zei Juliana werend.

'Je kunt het ook anders doen, begrijp mij goed. Je kunt er ook voor kiezen om voor altijd in onmin met je man te leven, je volledig af te sluiten en hem hoogmoedig af te wijzen in eenzaamheid, maar wat wil je daarmee bereiken?'

Juliana zuchtte berustend. 'Dat heeft mijn moeder ook al gedaan,' zei ze verdrietig in het besef dat de geschiedenis zich herhaalde.

'Precies, dat bedoel ik, overwin de belemmeringen, want elke overwonnen belemmering kan een kans zijn om een stap te zetten op de trap naar een volwaardig bestaan,' zei Greet.

'Jij kunt het altijd zo mooi zeggen.'

'Maar ik meen het wel.'

'Dat weet ik,' zei Juliana glimlachend.

'Wat we denken moet zijn waarde kennen in wat we zeggen, en wat we zeggen moet ook zijn waarde bewijzen in wat we doen,' zei Greet vol overtuiging terwijl ze op het puntje van haar stoel ging zitten. 'En blijf niet steken in het verleden of dromen over de toekomst. Het hier en nu biedt je altijd een kans om wat je doet goed te doen of het verkeerde af te wijzen en als je een kans krijgt, zal het altijd in het hier en nu zijn, vergeet dat nooit. Je was toen je werd geboren een nieuwe verschijning op deze aarde en er zijn redenen waarom jij – hier en nu – nodig bent, en als je daar niet het allerbeste van maakt, dan vertraag je de weg naar je bestemming. Ieder mens krijgt zijn kansen om met zijn leven iets groots tot stand te brengen. En kijk naar anderen, maar laat je niet door hen verlammen, gebruik ze als inspiratie,' ging Greet verder. 'Ik moet denken aan het verhaal van de oude joodse rabbi Susja, die kort voor zijn dood zei: in het komende rijk zal mij niet worden gevraagd: waarom zijt gij Mozes niet, maar zal mij worden gevraagd: waarom zijt gij niet Susja geweest, dat is de boodschap van het bestaan.'

'Dat is mijn boodschap dus: wees Juliana.'

'Zo is het,' knikte Greet, 'wees jezelf, en in het grote verschil tussen alle mensen ligt de mogelijkheid om te groeien als mensheid. Al die verschillende tonen van al die verschillende mensen kunnen leiden tot harmonie, dan krijgen we eenheid in verscheidenheid. Maak er het beste van binnen je mogelijkheden, en jij hebt vergeleken met andere mensen veel mogelijkheden, wees daar dankbaar voor. Geen enkel mens kan zijn lot ontlopen, maar je krijgt wel de kans om je af te vragen hoe je je kruis wilt dragen.'

'Op mijn voorhoofd, nou goed,' zei Juliana lachend.

'Dat kan, zodat iedereen het kan zien,' vervolgde Greet serieus, 'dan ga je klagend en verbitterd door het leven, iedereen zal begrip voor je hebben, maar je verpest je eigen leven.'

'Dat wil ik niet,' antwoordde Juliana vastbesloten.

'Aanvaard dan je tegenslag, die kan ons wezen laten groeien. Het is, en dat zeg ik echt niet zomaar, meestal de snelste weg naar het doel van ons leven dat we anders langs vele omwegen zouden bereiken. Het is meestal hemelsbreed de kortste weg.'

Juliana dacht na; dan zou ze Bernhard zijn daden dus moeten vergeven, en daar was ze nog niet aan toe. Hij zou waarschijnlijk op dezelfde voet doorgaan. Zij had er geen zicht op wat hij in Amerika of Afrika of waar dan ook deed. Ze voelde er weinig voor om een systeem van spionnen op te bouwen die haar wekelijks zouden rapporteren over zijn escapades; dan zou zij altijd met hem bezig zijn – een weerzinwekkende gedachte. Ze zou continu in een staat van jaloezie en wrok leven en dat wilde ze liever vermijden.

'Waar het op neerkomt,' zei Juliana, 'is dat elk mens alleen tegenover zijn lot staat en dus ook tegenover zijn leed, en daar moet je uiteindelijk zelf mee in het reine komen.'

Greet knikte. 'Elke worsteling, of het nu een slecht huwelijk betreft, een chronische ziekte of wat dan ook, die je innerlijk en in eenzaamheid overwint, betekent groei,' zei ze.

'Ook als je faalt?'

'Ja, want dan maak je in alle nederigheid een nieuw begin, en elke keer als je het opnieuw probeert, worden de onzichtbare krachten versterkt, noem die kracht maar goddelijke liefde.'

'En als alles in puin ligt?'

'Dan nog helpt de erkenning van die puinhoop ons op weg naar een oplossing. Dit leidt tot een ruimere blik en dat is altijd een eerste stap,' zei Greet.

'Daarin ligt de zin van ons leven?' vroeg Juliana.

'Nee, de zin van ons leven gaat ons begrip te boven, die kennen we niet. Er zijn mensen, wetenschappers, die de zin van het leven proberen te ontdekken met een microscoop en er zijn wetenschappers die dit proberen te ontdekken met een telescoop, maar wat voor fraais en bijzonders ze ook ontdekken, ze zullen nooit achter de zin van het leven komen. Het antwoord op die vraag is niet voor de mensen weggelegd, dat blijft een raadsel. Een mens kan alleen zijn eigen raadsel proberen te begrijpen en daarnaar handelen.'

Juliana knikte, waarna ze vluchtig op haar horloge keek, het was bijna één uur. Ze moest gaan.

'Ik weet dat het bizar klinkt, maar ondanks alles hou ik van mijn man,' zei Juliana terwijl ze opstond en haar jas aantrok.

'Maar hij niet van jou,' antwoordde Greet nuchter.

'Ja, triest hè,' zei Juliana.

'Gaan we nu opnieuw beginnen?' vroeg Greet. Juliana schudde ontkennend haar hoofd, omhelsde haar vriendin, kuste haar op beide wangen en liep naar de deur. Ze fietste in het donker naar huis. Ze zong een deuntje terwijl zij de paleiswacht bij het toegangshek passeerde. De marechaussee schoot ook op dit nachtelijke uur nog in de houding. Juliana stak vrolijk haar hand op en fietste door naar de achterzijde van het paleis. Ze liep naar binnen, waar ze werd opgewacht door een hofdame die zich ongerust had gemaakt over haar afwezigheid. Een half uur later lag ze in haar bed te mijmeren. Ze voelde zich gesterkt door het gesprek met Greet. Ze was het niet in alles met haar eens, maar ze kon in ieder geval goed met haar praten. Ze zou willen dat zij met Bernhard had kunnen praten, maar dat was nu eenmaal niet zo.

Uitgerust en in een goed humeur ontving Juliana de volgende ochtend na het ontbijt in gezelschap van Walraven en Marie Anne de minister-president op haar werkkamer. Beleefdheden werden uitgewisseld totdat de slepende kwestie inzake Lages weer ter sprake kwam. Marie Anne had de afgelopen maanden geprobeerd met het argument 'van uitstel komt afstel' de gratieverlening af te dwingen, maar dat had het kabinet niet geaccepteerd. Juliana's weigering om de door het Bijzondere Gerechtshof uitgesproken doodstraf van Willy Lages te bekrachtigen met haar handtekening sleepte zich nu al vier jaar voort. De Bijzondere Raad van Cassatie had op Juliana's verzoek de zaak nogmaals onderzocht, maar vond geen enkele grond om het verzoek tot gratie te honoreren. Zij moest nu haar handtekening zetten. Drees haalde de stukken voor de zoveelste keer uit zijn aktetas en legde die aan haar voor. Hij draaide de dop van zijn vulpen en bood haar zijn pen aan, maar zij weigerde voor de zoveelste keer deze aan te nemen.

'Vergeet u niet dat de heer Lages al vier jaar, sinds september 1949, in onzekerheid verkeert, dat al die jaren uitstel hem hoop geven,' zei Drees.

'Hoop doet leven, dat besef ik terdege,' antwoordde Juliana.

'Maar dat gaat niet op in zijn geval,' antwoordde Drees streng. De zaak was in die vier jaar al zo vaak gewikt en gewogen.

'Ik zal u zeggen, meneer Drees, dat ik vandaag ook niet teken,' zei Juliana beslist.

'Het is een kabinetsbesluit,' zei Drees.

'Dat kan zijn, maar ik verander niet van mening,' zei Juliana weloverwogen.

'Wat wilt u dan?' vroeg Drees fel.

'Dat lijkt mij duidelijk,' antwoordde Juliana.

'Van gratie kan onder geen enkele omstandigheid sprake zijn, mevrouw,' zei Drees.

'Als dat het geval is, dan treed ik af,' zei Juliana.

Drees keek verschrikt naar Marie Anne en Walraven, die geen krimp gaven. 'U zegt?' herhaalde Drees vol ongeloof, alsof hij het niet goed had gehoord.

'U hoort mij wel,' zei Juliana.

'Dit is uitermate bizar, mevrouw,' merkte Drees gelaten op, 'als u bij weigering blijft om te ondertekenen, omdat ik u niet kan overtuigen van het kabinetsbesluit, dan laat u het kabinet geen andere keus dan af te treden.'

'Dat weet ik, daarom stel ik voor om zelf te vertrekken,' zei Juliana vastbesloten.

'Dit is hoogst ongepast,' antwoordde Drees verbaasd.

'Dat begrijp ik,' zei Juliana.

'Met alle respect, mevrouw. Ik begrijp u niet. U hebt dit soort doodvonnissen meer dan tien keer ondertekend, totdat u in contact kwam met juffrouw Hofmans.'

'Wat wilt u daarmee suggereren?' vroeg Juliana argwanend.

'Fluistert zij u dit in?' vroeg Drees zakelijk.

'Pardon?' vroeg Juliana verontwaardigd. 'U suggereert dat ik niet in staat ben om mijn eigen beslissingen te nemen en u insinueert dat juffrouw Hofmans, die volledig te goeder trouw is, mij bindende adviezen geeft?' Ze stond op vanachter haar bureau.

'Dat zeg ik niet,' zei Drees terwijl hij zijn hoofd schudde.

'Dat zegt u wel,' antwoordde Juliana beledigd.

'Ik vraag alleen of uw mening en met name uw vasthoudendheid inzake deze kwestie worden beïnvloed door uw omgang met juffrouw Hofmans?' vroeg Drees. 'Wij zijn natuurlijk op de hoogte van de visie van juffrouw Hofmans.'

'Ik vind dit zeer ongepast,' riep Juliana.

'Dan bied ik u daar mijn verontschuldigingen voor aan en neem ik mijn woorden terug,' zei Drees.

'Dat mag wel zo zijn,' merkte Juliana op, 'maar u hebt het ge-zegd!'

Drees knikte berustend. Hij had er spijt van dat hij Greets in-vloed op Juliana ter sprake had gebracht.

'Hoe komt u erbij?' vroeg Juliana aangeslagen.

'Het is ons natuurlijk niet ontgaan dat u de laatste jaren een ze-ker gedachtegoed hebt ontwikkeld,' zei Drees diplomatiek.

'Een zeker gedachtegoed, wat bedoelt u daarmee?'

Drees zuchtte opnieuw. 'Nogmaals, het spijt mij zeer, maar het is natuurlijk raadselachtig dat u eerst wel tekent en dan jaren achtereen weigert,' zei hij.

'Ik ben van mening veranderd, meneer Drees, daar heb ik net als ieder ander mens recht op, en laten we vooral niet vergeten dat het hier om een mensenleven gaat,' zei Juliana venijnig.

'Het lijkt mij beter dat wij dit onderhoud beëindigen voordat er dingen worden gezegd waar we later spijt van krijgen,' zei Drees sussend.

'Geen sprake van,' zei Juliana op bevelende toon, 'ik wil dit nu uitgesproken hebben.'

'Wat wilt u uitgesproken hebben, mevrouw?' vroeg Drees be-deesd.

'Uw insinuatie dat juffrouw Hofmans mij de wet voorschrijft.'

'Dat heb ik niet gezegd, maar aan de andere kant hoef je geen genie te zijn om te constateren dat u een zekere sympathie koestert voor het gedachtegoed zoals dat wordt verwoord op de conferen-ties op Het Oude Loo en de kring rond juffrouw Hofmans,' ant-woordde Drees. Hij keek Walraven van Heeckeren en Marie Anne Tellegen aan, hij pakte zijn aktetas en nam zijn hoed van de stoel-leuning. 'Als u mij nu wilt verontschuldigen,' zei Drees.

Juliana zweeg. Walraven ging Drees voor en hield de deur voor hem open terwijl Juliana de veranda op liep.

'Dus zo denken ze erover,' zei Juliana. Marie Anne knikte in-stemmend. Walraven kwam ook naar buiten. 'Wat vind jij, Walra-ven?' vroeg Juliana.

'Kennelijk zijn de stellingen betrokken,' antwoordde hij rustig.

Juliana hield voet bij stuk. Het ging niet meer alleen om de bekrachtiging van het Koninklijk Besluit inzake het doodvonnis van de veroordeelde oorlogsmisdadiger Willy Lages, maar ook om verdachtmakingen aan haar adres over haar vriendschap met Greet. Die overtuiging had meneer Drees, en met hem waarschijnlijk de andere ministers in haar regering, en dit verontrustte Juliana.

Enkele maanden later, na de verkiezingen en tijdens de kabinetsformatie, was de nieuwe minister van Justitie, de heer Donker, alsnog bereid de kwestie op diplomatieke wijze op te lossen en zodoende de gratieverlening te bekrachtigen, waardoor de al jaren slepende kwestie in den minne werd geschikt. Drees bleef minister-president en bracht de kwestie-Lages niet meer ter sprake tijdens het wekelijkse onderhoud. Juliana was zich meer dan ooit bewust van het feit dat de heren in haar regering het liefst zagen dat zij zich beperkte tot officiële plichtplegingen. Volgens hen moest ze zich niet met staatszaken bemoeien.

~

Moeder van het volk

D e vijftiende verjaardag van Beatrix werd op 31 januari
1953 groots gevierd op het paleis. De feestelijke avond
was nauwelijks achter de rug toen het slechte nieuws
uit het zuiden van het land het paleis bereikte. De kust en dijken in
het westen waren zwaar beschadigd door een springvloed die
samenviel met een zware noordwesterstorm. 's Nachts braken de
dijken onder het aanhoudende geweld van de metershoge golven.
Het zeewater kolkte landinwaarts door de gaten. Bewoners van
dorpen, afgelegen gehuchten en boerderijen werden halverwege de
nacht in hun slaap overvallen door het aanstormende water en
moesten vechten voor hun leven. Honderden huizen, boerderijen
en dijken stortten in. Duizenden mannen probeerden 's nachts in
de gierende storm en regen de dijken te versterken. De dijken langs
de Hollandse IJssel stonden op het punt te breken. Door de enorme inspanning van de mannen die met de moed der wanhoop
vochten tegen het oprukkende water kon worden voorkomen dat
de laaggelegen gebieden van Zuid-Holland en de steden Rotterdam, Leiden, Delft en Den Haag overstroomden. De Zeeuwse en

enkele Zuid-Hollandse eilanden kwamen volledig onder water te staan. Juliana wilde meteen naar het rampgebied in Zeeland vertrekken, maar dat was niet mogelijk vanwege de hoge waterstand. Ze stond er alleen voor, want Bernhard verbleef op dat moment in New York. Juliana vertrok zo snel mogelijk van Soestdijk en reed naar het zuiden, maar haar auto kwam door het wassende water niet verder dan de Krimpenerwaard. Ze overnachtte in de buurt en vertrok de volgende ochtend vroeg met een boot van Rijkswaterstaat naar het getroffen dorp 's-Gravendeel, waar zestig mensen waren verdronken door de overstroming. Boeren waren 's nachts op de nok van hun huis geklommen of hadden geprobeerd aan de stormvloed te ontkomen, maar waren door de kracht van het water meegesleurd en verdronken. Medewerkers van het Rode Kruis en het leger haalden een voor een de lichamen uit het water en brachten die naar het dorp. Juliana liep in regenjas en op rubberlaarzen door het dorp. Ze wist dat ze weinig kon doen, maar hoopte dat haar aanwezigheid enige troost kon bieden aan de getroffenen. Zij liep door de modder in de straten en luisterde naar de ontredderde overlevenden van de ramp, die hun familie voor hun ogen hadden zien verdrinken. Juliana wilde met de boot van Rijkswaterstaat naar Middelharnis op Flakkee om de honderden overlevenden in de dorpen en op de afgelegen boerderijen te bezoeken, maar de kapitein van de boot weigerde omdat hij het te gevaarlijk vond om naar het overstroomde eiland te varen. De boot van Rijkswaterstaat zette koers naar Numansdorp, waar ze vastliepen. Juliana stapte uit en ging te voet naar het dorp met de burgemeester achter zich aan, die nog net de tijd had gevonden om zijn ambtsketen om te hangen. De straatweg stond tien centimeter onder water. Juliana liep naar het verderop gelegen dorp toen zij werd ingehaald door een auto met achter het stuur een boerin.

'Wil je een lift?' vroeg de boerin. Juliana knikte en klom in de auto, die door het water naar het dorp reed. De marechaussee grendelde de getroffen dorpen af om verdere chaos te voorkomen. De auto werd aangehouden en geïnspecteerd. De burgemeester kwam achter de auto aangehold en de marechaussee herkende de koningin onder haar hoofddoekje.

'Majesteit,' stamelde hij terwijl hij ogenblikkelijk in de houding schoot. De boerin herkende de koningin nu pas, sloeg haar hand voor haar mond en bood haar verontschuldigingen aan dat zij Juliana niet had herkend, maar Juliana protesteerde tegen deze onderdanige houding. Ze wilde alleen maar met eigen ogen de schade van de ramp in ogenschouw nemen en daar waar mogelijk steun bieden. In het dorp liep een vrouw rond die haar vier kinderen was verloren. Juliana omhelsde haar en zocht naar woorden, maar kon ze niet vinden. De getroffen moeder was ontroostbaar en trok uit wanhoop de haren uit haar hoofd. Haar hysterische gillen gingen Juliana door merg en been. Minutenlang hield zij de vrouw vast, terwijl de burgemeester, bewoners en de marechaussee toekeken. De vrouw maakte zich los uit de armen van Juliana, viel op haar knieën, bonkte met haar hoofd op de straatstenen, jammerend over het verlies van haar vier kinderen. Juliana huilde uit pure ontzetting mee over het lot van deze moeder die buiten zinnen was geraakt. De dorpsdokter snelde toe en leidde samen met de marechaussee de getroffen moeder naar het dorpshuis.

De volgende dag vloog Juliana in een klein vliegtuig over het Zeeuwse rampgebied. Ze zag met eigen ogen de ravage te midden van het ondergelopen land. Kerktorens en daken van huizen staken boven de golven uit. Overlevenden zaten op de daken in de kou te wachten op hun redding. Op kleine stukken hoger gelegen land stonden loeiende koeien. Boerderijen waren ingestort en de opgezwollen kadavers van het vee dreven in het water. Allerlei boten en vaartuigen voeren door de golven op weg naar de afgelegen boerderijen om de overlevenden te redden. Juliana ging door met het bezoeken van de zwaar getroffen dorpen en steden in Zeeland en West-Brabant. Ze had gehoord dat in het hele land noodhulp werd georganiseerd en goederen werden ingezameld. Ze had Beatrix en Irene over de telefoon gesproken, die meewerkten aan de inzameling van hulpgoederen. Met Bernhard had zij nog steeds geen enkel contact. Ze vernam dat hij de volgende dag, op 4 februari, met een lijndienst van de KLM op Schiphol aan zou komen.

Bernhard had het voorzitterschap van het rampenfonds op zich genomen op verzoek van meneer Beel, de minister van Binnenlandse Zaken. Op Schiphol stapte Bernhard over in een helikopter, want hij wilde het rampgebied persoonlijk inspecteren. In Zierikzee hield hij een toespraak op het dorpsplein voor de verslagen bevolking. 's Avonds zat Bernhard de vergadering van het rampencomité te Den Haag voor. Het ging niet alleen om het inzamelen van geld en goederen, maar ook om het organiseren van het reddingswerk. Alle tegenstellingen tussen godsdienstige en politieke groeperingen vielen tot genoegen van Bernhard weg, het herinnerde hem aan de tijd van het verzet in de oorlog. Op die eerste vergadering hoorde Bernhard dat grote hoeveelheden hulpgoederen in binnen- en buitenland werden ingezameld: dekens, keukengerei, voedselpakketten, geld en kleding. Vrijwilligers uit het hele land trokken per bus, auto en trein naar het rampgebied om te helpen. Brandweerbrigades uit België, Duitsland en Italië arriveerden gedurende de eerste dagen van de watersnoodramp ter plaatse. Amerikaanse militairen boden hun hulp aan met amfibievoertuigen en helikopters. Rubberen reddingsboten en stalen motorsloepen kwamen uit Duitsland en Engeland. Bernhard wilde als voorzitter van het rampenfonds niet vanachter een bureau in Den Haag de hulp coördineren, hij inspecteerde persoonlijk elke dag de toestand in het rampgebied. Hij vloog met zijn Amerikaanse piloot in een helikopter over de half ondergelopen steden en dorpen, landde ter plekke en maakte een lijst van spullen die de getroffen bevolking nodig had. De mensen in de afgelegen dorpen zaten dagenlang in isolement op de zolders en daken van hun huizen en boerderijen die tot de tweede verdieping onder water stonden. Ze waren apathisch geworden en Bernhard moest meer dan eens zijn best doen om de bewoners ervan te overtuigen dat de redding nabij was, dat hij een boot zou sturen. Over de boordradio gaf Bernhard de exacte locatie door, zodat enkele uren later de reddingsboot de mensen ophaalde en naar een nabijgelegen evacuatiecentrum bracht. 's Avonds laat ging Bernhard naar Den Haag, waar hij de vergadering van het rampencomité voorzat. Tot diep in de nacht werden de beslissingen voor de volgende dag genomen. De plaatselijke overheden in het rampgebied functioneerden vaak niet meer en Bernhard schakelde leden van zijn militaire staf in om de taken over te nemen. Hij sliep een paar uur per dag: de lange dagen herinnerden hem aan de oorlogsjaren. Achter de schermen van politiek Den Haag maakten hoge ambtenaren bezwaar tegen zijn solistische optreden, maar Bernhard vond altijd dat nood wet breekt. Juliana hoorde van deze bezwaren, maar de regering-Drees noch de koningin kon iets doen aan Bernhards werkwijze. Juliana had hem sinds zijn terugkeer uit de Verenigde Staten niet persoonlijk gesproken, zij bezocht dagelijks de evacuatiecentra. Een kleine honderdduizend mensen waren geëvacueerd, 1835 mensen waren verdronken tijdens de ramp, tienduizenden dieren waren omgekomen en de materiële schade liep in de honderden miljoenen guldens. In het rampgebied sloeg de apathische verslagenheid na enkele dagen om in een eensgezinde wens om de omvang van de ramp vast te stellen. Er werd op politiek niveau gesproken over een groot plan om de Nederlandse kustlijn te beschermen, zodat het achtergelegen land voor altijd veilig zou worden voor de zee. Op 8 februari 's avonds, de eerste zondag na de ramp, werd een dag van nationale rouw afgekondigd. De vlaggen in het hele land hingen halfstok. De koninklijke familie bezocht een kerkdienst in de hervormde kerk in Baarn, waarna Juliana het Nederlandse volk toesprak over de radio. Ze sprak over Gods ondoorgrondelijke wegen, dat het waarom van deze ramp slechts Hem bekend was en dat niemand wist waarom Hij Zijn kinderen tot zich riep. Alleen God kende de beproevingen van de mensen en deed een beroep op ons vertrouwen in Hem. Overal waar leed was, was de zegen nabij.

Begin maart was de noodhulp van het rampenfonds voorbij. Bernhard droeg zijn werkzaamheden over en vloog weer terug naar Amerika. Het koninklijk paar had elkaar tijdens deze enerverende periode geen moment gesproken.

In het najaar van 1953 werden de laatste gaten in de Zeeuwse dijken gedicht. Over het donkere water gilden de sirenes in de dorpen. De klokken werden geluid en Juliana was samen met minister-president Drees bij de plechtigheid aanwezig. Juliana had beloofd om het Nederlandse volk over de radio toe te spreken. Zij wilde wijzen op de kracht van haar ideaal: de eendrachtige samenwerking van het hele volk. Een ideaal dat bereikt kon worden als men bereid was om de last van verleden en tradities overboord te zetten, zodat de eendracht niet beperkt zou blijven tot tijden van oorlog en rampen. Juliana was te geëmotioneerd voor een lange redevoering. Ze kwam niet verder dan de woorden: 'Landgenoten, ik wens u geluk met dit moment.'

Twee vleugels

*J*uliana droeg haar ideeën over de noodzaak van een vernieuwde maatschappij uit tijdens lezingen die zij in het hele land hield. Dan sprak zij zich kritisch uit over oude tradities en instituties die zichzelf hadden overleefd en wees ze op het feit dat het nu toch echt de tweede helft van de twintigste eeuw was. Zij zette indirect haar vraagtekens bij het voortbestaan van de monarchie, maar niemand nam dat serieus, net zoals niemand haar woorden over de invloed van God op het menselijk lot al te letterlijk nam. Iedereen wist dat Juliana een diepgelovige vrouw was die pleitte voor spiritualiteit en geestelijke verdieping. Ze was zich bewust van haar bevoorrechte materiële positie en zag die vooral als een kans om als een torenwachter het landschap te overzien en daar haar visie op te geven, ongeacht de reactie van haar toehoorders. Ze wilde de starre verzuiling die in de jaren vijftig weer opleefde doorbreken, aangezien de kerken en politieke partijen in gebreke bleven omdat zij zich terugtrokken achter hun eigen leerstellingen.

Juliana slaagde er echter maar niet in om de eenheid in haar eigen huis tot stand te brengen. Zij en Bernhard bewoonden nog steeds ieder hun eigen paleisvleugel. Juliana had haar vertrekken in de Soestdijkse zijde en Bernhard de zijne in de Baarnse vleugel. Formeel zwaaide Juliana als vorstin de scepter over haar civiele en militaire huis, maar Bernhard gaf praktisch de leiding aan de paleisdiensten. De hofhouding telde bijna tweehonderd leden en stond onder leiding van de grootmeester, die verantwoordelijk was voor de civiele en militaire hofhouding, dan kwamen de chef van het militaire huis en adjudant-generaal, de adjudanten, de secretariaten, het bureau van de ceremoniemeester, het departement van de hofmaarschalk, de intendance van het paleis, het koninklijk staldepartement en ten slotte Gijs Paleis, de schatbewaarder. Pas daarna kwamen de kamerheren, adviseurs, de grootmeesteres, de hofdames en de talrijke lakeien. De echtelijke verwijdering had ertoe geleid dat er een scheiding was ontstaan binnen de hofhouding, er waren nu twee kampen. Juliana en Bernhard hadden beiden een kring van vertrouwelingen. Aan Bernhards zijde werd Greet Hofmans als de bron van al het kwaad beschouwd, dat Juliana haar eigen spoor trok ontging velen tijdens deze loopgravenoorlog. Slechts weinigen wisten het fijne van de echtelijke problemen, want men sprak daar niet over.

Juliana zweeg discreet over haar huwelijksproblemen, behalve Walraven, Rita en Marie Anne wist niemand in het paleis er iets van. Zij was heel puriteins opgevoed en ze kon de amoureuze affaires van haar echtgenoot nauwelijks een plaats in haar leven geven. Ze schaamde zich en voelde zich vernederd, ondanks het welgemeende advies van Greet om toch vooral haar eigen leven te leiden. De opgroeiende dochters onttrokken zich zoveel mogelijk aan de spanningen, die zij intuïtief aanvoelden, want afgezien van de officiële verplichtingen leidden hun vader en moeder gescheiden levens. Er werd nooit meer gezamenlijk gedineerd. Bernhard leerde zijn dochters paardrijden. Hij maakte plezier met ze en de uren die hij met ze doorbracht waren zorgeloos. Juliana besteedde veel

tijd en aandacht aan hun opleiding. Ze hield zich met hun huis-
werk bezig, met name met dat van Marijke, die erg haar best deed.
Juliana was blij dat Marijke ondanks de nare start zo'n vrolijk
meisje was geworden.

Op een ochtend reed Bernhard op een van zijn paarden over het
ruiterpad in het bos achter het paleis. Zijn paard rook de stal tijdens het uitstappen. Bernhard liet de teugels door zijn handen glijden, zodat zijn paard de hals strekte. Tot zijn verrassing zag hij dat
Greet Hofmans op een houten bank onder de bomen achter het
paleis een boek zat te lezen. Hij wilde haar negeren, maar kreeg een
inval. Langzaam stapte hij op haar toe en hij zag dat zij verrast op-
keek en opstond bij wijze van groet.
    'Koninklijke hoogheid,' groette Greet beleefd.
    'Juffrouw Hofmans,' zei Bernhard vriendelijk terwijl hij de teu-
gels van zijn paard aantrok. Zijn paard wilde niet stilstaan en drib-
belde nerveus in het rond. 'Ruhe Nanette,' zei hij en hij gaf het dier
kalmerende klopjes, maar het paard schudde aan de teugels en
gooide haar hoofd achterover. Bernhard trok de teugels aan, maar
het dier verzette zich. Greet wachtte nieuwsgierig af totdat Bernhard zijn paard onder controle had en voor haar stilstond.
    'U ziet het. Nanette is rusteloos en nerveus. Weet u daar niets
op?' vroeg de prins.
    Greet keek hem verbaasd aan, het was langgeleden dat hij haar
persoonlijk had aangesproken. 'U bedoelt dat serieus?' vroeg ze.
    'Ja,' antwoordde Bernhard, 'anders zou ik het niet vragen.'
    'Ik heb geen verstand van paarden,' zei Greet.
    'U behandelt toch ook nerveuze mensen?' vroeg Bernhard.
    'Dat klopt, hoogheid,' antwoordde Greet.
    'Nou dan,' merkte Bernhard lachend op.
    'Met mensen kun je praten, en eerlijk gezegd ben ik bang voor
paarden,' zei Greet.
    'Dat is nergens voor nodig. Paarden zijn net kinderen,' zei Bern-
hard.
    Greet glimlachte ongemakkelijk.

'Hebt u geen wondermiddeltje?' vroeg Bernhard.

Greet schudde haar hoofd. Ze dacht na over de reden van zijn toenadering. Ze wist heel goed dat hij haar liever niet aan het hof zag, omdat hij haar verantwoordelijk hield voor de houding van zijn vrouw. 'Nee, ik heb geen wondermiddeltje,' zei ze.

'Vast wel,' merkte de prins op.

'Nee, u denkt misschien dat ik een heks ben met zalfjes en poedertjes, maar dat is niet zo,' antwoordde Greet vriendelijk.

Bernhard lachte terwijl hij Nanette probeerde te kalmeren. 'Dat hoort u mij niet zeggen.'

'Er zijn genoeg mensen die dat denken,' merkte Greet op.

'Dat weet ik,' zei Bernhard.

'Die mensen kennen mij niet, maar ze denken dat ik in staat ben om anderen te beheksen,' zei Greet. Ze presenteerde een karikatuur van zichzelf om te kijken hoe hij reageerde, maar hij ging er niet op in. Greet wachtte zwijgend af. Ze wilde best eerlijk en open met hem praten, maar wist dat het initiatief van hem moest komen, dat het niet gepast zou zijn als zij zich zou uitspreken over de bestaande problemen. Formeel wist zij immers van niets. 'Hoe oud is Nanette, hoogheid?' vroeg ze.

'Negen jaar,' antwoordde Bernhard.

'Is dat oud voor een paard?' vroeg Greet belangstellend.

'Niet echt, de meeste paarden worden zo'n vijfentwintig jaar oud,' zei Bernhard.

Nanette kwam niet tot rust, drentelde rond, schudde met haar hoofd, zwiepte onafgebroken met haar lange staart.

'Hebt u echt niets om haar wat rustiger te maken?' probeerde de prins nog een keer.

'Ik wil het wel proberen,' zei Greet ten slotte, omdat ze wist dat ze met het afwijzen van zijn verzoek bij voorbaat elk contact zou verbreken. 'Dan moet ik wel iets van Nanette hebben.'

'Wat bijvoorbeeld?' vroeg Bernhard.

'Een paar haren zijn genoeg,' antwoordde Greet.

Bernhard schopte de stijgbeugels uit, zwaaide zijn been over het zadel en gleed van zijn paard. Hij stak zijn arm door de teugels zodat het paard er niet vandoor kon gaan. Hij pakte de staart van het paard vast en trok er enkele haren uit. 'Genoeg?' vroeg hij aan Greet, die knikte. Ze durfde niet naar Bernhard en zijn nerveuze paard toe te lopen. 'Kom maar. U hoeft echt niet bang te zijn,' zei Bernhard geruststellend.

'Dat ben ik wel,' zei Greet. Desondanks deed ze enkele stappen naar hem toe, pakte met uitgestoken handen de lange donkerbruine paardenharen aan en rolde deze om haar vingers.

Bernhard zette zijn linkervoet in de stijgbeugel en hees zich weer in het zadel. 'Dit paard is van kolonel Pantchoulidzew, die gaat ermee naar springconcoursen. Hij heeft er een hekel aan als zij weigert voor een hindernis,' zei Bernhard.

'Waarom weigert zij?' vroeg Greet.

'Uit angst, paarden zijn nog banger dan mensen, een geluidje, een papiertje dat wegwaait, iemand die in de verte schreeuwt, het kan van alles zijn waardoor een paard schrikt. Sommige paarden groeien daaroverheen, die leren hun berijders te vertrouwen, maar andere gaan er bij het minste of geringste vandoor,' zei Bernhard.

'Ik weet dat angst verlammend kan werken bij mensen. Ik wist niet dat het bij paarden ook zo was,' zei Greet.

'Erger nog dan bij mensen, want die hebben verstand, tenminste sommigen,' merkte Bernhard op.

Greet moest glimlachen om zijn grapje.

'Wat doet u bij angstige mensen?' vroeg Bernhard.

'Ik praat met ze, probeer hun beschadigde vertrouwen te herstellen, dat kost tijd, want vaak hebben die mensen dingen meegemaakt waardoor ze voorgoed in hun schulp kruipen,' antwoordde Greet.

Bernhard beaamde haar opmerking met een knik van zijn hoofd.

'U springt zelf niet meer?' vroeg Greet.

'Nee, te veel last van mijn rug,' antwoordde Bernhard. Er viel een stilte, want beiden waren zich bewust van hun verschil in visie op en overtuiging over fysieke en psychische klachten en de gewenste behandeling. Bernhard had Greet aan het hof geïntroduceerd voor de behandeling van de oogziekte van Marijke, maar zij wist dat hij haar niet langer serieus nam. Greet keek hem aan om de diepere bedoeling achter zijn verzoek om hem te helpen met het bestrijden van de angst van zijn paard te doorgronden, maar dat kon ze niet. Ze zag het als een positief teken dat zij met elkaar spraken, dat kon wederzijdse vooroordelen wegnemen.

'Nou, ik ga maar weer,' zei Bernhard, waarna hij de onrustige Nanette aanspoorde. Hij knikte Greet gedag en stapte weg in de richting van de stallen.

Greet ging weer op de houten bank onder de bomen zitten en borg de staartharen op in een zak van haar jurk. Ze dacht aan het gesprek dat zij met Juliana had gehad over zijn buitenechtelijke avonturen. Ze had begrip voor Juliana's wrok, vernedering en gekwetstheid, maar zij zag ook dat Bernhard en Juliana niet bij elkaar pasten. Zij waren te verschillend om elkaars leven te kunnen delen. Juliana was introvert en hechtte net als Greet veel waarde aan innerlijke verdieping, het je losmaken van verlangens en lusten, zodat je een hoger niveau van geestelijk bewustzijn kon bereiken. Aspiraties die Bernhard op geen enkele manier deelde met Juliana; hij zocht zijn bevrijding als mens kennelijk in de zinnelijke beleving en bevrediging van zijn mannelijke gevoelens. Greet vond de ene keuze niet beter dan de andere, maar zij wist dat de twee keuzes niet verenigbaar waren, dat er altijd obstakels zouden opdoemen waardoor deze twee werelden met elkaar botsten.

's Middags reed Bernhard zijn oudste twee dochters voor een logeerpartij naar het kasteel van zijn moeder, prinses Armgard. Irene noemde het kasteel in Diepenheim waar haar Duitse oma en opa woonden 'het warme Loo' in tegenstelling tot het paleis waar hun andere oma, Wilhelmina, woonde, dat was namelijk 'het koude Loo'. Warmelo was een gerestaureerd kasteel dat in een park lag. Bernhards moeder was een levenslustige Duitse vrouw van adel, die altijd een sigarettenpijpje en een aapje bij zich had. Armgard kon het goed vinden met haar kleindochters. Zij leefde samen met kolonel Alexei Pantchoulidzew op het kasteel. Bernhard had hen in

1952 naar Nederland gehaald omdat zij verarmd waren en afhankelijk waren geworden van zijn financiële ondersteuning. Hij had er bij zijn schoonmoeder Wilhelmina op aangedrongen dat zij kasteel Warmelo voor hen kocht. Aanvankelijk wilden de Lippe-Biesterfelds in Hilversum neerstrijken, maar Wilhelmina had daar een stokje voor gestoken omdat ze dan te dicht bij Soestdijk zouden wonen. Ze was bang voor een te grote invloed van prinses Armgard zur Lippe-Biesterfeld op haar schoonzoon. Wilhelmina vertrouwde de Duitse kolonel niet, omdat die tijdens de oorlog bij de Duitse militaire inlichtingendienst had gewerkt. Wilhelmina had tijdens haar verblijf in Londen in het eerste oorlogsjaar gehoord dat de kolonel het idee had geopperd dat Bernhard mee moest werken aan een snelle capitulatie van het Nederlandse leger, dan zou Bernhard na de overgave door het Duitse gezag tot rijksstadhouder worden benoemd.

Bernhard had dat later tegengesproken. Wilhelmina zag hoe hij zich tijdens de oorlog inzette voor het Nederlandse verzet en later als commandant van de Binnenlandse Strijdkrachten. Bernhard bleef echter wel tijdens de oorlog contact houden met zijn moeder, stiefvader en broer Aschwin, die allen in nazi-Duitsland woonden en hij leende na de oorlog links en rechts geld om het levensonderhoud van zijn moeder en stiefvader te bekostigen. Armgards invloed op haar kleindochters was Juliana een doorn in het oog. Armgard had zich in het begin van de jaren vijftig bekeerd tot het katholicisme om haar kerkelijk huwelijk met de Pools-Russische Alexei te laten inzegenen. Armgards en Alexeis frivole roomskatholieke levenshouding vond geen aansluiting bij de sobere protestantse Nederlandse hofcultuur. In Juliana's vleugel van het paleis wond men zich vaak op over de bemoeienissen van de Lippe-Biesterfelds. Armgard verwende de vier prinsessen te veel, ze zaagde aan de fundamenten van Juliana's gezag over haar dochters. De oudste dochters mochten op kasteel Warmelo tot diep in de nacht opblijven. Ze dronken wijn en waren te gast op de gekostumeerde feesten van oma, die haar bijnaam 'Tolle Lola' eer aandeed.

Daags na zijn bezoek aan zijn moeder op kasteel Warmelo zadelde Bernhard zijn paard Nanette voor de stal van paleis Soestdijk. Hij klom op zijn paard en tilde zijn linkerbeen op zodat de stalknecht het paard kon nasingelen. Bernhard zag Greet Hofmans aankomen en groette haar vriendelijk. Greet droeg een grijze jurk en zwarte schoenen. Ze had haar grijze haar opgestoken en glimlachte vriendelijk.

'Ik heb misschien een oplossing voor uw paard,' zei Greet terwijl Nanette in het rond draaide. De stalknecht controleerde de riempjes van het hoofdstel, maar Nanette gooide haar hoofd achterover, zodat de stalknecht niet bij de riempjes van het bit kon. Het paard sloeg met haar hoefijzers op de straatstenen. Greet bleef op een afstandje staan.

'Ruhe Nanette,' zei Bernhard streng en gaf zijn paard een kalmerend klopje. De stalknecht gaf haar drie suikerklontjes, waardoor het paard werd afgeleid en stil bleef staan, zodat hij het hoofdstel vast kon maken.

'U zou haar vlees moeten geven, dan sterkt ze aan en wordt ze vanzelf rustig,' zei Greet.

Bernhards mond viel open van verbazing. Hij keek de stalknecht aan. 'Vlees, zei u?'

'Ja,' antwoordde Greet, 'dat is goed voor een mens en ik heb begrepen dat paarden alleen maar haver krijgen.'

Bernhard en de stalknecht schoten alle twee in de lach.

'Wat is er zo leuk?' vroeg Greet.

'Dat zal ik u vertellen, juffrouw Hofmans. Paarden zijn vegetariërs, die lusten geen vlees,' zei Bernhard beslist.

'O, dat wist ik niet,' antwoordde Greet beduusd.

'Nee, dat blijkt,' merkte Bernhard venijnig op.

'Het spijt mij,' zei Greet timide.

'Weet u wat dit bewijst?' zei Bernhard.

'Nee,' antwoordde Greet.

'Dat u een bedriegster bent die uit haar nek kletst,' zei Bernhard.

Greet kreeg meteen spijt van haar bemoeienis en advies op een onbekend terrein. 'Ik heb u al gezegd dat ik geen verstand van paarden heb,' zei ze verontschuldigend.

'Maar toch geeft u mij advies en dat bewijst eens temeer dat uw adviezen met een korreltje zout genomen dienen te worden,' zei Bernhard.

'Het spijt mij, hoogheid,' zei Greet, maar het kwaad was al geschied.

'U strooit de mensen zand in de ogen,' zei Bernhard.

Greet voelde zich gekrenkt door zijn beschuldigingen, maar wist niets terug te zeggen.

'Gaat u dat maar aan mijn vrouw vertellen!' zei Bernhard.

'Dat wil ik best doen, hoogheid, maar u hebt mij er moedwillig in laten lopen.'

'Nou wordt het helemaal mooi,' riep Bernhard triomfantelijk, 'ik ontmasker u als bedriegster en in plaats van dat eerlijk toe te geven legt u de verantwoordelijkheid bij mij, dat getuigt niet van een integer karakter, juffrouw Hofmans.'

Greet beet op haar onderlip. Ze wist dat verder praten geen zin had. Ze draaide zich om en liep weg. Ze had gehoopt dat het gesprek over de problemen van Bernhards paard en haar advies de kloof tussen hen beiden zou overbruggen, maar het tegendeel bleek waar. Ze was zo naïef geweest om het verzoek van Bernhard serieus te nemen.

In het zonlicht van de namiddag maakten Beatrix en Irene in de tuin van kasteel Warmelo een gouache van de natuur. Hun vader kwam aangelopen en bewonderde enthousiast het werk van zijn tienerdochters. Bernhard speelde met de gedachte om naast zijn fotografeer- en filmwerk te gaan schilderen. Hij had het tekenen in zijn jeugd altijd bevredigend gevonden. Beatrix en Irene hadden op de lagere school, 'De werkplaats' van Kees Boeke, van jongs af aan leren tekenen, schilderen en boetseren en ze waren er goed in. Bernhard genoot van zijn dochters. Beatrix was nu zestien en Irene vijftien jaar oud. Bernhard vertelde ze op amusante wijze over juffrouw Hofmans, hoe ze hem had geadviseerd over zijn paard en zijn dochters schoten in de lach.

'Ja, het is om te gillen, maar ik vind het treurig dat jullie moeder die vrouw in alles vertrouwt,' zei Bernhard gelaten.

'Waarom praat jij dan niet met mama?' vroeg Irene.

'Jullie moeder luistert niet meer naar mij,' antwoordde hij. Hij betrok zijn dochters in de problemen rond zijn huwelijk. Ze hadden al vaker opmerkingen gemaakt over het feit dat hun ouders gescheiden onder één dak woonden.

'Mama wil er niet over praten. Ze zegt dat het onze zaken niet zijn,' zei Beatrix.

'Maar we zijn niet blind, hoor,' zei Irene.

'Ze wil niet dat jullie de dupe worden van onze problemen,' antwoordde Bernhard.

'Dat zijn we toch al,' zei Beatrix.

Bernhard knikte en sloeg zijn arm om de schouders van zijn oudste dochter.

'Ik zou het graag anders zien, maar jullie moeder vertrouwt dat mens. Zij heeft een wig tussen jullie moeder en mij gedreven,' zei Bernhard.

'Rita zegt dat het jouw schuld is,' zei Irene.

'O, zegt Rita dat?'

Irene knikte.

'Sinds Rita met baron Van Heeckeren is getrouwd is ze veranderd. Ze ziet alles door diezelfde bril als jullie moeder en dat mens van Hofmans,' zei Bernhard verbitterd. Hij gooide zijn armen quasi-wanhopig in de lucht en keek zijn dochters aan. 'Ik zou er heel wat voor overhebben als ik een oplossing wist, maar die heb ik niet.'

'Die heb je wel,' merkte Beatrix op.

'Welke dan?' vroeg Bernhard nieuwsgierig.

'Reizen,' antwoordde Beatrix.

'Tja, als je het zo ziet,' zei Bernhard.

Bernhard wist dat zijn oudste dochter gelijk had, dat hij elke gelegenheid aangreep om weg te gaan, omdat hij zich in zijn eigen kringen gewaardeerd voelde. Dat kon hij van het theosofische theekransje rond zijn vrouw niet zeggen. Die mensen wenste hij niet eens te verstaan met hun onnozele gezwets over vrede en ontwapening, die hadden geen flauw benul van de militaire en politieke verhoudingen in de wereld. Hij vond het wereldbeeld van zijn vrouw uitermate naïef. Zij had geen flauw idee van het machtsspel tussen Amerika en de Sovjet-Unie. Bernhard was zeer goed op de hoogte als inspecteur-generaal van de strijdkrachten en via zijn internationale contacten. Hij werd niet voor niets de Vliegende Hollander van het Nederlandse bedrijfsleven genoemd. Bernhard bewonderde daadkrachtige mannen, en dan met name oorlogshelden. Hij verkeerde graag in het gezelschap van mannen als Joseph Retinger, een oude Poolse vriend van zijn moeder. Retinger sprong tijdens de oorlog in het holst van de nacht uit een Engels vliegtuig boven het door Duitsland bezette Polen. Alles wat Joseph bij zich had terwijl hij aan zijn parachute in het donker naar beneden viel, waren een koffer met geld en een kleine radio om het Poolse verzet tegen de Duitsers te organiseren. Dat vergde moed en dwong respect bij Bernhard af. Joseph Retinger was door zijn Poolse achtergrond overtuigd van het communistische gevaar. Hij bracht de noodzaak van een intensieve samenwerking tussen Europa en Amerika onder woorden.

Niet alleen in Soestdijkse paleiskringen werd er kritisch gekeken naar de Amerikaanse grootmacht, maar in heel Europa ontstond begin jaren vijftig een kritische houding tegenover de Amerikaanse militaire overheersing. Bernhard en Retinger zagen het als hun taak om de band tussen Europa en Amerika te versterken. Ze bedachten een plan voor het organiseren van jaarlijkse bijeenkomsten waar politici, hoge militairen en de top van het bedrijfsleven uit Europa en Amerika bijeenkwamen om buiten het zicht van pers en politiek van gedachten te wisselen en de banden aan te trekken. Bernhard zat met instemming van het Nederlandse kabinet de eerste bijeenkomst in mei 1954 in hotel Bilderberg bij Arnhem voor. Hij moest zich volgens de Nederlandse grondwet afzijdig houden van politieke activiteiten, maar desondanks ontwikkelde hij zich als voorzitter van de Bilderberg-conferenties tot een gezaghebbend diplomaat en staatsman. Het Nederlandse kabinet beschouwde Bernhard als een belangrijke bron van informatie en Bernhard genoot van zijn werk, bracht vrienden en relaties met elkaar in contact en bezocht deze weer tijdens zijn reizen. Hij organiseerde de eerste Bilderberg-conferentie samen met Joseph Retinger, secretaris De Graaff en Paul Rijkens, een Nederlandse zakenvriend en directeur van Unilever. Bernhard overtuigde in Washington de Amerikaanse president Eisenhower en de directeur van de CIA van de kansen die het Bilderberg-platform bood. De jaarlijkse vergadering bracht invloedrijke figuren uit de politieke, militaire en zakenwereld bij elkaar, en iedereen sprak vrijuit. Er werd nooit een lijst van genodigden openbaar gemaakt. Bernhard wist dat zijn Bilderberg-conferenties ironisch genoeg een tegenhanger waren geworden van de theosofische theekransjes op Het Oude Loo, waar ook werd gesproken over de toekomst van de wereld. Zijn bijeenkomsten waren echter gevrijwaard van pacifistisch geneuzel en werden bezocht door mensen die werkelijk invloed hadden. Bernhards visie op de bewaking van de vrede stond lijnrecht tegenover die van zijn vrouw. Hij deed er dan ook alles aan om te verzwijgen dat zijn vrouw een tegenstander was van de internationale wapenwedloop en een intensieve Atlantische samenwerking, de NAVO en de militaire blokvorming van het Westen tegen het communistische Oosten. Bernhard schaamde zich voor de overtuiging van zijn vrouw, het Nederlandse staatshoofd. Juliana had haar afkeuring over de Bilderberg-conferentie via leden van de hofhouding uitgesproken. Zij had geïnformeerd naar de financiering en ze had bij Willem Drees zelfs bezwaar gemaakt tegen Bernhards politieke activiteiten, aangezien hij zich gedroeg als de onderkoning van Nederland. Drees had dit zoals altijd op vriendelijke wijze genuanceerd, hij had het over een onschuldig praatcollege en gaf geen antwoord op haar vraag welke Nederlandse ministers de Bilderberg-conferentie bijwoonden. Juliana sprak haar vermoeden uit dat Dirk Stikker van de partij was, maar ze kreeg geen antwoord, de lijst van genodigden was immers geheim. Het Nederlandse kabinet stond als één man achter Bernhard. Ze waren hem dankbaar voor zijn werk aan de wederopbouw van Nederland en waren bereid om veel door de vingers te zien. Ze wisten heel goed dat zij als Nederlandse kruideniers het talent ontbeerden om internationaal zaken te doen.

Bernhard nam zijn taak als inspecteur-generaal van de Koninklijke Landmacht, Luchtmacht en Marine even serieus als zijn werk als ambassadeur voor het Nederlandse bedrijfsleven. Hij was commissaris bij tal van grote ondernemingen zoals de KLM, Hoogovens en Unilever. Zijn secretariaat onder leiding van de heer De Graaff en juffrouw Gilles had er een volle dagtaak aan om alle uitnodigingen en correspondentie te beantwoorden. Een van Bernhards adjudanten antwoordde eens op kritische vragen van een journalist over Bernhards reizen: 'Wie ooit in mijn aanwezigheid durft te beweren dat de prins alleen pleziertochtjes maakt, sla ik persoonlijk op zijn smoel.' Bernhard kon zo'n opmerking wel waarderen. Hij was een hardwerkende zakenman, die van een strakke en efficiënte organisatie hield en geen geduld had om ellenlange diners uit te zitten of langdradige toespraken aan te horen. Hij drong snel tot de kern van een probleem door en verloor geen tijd met onnodige zaken. Hij was altijd stipt op tijd, hoogstens te vroeg, maar nooit te laat. Hij huldigde de spreuk: 'L'exactitude est la politesse des rois.'

Bernhard stond als inspecteur-generaal van de strijdkrachten weliswaar onder de verantwoordelijkheid van de minister van Defensie, maar hij vond dat de ambtenaren te traag werkten. Bernhard stelde zich als hij in het land was regelmatig onaangekondigd op de hoogte van de paraatheid van zijn troepen. Hij stond dan om twee uur 's nachts op, trok zijn gevechtstenue aan en reed in het holst van de nacht met zijn chauffeur naar een kazerne ergens in het land. Hij sloeg groot alarm, inspecteerde de troepen, besprak de fouten met de officieren en vertrok even snel als hij was gekomen naar huis, waar hij tevreden om vijf uur 's ochtends zijn bed inkroop. Hij sliep niet uit, maar liet zich om zeven uur alweer wekken door een hoveling, gebruikte het ontbijt met zijn dochters, ging een halfuurtje paardrijden en zette zich aan een drukke werkdag. De stafofficieren drongen er bij hem op aan dat hij zijn nachtelijke inspecties bekendmaakte, maar daar zag Bernhard helemaal niets in. Het ging juist om de verrassing. De Russen zouden hun aanval, mocht het ooit zover komen, ook niet van tevoren aankondigen.

Bernhard stoorde zich enorm aan het feit dat zijn vrouw van nature nogal chaotisch was, dat zij veel improviseerde en het protocol en de regels van het hof aan haar laars lapte. Zij hechtte weinig waarde aan een strakke organisatie en zij had geen zicht op de financiële boekhouding van alle paleisdiensten, die viel onder de verantwoordelijkheid van de prins. Juliana was wel bevriend met de hoofdboekhouder van het paleis, baron Gijs van Hardenbroek, die alle huishoudboekjes van het paleis nauwlettend bijhield. Ze was verbaasd toen baron Van Hardenbroek – Gijs Paleis – officieel om een onderhoud vroeg. Gijs was een jeugdvriend, ze gingen op vertrouwelijke voet met elkaar om. Juliana ontving Gijs in het bijzijn van Walraven en Marie Anne op haar werkkamer.

'Wat is er zo dringend, Gijs?' vroeg Juliana nieuwsgierig.

'Er zijn onregelmatigheden in de financiën,' antwoordde Gijs.

Juliana begreep niet wat hij bedoelde en ze keek Walraven en Marie Anne aan. 'Hoe bedoel je?' vroeg ze.

De thesaurier keek de anderen aan, zocht ondertussen naar de juiste woorden en rommelde met zijn boekhoudmapjes. 'Het is nogal een delicate kwestie,' zei Gijs.

'Heb je die al met Benno besproken?' vroeg Juliana.

'Nee, ik heb er voor zijn vertrek naar Afrika niet met hem over gesproken,' zei Gijs gereserveerd.

'Dan moet het wachten totdat hij terug is, anders moet je het met De Graaff bespreken,' zei Juliana.

Gijs knikte bedachtzaam, kuchte en schraapte zijn keel alvorens hij de knuppel in het koninklijke hoenderhok gooide. Hij wist dat zijn mededeling gevolgen zou hebben. Hij had de kwestie het liefst zelf opgelost, maar dat kon niet, en als hij de zaak verzweeg, kwam zijn eigen integriteit in gevaar. Hij moest open kaart spelen.

'De prins is hoofd van alle paleisdiensten, meneer De Graaff neemt de honneurs waar tijdens zijn afwezigheid,' zei Gijs.

'Dat weet ik,' zei Juliana.

'Ja, en daar knelt de schoen.'

'Het verloopt niet naar wens?' vroeg Juliana.

'Er worden grote bedragen overgemaakt naar een Zwitserse bankrekening die op naam staat van ene Victor Baarn,' zei de thesaurier.

'En wie mag die meneer Baarn dan zijn?' vroeg Juliana. 'En waarvoor ontvangt hij dat geld?'

'Na zorgvuldig onderzoek ben ik tot de conclusie gekomen dat het een pseudoniem is van de prins. Hij beschikt samen met kolonel Pantchoudlidzew over deze bankrekening in Zürich,' zei baron Van Hardenbroek.

'Weet je dat heel zeker?' vroeg Juliana bezorgd.

'Ja, helaas wel,' antwoordde Gijs gelaten.

'Kunnen die overboekingen worden geblokkeerd?' vroeg Juliana.

'Ja, dat kan.'

'Doe dat dan meteen. Walraven zal vanaf vandaag samen met jou toezicht houden op de financiële zaken,' zei Juliana kordaat.

'Ik ga meteen aan de slag,' zei Gijs terwijl hij aanstalten maakte om te vertrekken.

'En Gijs, nog iets,' zei Juliana.

'En dat is?'

'Ik wil zo snel mogelijk een lijst van alle overboekingen op datum,' vroeg Juliana.

'Komt in orde,' antwoordde Gijs en hij verliet haar werkkamer.

'Wel ja,' riep Juliana verontwaardigd tegen Walraven en Marie Anne.

'Wanneer komt hij terug uit Afrika?' vroeg Walraven.

'Hoe zou ik dat moeten weten? Hij gaat volledig zijn eigen gang,' zei Juliana terwijl ze de deur naar het terras opende en naar buiten liep, waar ze een sigaret opstak. Ze wist dat Bernhard een fout had gemaakt. Hij vertrouwde blindelings op zijn secretaris, die hem persoonlijk, financieel en in alle andere opzichten was toegedaan. Door zijn onweerstaanbare charme zouden mensen voor Bernhard door het vuur gaan. Ze moest hem er rechtstreeks mee confronteren, want anders zou hij de verantwoordelijkheid meteen afschuiven op een toegewijde adjudant of iemand anders. Juliana kreeg niet elke dag de kans om Bernhard op het matje te roepen.

Hoge bomen

'Toujours plaisir, n'est pas de plaisir,' riep Bernhard lachend tegen zijn vrienden, Hans en Paul, terwijl zij uitkeken over de gele vlakte in Tanganyika vanuit de Engelse Bedford-terreinwagen. Bernhard genoot intens van de jacht op groot wild. De lucht in de vallei sidderde in het helle zonlicht. De drie mannen stonden in kakikleding met safarihelmen op in de jeep voor aan de colonne. Bernhard keek door een verrekijker naar een oude olifant aan de overkant van de vallei.

'Jetzt reicht,' riep Bernhard en liet zich achter het stuur van de jeep zakken, startte de motor, gaf gas en reed door het hoge gras de vallei in. De andere jeeps volgden. Bernhard vond zijn boerderij in de Oost-Afrikaanse staat Tanganyika de beste plek om tot rust te komen. Niet dat hij ooit in het openbaar liet merken dat hij moe was, dat verborg hij altijd door een goed humeur en zijn energieke optreden, maar zijn vrienden wisten dat hij vermoeid was als hij voor langere tijd naar Afrika vertrok. Hij hoefde daar niet elke dag telefoonlijstjes af te werken die zijn secretaris had opgesteld, en urenlang te vergaderen over zaken die hem niet altijd interesseerden. Bernhard wist wanneer de tijd rijp was om naar Afrika te vertrekken, dan werd hij kortaf en snauwde klagende mensen in zijn omgeving af. Bernhard vond het zijn plicht om het uiterste uit elke dag te halen. Iedereen kreeg kansen in het leven en die moest je met beide handen aangrijpen. Thuis achter de geraniums gebeurde tenslotte niet zoveel. Bernhard stond altijd open voor nieuwe uitdagingen. Hij genoot ervan om spontaan op mensen, zaken en situaties te reageren. Hij had zich op impulsieve wijze in zijn Afrikaanse avontuur gestort, maar dat bleek later een kostbare onderneming te zijn en dat had hij zich van tevoren niet gerealiseerd. Hij had de kosten niet doorgerekend, zoals De Graaff hem nadrukkelijk had geadviseerd. Bernhard was meteen op het aanbod van de Britse gouverneur-generaal ingegaan. Sir Edward Twining mocht het land aan het Marnyaramaeer niet verkopen, maar deed Bernhard het aanbod om het voor negenennegentig jaar te pachten. Zonder aarzelen tekende Bernhard het pachtcontract. Hij voelde de uitdaging om het landgoed in cultuur te brengen en was onder de indruk van de schoonheid van het land tussen het meer en de bergen. Bernhard had er een klein huisje op willen zetten waar hij tijdens safari's kon overnachten, maar er waren het afgelopen jaar meerdere huizen gebouwd. Bernhard wilde zijn vele gasten ook goed onder dak brengen. Zijn gepachte land lag te midden van grote wildreservaten. Hij hield van Afrika. Later zouden zijn dochters het landgoed kunnen gebruiken als ze tot rust wilden komen van alle protocollaire drukte rond het koningshuis.

Als Bernhard naar zijn secretaris De Graaff had geluisterd, had hij de exploitatie en ontginning van zijn Oost-Afrikaanse landgoed op een kleinere schaal aangepakt, of beter nog, dan was hij er helemaal nooit aan begonnen. Zijn onverstoorbare roekeloosheid had hem ertoe gebracht. Bernhard vertrouwde er altijd op dat het goed zou aflopen.

's Avonds na het diner op de veranda van het bakstenen huis mijmerde hij na met Hans en Paul onder het genot van een borrel.

Bernhard wilde de volgende ochtend om vijf uur opstaan. Er waren nieuwe machines aangekomen waarmee het personeel het bos ging rooien en Bernhard wilde erbij zijn. Er kwamen steeds meer mensen van rondzwervende stammen op zijn plantage werken. Die mensen wilde hij een goede behuizing bieden. Geld speelde daarbij geen rol. Bernhard geloofde dat de plantage over een aantal jaren geld zou opbrengen.

'Ik lees voor het slapengaan Darwins boek over zijn reis langs de kust van Zuid-Amerika met het schip de Beagle. Wisten jullie dat Darwin niet tegen de zee kon? Hij was de hele reis zeeziek,' zei Bernhard.

'Hij heeft toch drie jaar met dat schip over de wereld gevaren. Naar de Galápagoseilanden, Vuurland en Australië. Was hij dan altijd zeeziek?' vroeg Paul.

Bernhard schudde zijn hoofd terwijl hij de glazen opnieuw volschonk. 'Weet je wat hij deed?'

'Hij slikte iets tegen zeeziekte?' vroeg Hans.

'Nee, hij kocht een paard en volgde zo de Braziliaanse kustlijn terwijl zijn schip over zee naar het zuiden afzakte en hij te paard zijn fossielen verzamelde,' zei Bernhard, 'lijkt mij geweldig om de evolutie te ontdekken en in kaart te brengen.'

'Hij heeft anders jaren gewacht om zijn boek over de evolutie in Engeland te publiceren. Hij wist dat het christelijke scheppingsverhaal van tafel verdween. Hij voorzag de woede van de christenen,' merkte Paul op.

'Darwin heeft geluk gehad dat ze hem niet hebben gekruisigd,' zei Hans lachend.

De drie vrienden genoten van elkaars gezelschap, kenden elkaar al heel lang en vertrouwden elkaar volledig. Ze keken de duisternis van de tropennacht in. Een neushoorn sjokte langzaam langs het huis.

'Ik heb thuis ook mijn handen vol aan die gelovigen. Ik kan die Hofmans soms wel wat aandoen.'

'Is het zo erg?' vroeg Paul.

'Erger dan jullie denken,' zei Bernhard. 'Juul is niet meer te genieten, ze verwijt mij dat ik af en toe een vriendin heb en schopt daar stennis over.'

'Hoe lang gaat dat al zo?' vroeg Hans, die Bernhard uit het verzet kende, maar nooit enige interesse had getoond voor het huwelijk van zijn vriend.

'Te lang,' antwoordde Bernhard glimlachend, 'vroeger had ik nog weleens plezier met Juul, maar sinds die Hofmans over de vloer komt is elk aards genoegen zondig geworden.'

'Dat is uiterst vervelend voor je,' zei Paul.

'Dat kun je wel zeggen,' bevestigde Bernhard, 'jullie hebben makkelijk praten, ik moet altijd op mijn tellen passen.'

'Hoge bomen vangen veel wind,' constateerde Paul.

'Heel veel wind,' zei Bernhard vermoeid, 'of ik iets doe of laat, maakt niet uit, ik ben altijd prins der Nederlanden, dat vind ik soms tamelijk bizar.'

'De mensen roddelen nu eenmaal graag,' zei Paul.

'Ja, maar als ik bij wijze van spreken in Rotterdam ben en er wordt een straat verderop een moord gepleegd, dan gonst het later in de pers dat ik ter plekke ben gesignaleerd, dat ik de achterneef van het slachtoffer tien jaar geleden de hand heb geschud, dat ik er mogelijk bij betrokken ben, maar dat de politie geen onderzoek wil doen omdat hoge functionarissen op het ministerie het onderzoek tegenhouden.' Bernhard klonk oprecht verontwaardigd.

'Eigenlijk wel komisch,' vond Hans.

'Ik word er onderhand gestoord van,' verzuchtte Bernhard, 'ik heb geen vrijheid, alleen hier in Afrika.'

'Blijf dan hier,' zei Hans.

Bernhard glimlachte terwijl hij nadacht over de mogelijkheid om de rest van zijn leven op zijn Afrikaanse landgoed door te brengen. Hij wist dat hij terug naar Nederland moest om de zaken te behartigen die hij aan niemand kon toevertrouwen.

'Ik ben gewoon met de verkeerde vrouw getrouwd,' zei hij ten slotte, 'we hebben heel weinig met elkaar gemeen.'

'Vier dochters,' merkte Hans op.

'Ja, maar voor de rest bitter weinig.'

'Hou je dan helemaal niet meer van Juul?' vroeg Paul, die Juliana persoonlijk kende.

'Juul is zo veranderd. Ze probeert elke dag de wereld te verbeteren en dat vind ik grote quatsch.'

'Ze moet dat niet willen,' zei Paul.

'Breng haar dat maar eens aan het verstand,' zei Bernhard, waarna hij een slok whisky nam. 'En die Hofmans fokt haar op, dat God haar heeft aangewezen om het volk de weg te wijzen, daarvan wordt ein Mensch doch ganz verrückt.'

'Misschien moet ik eens met haar gaan praten,' stelde Paul voor.

'Dat wil ze niet,' zei Bernhard, 'want jij bent verdacht, als mijn vriend.'

'Tja, dan houdt het op,' zei Paul.

'Wat willen vrouwen eigenlijk?' filosofeerde Bernhard. 'Als ik dat eens wist.'

Paul en Hans schoten in de lach terwijl Bernhard de glazen opnieuw volschonk. Een bediende kwam kijken of de heren iets nodig hadden, maar dat was niet het geval. Ze zaten tevreden bijeen in hun opengeknoopte overhemden onder de olielampen op de veranda in de warme tropische nacht. Bernhard stond op en keek naar de schitterende sterrenhemel. Hij stak een sigaret op.

'Misschien moet je alles van je af laten glijden,' zei Hans, 'want wat je ook doet, het is toch nooit goed.'

'Dat zeg ik toch. Hoge bomen vangen veel wind,' merkte Paul opnieuw op.

~

De brief

Haar lange vakantie in Venezuela had Greet goed gedaan. Juliana deed een stap naar achteren om Greets gebruinde uiterlijk en zomerse jurk te bewonderen.

'Die jurk staat je goed, Gretchen,' zei Juliana.

'Dank je, ik heb je gemist, meid,' zei Greet.

'Ik jou ook. De zaken staan er hier helaas minder rooskleurig voor, maar laat ik niet meteen je stemming vergallen,' merkte Juliana verontschuldigend op.

'Wat is er gebeurd?' vroeg Greet.

Juliana keek haar aan. Ze wilde er eigenlijk pas later over beginnen, maar kon zich niet langer inhouden. 'Ik ga scheiden,' zei ze beheerst.

Greet schrok van Juliana's opmerking. Ze begreep meteen dat voor Juliana een grens was bereikt in het incasseren van de krenkingen die Bernhard haar in de loop van de jaren had aangedaan.

'Meen je dat nou, Jula?' vroeg Greet verbaasd.

'Het is mooi geweest. Schluss. Finito,' zei Juliana kordaat.

'Heb je dat met Walraven en Marie Anne besproken?' vroeg Greet.

'Nee, jij bent de eerste die het hoort. Ik heb Bernhard een brief gestuurd waarin ik hem mijn beslissing uitleg, voorzover dat nog nodig is,' zei Juliana vastberaden. Ze zag dat zij Greet met haar nieuws overviel. 'Het spijt me dat ik je vakantiestemming meteen verstoor, maar ik kan niet anders.'

'Dat begrijp ik,' zei Greet.

Juliana had deze beslissing helemaal alleen genomen. Ze had een lakei de opdracht gegeven om haar brief aan Bernhard te overhandigen na zijn terugkeer uit Afrika.

'Ik zal niet ontkennen dat Bernhard een negatief effect op je heeft, maar een scheiding is gezien jouw positie nogal wat,' merkte Greet op.

'Dat mag dan wel zo zijn, maar ik heb er schoon genoeg van,' zei Juliana.

Bernhard nam na zijn thuiskomst zijn agenda voor de komende week door met zijn secretaris. Daarna luisterde hij welwillend naar professor Kluyver, die hem vier jaar geleden tot doctor honoris causa in de technische wetenschappen had benoemd. De professor stond erop de voordracht die hij over een week in het paleis op de Dam moest houden voor te lezen. Bernhard luisterde geamuseerd terwijl de professor zijn lezing voordroeg: 'Dat juist de grote verscheidenheid van uwe activiteiten om een bijna bovenmenselijke zelftucht en zelfbeheersing vraagt.'

Bernhard moest glimlachen om de formuleringen van zijn hooggeleerde gast. De professor hief zijn hand op ten teken dat het mooiste nog moest komen.

'We weten dat deze gedragslijn u wordt voorgeschreven door uw diepe inzicht in de eisen, welke uw hoge en uitzonderlijke positie u stelt en wij eren u bovenal voor het grote offer, dat hierin ligt besloten,' vervolgde de professor.

'Nu gaat u overdrijven,' zei Bernhard.

'Ik ben nog niet klaar,' zei de professor. 'Dat u desondanks thans reeds gedurende tal van jaren met dezelfde overgave u aan de behartiging van de veelzijdige belangen van het vaderland hebt willen wijden, getuigt van een zelfoverwinning en onbaatzuchtigheid, welke u als mens in bijzondere mate sieren.'

Bernhard fronste zijn wenkbrauwen over zoveel slippendragerij. 'Het enige wat nog ontbreekt is een zaligverklaring door de paus,' zei hij droog.

'Ik lees dit voor bij de uitreiking van de prijs in het paleis op de Dam,' zei de professor trots.

'Iets minder hoogdravend graag.'

'Komt in orde, hoogheid,' zei de professor terwijl hij Bernhard een hand ten afscheid gaf.

Bernhard had die ochtend een brief van zijn vrouw ontvangen. Bernhard bekeek hem, maar had geen zin om hem te lezen. Hij had voor het bezoek van de professor al de brief van baron Van Hardenbroek gelezen en hij zou contact opnemen met Gijs Paleis om het financiële misverstand uit de weg te ruimen. Het ging slechts om enkele leningen aan een goede vriend, die zouden worden terugbetaald. Er was niets ongebruikelijks aan de transacties. De vermelding van Gijs Paleis dat alle financiële transacties in de toekomst geparafeerd moesten worden door baron Van Heeckeren maakte hem boos. Hij vermoedde dat in de brief van zijn vrouw de gebruikelijke klaagzang zou staan die zij hem het laatste jaar vaker deed toekomen. Bernhard ontliep Juliana zoveel mogelijk, het was alweer maanden geleden dat hij zijn vrouw bij een officiële verplichting had gezien. Bernhard vond het stilzwijgen beter dan ruzies met zijn vrouw in het bijzijn van hun dochters en leden van de hofhouding. Tot zijn ergernis luisterde Juliana alleen nog maar naar de Van Heeckerens, Marie Anne en Greet Hofmans. Uiteindelijk scheurde hij de brief toch open, in de hoop dat deze milder van toon zou zijn. Hij las de brief regel voor regel en beet onaangenaam verrast op zijn lip. Meteen stond hij op, dit kon ze niet doen, dit was ongehoord. Zijn vrouw was haar verstand nu echt verloren. Bernhard liep zijn werkkamer uit rechtstreeks naar Juliana's vleugel. Een stofzuigende lakei vroeg verbaasd 'Hoogheid?' maar Bernhard was al weg. Hij trof zijn vrouw in haar werkkamer.

Tegen de afspraak in liep Bernhard onaangekondigd naar binnen, naar zijn vrouw, die achter haar bureau bij het raam zat. Juliana deed haar leesbril af terwijl zij hem aandachtig aankeek.

'Vanochtend ontving mijn secretaris deze brief van baron Van Hardenbroek,' zei Bernhard.

'Gijs zal het je uitleggen.'

'Jij durft mij onder financiële curatele van Van Heeckeren te plaatsen?'

'Ja, daar heb je het zelf naar gemaakt,' antwoordde Juliana. 'Ik kan die buitenlandse relaties niet verbieden, maar ik wens ze niet langer te financieren,' zei ze op een toon alsof ze een ongehoorzame hoveling de les las.

'Das ist unglaublich!'

'Benno, je gedraagt je als de eerste de beste parvenu,' zei ze kalm.

'Du,' riep hij terwijl hij met opgeheven vinger naar haar wees.

Juliana realiseerde zich dat de brief over de financiën, de onder-curatelestelling en haar persoonlijke besluit om te scheiden hem van zijn stuk hadden gebracht. Bernhard was niet in staat om met-een te reageren, dat merkte ze aan zijn manier van optreden. Er waren geen adjudanten, secretarissen, kolonels of andere hoffunc-tionarissen in de buurt die hem konden helpen. Bernhard stond machteloos tegenover haar. Hij was onberispelijk gekleed met zijn witte anjer op zijn revers, maar innerlijk kookte hij, en dat zag ze.

'Een scheiding lijkt mij onder deze omstandigheden het beste,' zei Juliana rustig, 'je gaat maar bij je moeder wonen.'

Bernhard kon zijn woede niet langer beheersen. 'Ik vertrek hier pas in mijn kist en geen dag eerder!' riep hij uit. 'Begrijp dat goed!'

Juliana keek hem aan terwijl zij haar antwoord overdacht. 'Goed, als je niet bij je moeder wilt wonen, trek je maar bij een vriendin in. Keus genoeg.'

'Dit is een oorlogsverklaring,' beet Bernhard haar toe.

'Als jij het zo wilt zien, dan is dat jouw zaak,' zei Juliana. Ze be-greep dat hij niet met stille trom het paleis zou verlaten. Hij sprak tegen haar alsof hij een ondergeschikte toesprak.

'Luister goed! Ik zeg het maar één keer! Ik heb in 1936 een huwelijkscontract getekend met Hendrik Colijn. Daarvoor ontvang ik tweehonderdduizend gulden per jaar, en een contract is niet eenzijdig opzegbaar!'

'Die toelage raak je na de scheiding kwijt,' antwoordde Juliana kalm.

Bernhard wees wederom met een priemende vinger naar haar. 'Je bent op hol geslagen door die Hofmans.' Hij brieste haar nu toe in zijn moedertaal. 'Du hast mir zu gehorchen, du bist meine Frau. Du solltest deinen Platz niemals, und ich wiederhole niemals vergessen!' Bernhard verliet daarna haar kamer. Geen seconde had hij overwogen om zijn verontschuldigingen aan te bieden of te vragen hoe zij tot haar besluit was gekomen. Het enige wat hij kennelijk vreesde was zijn positie aan het hof en zijn privileges als prins der Nederlanden. Zijn huwelijk deed er allang niet meer toe, dat kwam niet als een verrassing, maar het kwetste haar opnieuw. Juliana koesterde nog altijd de stille hoop dat haar huwelijk misschien gered kon worden, dat Bernhard zijn wilde haren zou verliezen en zijn verantwoordelijkheid zou nemen. Ze voelde nog steeds iets voor hem, maar was niet langer in staat om haar huwelijk op deze eenzame wijze in stand te houden. Haar grens was bereikt. Ze wilde hem dwingen om rekening met haar te houden door de scheidingsbrief, maar deze had een averechts effect gehad. Zij had gehoopt dat Bernhard zijn leven als internationale levensgenieter zou opgeven, maar het tegendeel was het geval. De stellingen werden betrokken. Zij had voor hem afgedaan. Hij zag haar als een koninklijke huishoudster die het paleis op orde moest houden, terwijl hij zijn dochters vertroetelde en alweer bezig was om zijn koffers te pakken. Haar oudste dochter verontschuldigde en verdedigde haar vader tijdens zijn afwezigheid, zei dat hij op reis moest om de Nederlandse handel en industrie te bevorderen. Haar tweede dochter trok zich terug, telkens als er ruzie was geweest liep zij weg. Juliana zag Irene vaak alleen door het park dwalen. Ze wist dat haar oudste twee dochters ieder naar een manier zochten om met de spanningen om te gaan. Haar derde dochter trok naar het personeel toe, alsof zij een ander veilig gezin zocht binnen de muren van het paleis. De vierde trok tot ieders verrassing haar eigen spoor, deed roekeloze dingen, alsof zij al op haar achtste jaar duidelijk wilde maken dat zij genoeg had van de betutteling door artsen, gouvernantes, ouders en zussen. Marijke wees de rol van zorgenkind al op jonge leeftijd af. Gelukkig kon zij nu redelijk zien en lezen en ze kon zelfs gewoon naar de lagere school. Juliana vreesde de verscheurdheid die zij in de harten van haar dochters teweegbracht. Ze kende haar dochters goed, ze voelde intuïtief aan hoe de kaarten geschud waren en ze wilde haar dochters niet opzetten tegen hun vader; ze was niet van plan het gevecht over de hoofden van haar kinderen uit te vechten. Juliana realiseerde zich dat de geschiedenis zich herhaalde, als kind had zij een hekel gehad aan de jarenlange loopgravenoorlog tussen haar vader en moeder. Zij bedacht dat het koningschap onverenigbaar leek met een harmonieus huwelijk, want ze moest wel erkennen dat dat van haar op de klippen was gelopen. Ze wilde niet verbitterd en eenzaam achterblijven als een bedrogen vrouw, dat had zij niet verdiend. Een scheiding was echt het beste voor iedereen.

~

Torentjesoverleg

*B*ernhard liep met De Graaff over de brug naar het ministerie van Algemene Zaken op het Binnenhof. Hij had telefonisch om een spoedberaad gevraagd met minister-president Drees en minister van Binnenlandse Zaken Beel. Bernhard had Louis Beel leren kennen als een intelligente katholieke politicus die zich altijd met hart en ziel inzette voor het landsbelang. Bernhard wilde open kaart spelen met Drees en Beel. Hij wilde verdere escalatie voorkomen, dus hij zag zich genoodzaakt om de hulp van Drees en Beel in te roepen, die door de jaren heen op de hoogte waren geraakt van het gedachtegoed van zijn vrouw en haar entourage. Drees en Beel wisten dat zijn vrouw onder invloed stond van de Hofmans-kliek, die groep had zich de afgelopen jaren ingenesteld als een kwaadaardige parasiet. Bernhard nam het gezichtsverlies dat hij niet in staat was om de orde in zijn eigen huis te handhaven voor lief. In het Haagse torentje van de minister-president, die in het derde jaar van zijn derde kabinetsperiode zat, nam Bernhard plaats in de zithoek tegenover Drees en Beel, terwijl zijn particulier-secretaris beneden in de hal wachtte. Hij zette de geschiedenis gedurende drie kwartier uiteen. Beel rookte de ene sigaret na de andere. Bernhard had hun de brief met Juliana's verzoek tot scheiding laten lezen. Drees dacht na, als sociaal-democraat van eenvoudige komaf kwamen deze koninklijke huwelijksperikelen hem vreemd voor. Hij had de laatste weken vaak 's avonds met Juliana aan de telefoon gezeten terwijl zij Bernhards avonturen met hem besprak. Drees wilde zijn verantwoordelijkheid nemen als minister-president, orde op zaken stellen en de gemoederen tot bedaren brengen. Hij wilde bemiddelen, zodat het vertrouwen werd hersteld, en wilde voorkomen dat de kwestie op enigerlei wijze in de openbaarheid kwam. Hij zou meteen na dit gesprek een notitie schrijven waarin hij alle betrokkenen zou wijzen op de geheimhoudingsplicht. De koninklijke verdeeldheid mocht niet uitwaaieren over het land met alle onrust van dien.

'Een scheiding zal de Kroon onherstelbare schade toebrengen,' zei Drees.

'Ik luister al jaren naar die freischwebende quatsch van mijn vrouw en Hofmans, maar nu gaan ze te ver,' zei Bernhard.

'Uw vrouw of juffrouw Hofmans?' vroeg Louis Beel.

'Ze moet dat mens het huis uittrappen,' zei Bernhard.

'Dat zal niet eenvoudig zijn,' zei Louis, 'uw vrouw en onze vorstin heeft de vrijheid om haar huis naar eigen inzicht in te richten, dat is vastgelegd in de grondwet.'

'Ik ben opgeleid als jurist, maar ik heb de grondwet nooit tot op de letter doorgenomen, de oorlog kwam ertussen. Daarna is het er nooit meer van gekomen. Er moest zoveel gebeuren om het land weer op poten te krijgen,' zei Bernhard.

'Wij kunnen slechts de wet uitvoeren en dat heeft zijn beperkingen. Huiselijke conflicten behoren niet tot onze invloedssfeer,' zei Beel. Drees knikte instemmend terwijl Beel de kastanjes uit het vuur haalde.

Bernhard stond op, liep naar het raam en keek uit over de vijver. Hij wendde zich tot Beel, die hij beter kende dan de minister-president, die altijd een zekere afstand had bewaard. Drees had zijn uitnodigingen voor jachtpartijen altijd beleefd doch beslist afgeslagen.

'Die Hofmans is een duivel. Ze manipuleert mijn vrouw,' zei Bernhard vol overtuiging.

'U bent van mening dat het besluit van uw vrouw tot stand is gekomen onder haar invloed?' vroeg Beel aan Bernhard terwijl hij Drees aankeek. Bernhard haalde zijn conflict met zijn vrouw uit de beslotenheid van het paleis.

'Was het maar een huiselijk conflict, maar het gaat veel verder, die hele toestand met Willy Lages kwam door juffrouw Hofmans, die was tegen dat doodvonnis,' zei Bernhard, 'en zo gaat het met veel zaken. Neem bijvoorbeeld die gênante toespraken in Washington drie jaar geleden.'

'Ik heb vaak met onze vorstin over de kwestie-Lages gesproken,' zei Drees.

'Ja, maar u sprak in feite met juffrouw Hofmans.'

'U bent ervan overtuigd dat uw vrouw niet langer in staat is zich een afgewogen oordeel te vormen?' vroeg Beel.

'Precies,' zei Bernhard.

'Dat alles wat zij besluit een gevolg is van de invloed van juffrouw Hofmans?' vroeg Beel.

Bernhard knikte. Drees en Beel keken elkaar aan in het besef dat hun poging om het echtelijke geschil te beperken tot een huiselijke aangelegenheid was mislukt. Drees zei dat ze deze spoedeisende kwestie die avond ten huize van Beel in Wassenaar zouden bespreken, zodat niemand gealarmeerd zou raken door hun aanwezigheid 's avonds in het Torentje. Later die dag telefoneerde Drees met Juliana.

Drees was op de hoogte van Juliana's standpunt en de ontwikkelingen op het paleis toen zijn chauffeur de oprit van Beels villa op reed. Drees zag nog een andere regeringsauto staan. Hij stapte uit en liep gehaast naar de deur, die werd geopend door Ria Ruyg, Beels huishoudster. Drees ging naar de salon, waar Louis Beel en hun collega Beyen, de minister van Buitenlandse Zaken, rond het haardvuur stonden. Drees had erover gedacht om de kleine kring uit te breiden met de ministers Zijlstra, Cals en Donker, maar had daarvan afgezien om geen slapende honden wakker te maken.

'Ik heb mevrouw telefonisch gesproken,' zei Drees terwijl hij zijn jas uittrok en deze aan Ria gaf.

'En?' vroeg Louis.

'Ze blijft bij haar standpunt,' verzuchtte Drees.

'Een scheiding zal het einde van de monarchie betekenen,' merkte Beyen gelaten op.

'Mevrouw wil ook dat wij meer rekening houden met haar politieke wensen,' voegde Drees er vermoeid aan toe.

'En wat mag dat deze keer inhouden?' vroeg Beyen.

'Terugkeer naar de vooroorlogse neutralistische koers en een forse verlaging van het defensiebudget na de volgende verkiezingen. Mevrouw zal als het ooit zover mocht komen geen mobilisatiebevel ondertekenen,' zei Drees.

'Dat meen je niet,' riep Beyen verbaasd.

'Helaas wel.'

'Ze is van God los,' meende Beyen.

'Dat is nu net het probleem,' merkte Drees op.

'Dat weet ik ook wel,' zei Beyen.

'Juliana beschouwt zichzelf als een soort geroepene, die dolende mensen naar de bron leidt,' vervolgde Drees, 'en dit wordt allemaal nog gecompliceerder nu haar huwelijk strandt.'

'Wat doen wij als dit uitlekt?' vroeg Beel.

'Dan hebben we een constitutionele crisis,' gaf Drees droog te kennen, 'er is onder de gegeven omstandigheden staatsrechtelijk maar één oplossing.'

'En die is?' vroeg Beel terwijl hij een nieuwe sigaret opstak.

'Zij conformeert haar opvattingen aan die van het kabinet en geeft haar wens tot scheiding op,' zei Drees. Beyen en Beel wisten dat deze wens nooit door Juliana zou worden gehonoreerd.

'Bernhard zal geen gemakkelijk leven met haar hebben,' zei Beel vol begrip, 'ik heb met hem te doen.'

'Juffrouw Hofmans is aan het hof gekomen als genezeres voor de oogziekte van Marijke. Toen begon de misère. Kunnen we niet zeggen dat moeders de kluts is kwijtgeraakt door de ziekte van haar dochter?' vroeg Beyen.

'Nee, die situatie heeft zich gestabiliseerd, Marijke is vooruitgegaan. Hofmans heeft niet, zoals Bernhard ons wil doen geloven, een duivelse greep op mevrouw. Hofmans steunt het gedachtegoed zoals dat al sinds jaren wordt uitgedragen op Het Oude Loo,' zei Drees.

'Een vijfde colonne?' veronderstelde Beel.

'Dat is een groot woord. Dirk Stikker heeft in zijn tijd ook menige aanvaring met haar gehad,' antwoordde Drees.

'Ze wilde haar vredesevangelie prediken voor Amerikaanse generaals!' merkte Beel spottend op.

'Ik heb vier jaar geleden hemel en aarde moeten bewegen om een artikel over Juliana's pacifisme en de groep-Hofmans uit de buitenlandse pers te houden,' voegde Beyen eraan toe.

'Juffrouw Hofmans en mevrouw zijn innig bevriend,' zei Drees.

'Er is maar één oplossing,' zei Beel. Drees en Beyen keken hem hoopvol aan. 'We moeten met mevrouw gaan praten.'

'Ik verwacht niet dat het veel zal opleveren, maar er is geen reden om het niet te doen. Ik heb vorig jaar al eens een gesprek met haar gehad over Hofmans. Toen liep Juliana geëmotioneerd de tuin in,' zei Drees.

'Waarom?' vroeg Beel.

'Omdat ik de integriteit van juffrouw Hofmans ter discussie stelde,' zei Drees. 'Juliana vindt zo'n nuchtere vrouw met een belangstelling voor het hogere een verademing, daar laaft zij zich elke dag opnieuw aan.'

'Jij suggereerde dat Hofmans een bedriegster was?' vroeg Beel.

'Nee, zover ging ik helemaal niet,' zei Drees, 'ik vroeg haar alleen of zij geloofde dat er mensen zijn die in direct contact staan met God, die Gods bedoelingen kunnen doorgronden.'

'En dat was tegen het zere been?' vroeg Beyen.

'Ik zei haar dat ik niet in het telefoonlijntje van juffrouw Hofmans met God geloofde. Ze probeerde mij te overtuigen, maar toen dat niet lukte, liep ze de tuin in. Ik heb nog een half uur gewacht, maar ze kwam niet meer terug,' zei Drees.

Beel en Beyen keken naar het haardvuur en dachten na over een oplossing. Drees keek op zijn horloge. 'Tijd om op te stappen,' zei hij. Hij nam afscheid en verliet de salon. Beel schonk zijn collega Beyen een nieuw kelkje jenever in en stak nog een Chesterfield op.

Juliana wandelde op een ochtend eind april 1956 met Greet Hofmans door haar rozentuin. De lucht was fris. Ze inspecteerde de rozentakken en bond een gevallen tak op met touw. Juliana genoot van tuinieren, het gaf haar rust dat de natuur haar onverstoorbare cyclus had. Ze geloofde dat vrouwen door hun intuïtie dichter bij de natuur stonden dan mannen, die er juist op uit waren om de natuur te onderwerpen. Juliana begreep maar niet waarom Bernhard steeds nieuwe vrouwen moest veroveren. Wat voor bevrediging leverde dat op, behalve seksuele. Juliana vond zijn lust maar primitief. Ze keek naar Greet en zag een vrouw die eerlijk was. Hun vriendschap was de afgelopen zeven jaar gerijpt. Juliana wist dat veel mensen zich daaraan stoorden. Zelfs Marie Anne maakte de laatste tijd kribbige opmerkingen, gaf onlangs een steek onder water toen Juliana naar Greet ging. Juliana besloot dat er niets tussen haar en Greet mocht komen. Bernhard zou er alles aan doen om zijn positie aan het hof te behouden. Hij zou vechtend ten onder gaan, hij had immers veel te verliezen. Juliana zag achter het paleis een auto van de Amerikaanse ambassade stoppen.

Bernhard keek naar buiten en zag zijn vrouw met Hofmans praten. Hij luisterde ondertussen naar het telefoongesprek van zijn Amerikaanse vriend Alan Dulles, de directeur van de Amerikaanse centrale inlichtingendienst. Alan was een man die er geen doekjes om wond.

'Dat klopt. Maandag is de Bilderberg-bijeenkomst in Kopenhagen. Ja, Bernhard gaat met mij mee. Oké,' zei Alan Dulles. Hij legde de hoorn op het zwarte bakelieten toestel. Bernhard keek hem afwachtend aan. 'Dus als ik het goed begrijp, zal jouw vrouw haar politieke invloed aanwenden?' vroeg Alan.

'Ja, ze probeert uit alle macht aan de touwtjes te trekken,' antwoordde Bernhard.

'Ik heb de indruk dat deze Hofmans-groep een soort communistische cel is,' zei Dulles. Hij projecteerde de Amerikaanse hetze tegen communistische landgenoten op de Nederlandse situatie. Iedereen die anders dacht dan de Amerikanen was verdacht. Je was voor of tegen hen, een middenweg was niet mogelijk. In Amerika werden mensen gedwongen om hun buren, vrienden of familie te verraden. Kinderen werden gedwongen om tegen hun ouders te getuigen. De Amerikaanse samenleving verkeerde in een houdgreep van angst en verdachtmakingen. Alan Dulles' veronderstelling dat Juliana en haar gasten op de pacifistische bijeenkomsten op Het Oude Loo samenzweerden tegen de Amerikanen kwam Bernhard niet ongelegen. Hij wakkerde het vuurtje aan.

'Mijn vrouw denkt dat als we alle wapens in zee gooien er voor altijd vrede zal zijn,' zei Bernhard. Alan Dulles keek de prins aan. Het laatste waar de Amerikanen behoefte aan hadden was een pacifistische cel aan het Nederlandse hof. 'Het is echt een probleem,' zei Bernhard.

'Nou, we houden de situatie nauwlettend in de gaten en ik ben me ervan bewust dat jij je vrouw niet in het openbaar kunt afvallen,' zei Dulles.

'Ze staat onder invloed van die gebedsgenezeres,' zei Bernhard, volledig voorbijgaand aan de zelfstandigheid van zijn vrouw.

'We moeten die vrouw kwijt zien te raken,' vond Alan Dulles.

Bernhard knikte en luisterde naar de directeur van de Amerikaanse inlichtingendienst, die dagelijks niets anders deed dan manipulaties bedenken om de vijand onderuit te halen. Als iemand in staat was om Hofmans professioneel monddood te maken dan was het Alan wel. Alan keek Bernhard recht in de ogen terwijl hij de te volgen strategie uitsprak. 'We moeten die Hofmans in diskrediet brengen. Probeer aan te tonen dat ze een buitensporige invloed op je vrouw heeft, dat ze een gevaar voor de staatsveiligheid is: een vijand van Nederland.'

'Hoe moet ik dat aanpakken?' vroeg Bernhard.

'Zorg dat het in de pers komt,' antwoordde Alan.

Bernhard stak glimlachend zijn pijp aan. Hij overdacht de gevolgen van een stap in de openbaarheid, zodat niets geheim zou blijven. Alle onwelgevallige gebeurtenissen zouden in hun sinistere glorie naar buiten komen. Bernhard realiseerde zich dat deze strategie eenvoudig en briljant was.

Juliana telefoneerde op het paleis met Drees, die haar vanachter zijn houten bureau in het Haagse Torentje te woord stond. Ze zat met Marie Anne en Walraven in de bibliotheek. In het Torentje luisterde Beel mee over de microfoon die aan het toestel was verbonden.

'Dat moet u doen, meneer Drees,' drong Juliana aan.

'Dat behoort niet tot mijn bevoegdheden, mevrouw,' antwoordde Drees beleefd.

'U moet hem met onmiddellijke ingang een reisverbod opleggen,' zei Juliana.

Drees schudde zijn hoofd naar Louis, de poppen waren weer aan het dansen. 'Nogmaals mevrouw, ik heb daar de bevoegdheid niet toe.'

'Hij gaat morgen in Kopenhagen op de Bilderberg-conferentie allerlei verplichtingen aan namens Defensie,' zei Juliana.

'Een verhoging van het Nederlandse defensiebudget is een besluit van het kabinet en niet van uw echtgenoot,' zei Drees vaderlijk.

'Als inspecteur-generaal van de Nederlandse strijdkrachten stelt hij het kabinet voor voldongen feiten,' gaf Juliana te kennen.

'Ik zal deze kwestie aanstaande vrijdag in het kabinet bespreken en kom er dan bij u op terug,' was de reactie van Drees.

'Dat is te laat,' vond Juliana.

'U kunt op mij vertrouwen, mevrouw,' zei Drees met een vastberaden ondertoon en groette haar beleefd. Hij legde de hoorn op de haak. Hij werd dagelijks door Juliana gebeld, niet alleen in het Torentje maar ook 's avonds thuis.

'Bernhard is voorzitter van de Bilderberg-conferentie en hij onderhandelt over de oprichting van een tweede parate divisie, dat doet hij met onze goedkeuring, begrijpt zij dat niet?' vroeg Beel.

'Ik ben bang dat baron Van Heeckeren onze staatsinrichting anders uitlegt,' zei Drees nijdig.

Juliana maakte samen met Greet, Walraven en Marie Anne een wandeling door het bos. Greet vertelde een anekdote over een rauwe zeeman die ze had genezen, en Juliana glimlachte geamuseerd om haar verhaal. Marie Anne en Walraven zwegen terwijl zij onder de hoge eiken liepen. Juliana zag een auto staan met een buitenlands kenteken.

'Wie is er bij hem?'

'Een journalist van de *Daily Express*, Sefton Delmer,' antwoordde Marie Anne.

'Ik zal de dag prijzen dat hij naar Warmelo verhuist,' zei Juliana.

'Bernhard maakt anders weinig aanstalten om op te stappen,' merkte de baron minzaam op.

'Geduld is een schone zaak,' zei Juliana. 'Hij zal vroeg of laat zijn koffers pakken, misschien bespreekt hij met Sefton wel plannen om een appartement in Kensington te huren. In de oorlog heeft hij het reuze naar zijn zin gehad in Londen, en die twee kennen elkaar nog uit de tijd dat ze samen op de juridische afdeling van IG-Farben in Parijs werkten.'

Juliana wist dat Bernhard ondanks al zijn kortstondige affaires en zijn charmante verleidingskunsten de voorkeur gaf aan het gezelschap van mannen. Hij was bijzonder trouw in het onderhouden van zijn vriendschappen, die waren voor het leven. Een vriend bleef altijd een vriend ongeacht wat hij deed. Bernhards vrienden waren zijn klankbord. Vrouwen waren er voor het plezier, niet als serieuze gesprekspartners. De Bilderberg-groep, die onder Bernhards leiding aan de verbetering van de relaties tussen Europa en Amerika werkte, was een mannenclub. Jagen op groot wild in Afrika was een mannenzaak. Bernhards favoriete vrijetijdsbesteding bestond uit paardensport en sportauto's, allemaal mannenaangelegenheden. Juliana had als jonge vrouw veel plezier gehad met Bernhard, maar dat was al lang geleden. Ze zou meer begrip voor hem hebben gehad als hij indertijd eerlijk tegen haar was geweest in plaats van achter haar rug om verhoudingen te hebben en kinderen te verwekken. Hij had ook discreter kunnen zijn, als hij dan toch zo nodig moest. Hij was in de gelegenheid geweest om aan voorbehoedmiddelen te komen. Wellicht streelde het zijn mannelijke ijdelheid dat hij net als Afrikaanse stamhoofden bij meerdere vrouwen nageslacht kon verwekken, maar die stamhoofden kwamen er tenminste voor uit, terwijl Bernhard alles deed om het geheim te houden. Zijn buitenechtelijke kinderen mochten nooit in de openbaarheid verschijnen. Haar dochters kenden hun halfbroers niet eens en Juliana nam dat Bernhard heel kwalijk. Ze betreurde het feit dat haar kinderen nooit de warmte hadden gekend van een goed ouderlijk huwelijk, dat liet bij haar opgroeiende dochters onuitwisbare sporen na. Beatrix probeerde als verantwoordelijke, oudste dochter altijd de touwtjes in handen te nemen, zodat alles keurig verliep, terwijl Irene zich juist terugtrok. Juliana vond dat ook haar dochters de prijs betaalden voor Bernhards avonturen. Een scheiding zou alles helder maken en zij wilde die doorzetten.

Bernhards moeder droeg haar zoon op handen. Ze zou een uitstekende gastvrouw zijn voor zijn vriendinnen. Bernhards hedonistische levensstijl paste nu eenmaal niet binnen de calvinistische traditie van het Nederlandse koningshuis. Juliana had even gehoopt dat haar aankondiging van de scheiding zijn gedrag zou veranderen, maar niets van dat alles. Bernhard beschouwde het hoogstens als een verlies aan decorum dat hij de status van koninklijke hoogheid en prins-gemaal kwijtraakte, en dat gezichtsverlies wilde hij zichzelf besparen.

Bernhard keek glimlachend naar zijn corpulente vriend. Hij las het door Sefton geschreven artikel achter zijn bureau op zijn werkkamer.

'Het is een fantastisch artikel,' zei Bernhard opgetogen.

'Dank je wel,' antwoordde Sefton met zijn ironische Engelse accent. 'Een tijdje geleden probeerde Daniel Shorr een artikel over Hofmans en de pacifistische gedachten van je vrouw te publiceren in *Life Magazine*. Wat is de naam van jullie minister van Buitenlandse Zaken ook alweer?'

'Beyen,' zei Bernhard.

'Juist ja, hij voorkwam de publicatie,' vervolgde Sefton. Bernhard knikte en dacht na over de wijze waarop dit belastende artikel over zijn vrouw en haar vriendin gepubliceerd moest worden. Juliana kwam er niet al te best van af. Haar aanzien zou worden beschadigd in de pers en in de publieke opinie, dus elke functionaris of minister zou alles doen om openbaarmaking tegen te houden. Bernhard wist dat het Nederlandse volk en zijn politieke leiders gechoqueerd zouden zijn als ze eenmaal op de hoogte waren van de toestanden op het paleis.

'Ik zal er nog eens met Alan Dulles over praten,' zei Bernhard.

'En als het stuk onder mijn naam wordt gepubliceerd weet iedereen waar het vandaan komt,' zei Sefton. Bernhard peinsde over een strategie, zodat geen enkel spoor van de publicatie naar hem of Sefton zou leiden.

'We moeten een buitenlands tijdschrift zien te vinden,' zei Bernhard, en hij schudde zijn hoofd. Hij schoot in de lach.

'Wat is er zo grappig?' vroeg Sefton.

'Geen enkele Nederlandse krant durft zo'n artikel te publiceren. De Nederlandse pers en het Nederlandse volk hebben heel veel respect voor de Kroon,' zei Bernhard, die zich vaak amuseerde om de grenzeloze verering van het Nederlandse volk voor het koningshuis. Hij kon bij wijze van spreken met zijn uniformjasje en generaalspet op naakt op het bordes gaan staan en Nederlandse burgers zouden nog vrolijk zwaaiend met oranje vlaggen voorbij defileren. Bernhard wist dat het volk te allen tijde bleef geloven in het koninklijk gezag. Heel Europa was verwoest, maar het geloof in een Nederlandse moeder des vaderlands die tijdens de oorlog onverschrokken het voortouw had genomen was sinds de bevrijding sterker dan ooit. Mensen hadden behoefte aan leiding. Het volk was bereid om menselijk falen van die symbolische leiding te aanvaarden zolang het feest maar doorging. Bernhard wist dat hij met Seftons artikel roet in het eten gooide, maar dat was nodig om orde op zaken te stellen. Het Nederlandse volk zou zijn leiding aanvaarden zodra duidelijk werd dat zijn vrouw volledig de weg was kwijtgeraakt.

'Ik ken Derk Jacobi, de hoofdredacteur van *Der Spiegel*, erg goed,' suggereerde Sefton.

'Klinkt goed,' antwoordde Bernhard.

'Wat zou de meest geschikte datum voor publicatie zijn?' vroeg Sefton.

'Er vinden algemene verkiezingen plaats in juni,' zei Bernhard. Sefton knikte instemmend.

In de laatste week van mei 1956 ontving Juliana de minister-president ten paleize in het bijzijn van Marie Anne en Walraven. Tot haar verbazing had Drees de minister van Binnenlandse Zaken meegenomen. Drees en Beel kwamen met sombere gezichten binnen.

'Waarom zo bezorgd, heren?' vroeg Juliana.

'De situatie is niet eenvoudig, mevrouw,' zei Willem Drees, alsof er een paleisrevolutie op til was die hij niet kon bezweren. Hij voelde zich altijd als een vis in het water in de politiek, maar bij de koninklijke echtelijke problemen lag hij te spartelen op het droge.

'Alles zal ten goede keren,' zei Juliana. Beel en Drees waren uitgegroeid tot gezaghebbende staatslieden. Ze waren het op weinig punten met Juliana eens, maar dat zeiden ze nooit tegen haar. Ze zochten de nuancering, probeerden altijd politiek zo te laveren dat de eensgezindheid tussen de vorstin en haar kabinet niet werd verstoord, maar dit diplomatieke spel schoot momenteel tekort.

'Ik vind het wenselijk dat na de verkiezingen het nieuwe kabinet zich bezint op onze betrekkingen met de NAVO,' zei Juliana. Ze wist dat ze de knuppel in het hoenderhok gooide. Drees zuchtte nog eens diep en frommelde wat aan zijn aktetas. Beel bood Juliana een sigaret aan, waar zij voor bedankte, de sigaretten van Beel waren haar te zwaar, en zij pakte er een uit haar eigen pakje. Beel gaf haar een vuurtje.

'Ik vrees dat dat politiek niet haalbaar is, mevrouw,' antwoordde Drees beleefd.

'We kunnen het voorbeeld van andere Europese landen volgen, bijvoorbeeld Frankrijk, dat zich uit het Atlantische bondgenootschap wil losmaken,' zei Juliana. Drees wendde zijn jarenlange ervaring aan in het op diplomatieke wijze ontkrachten van haar eigenzinnige plannen.

'Ik denk niet dat de uitslag van de verkiezingen het nieuwe kabinet daarvoor ruimte biedt,' zei Drees. Juliana besloot haar inzet te verhogen.

'Ik zal niet schromen om bij het benoemen van de nieuwe informateur na de verkiezingen dit als bindend advies mee te geven,' zei Juliana vastberaden. Ze keek Drees en Beel indringend aan.

'Mevrouw, wanneer de kiezers zich hebben uitgesproken, weten we hoe de politieke verhoudingen liggen. U zult het resultaat van uw consultaties met de fractieleiders moeten afwachten alvorens u een formatieopdracht kunt geven,' zei Drees.

'De reductie van de defensielasten zal een van mijn opdrachten voor de informateur zijn,' zei Juliana.

Beel doofde zijn sigaret in de asbak op tafel en vroeg: 'Vergeef mij, mevrouw, maar heeft uw wens misschien te maken met het feit dat uw echtgenoot inspecteur-generaal van onze strijdkrachten is?'

'Ik vind deze insinuatie beneden alle peil, meneer Beel,' zei Juliana kwaad.

'Mijn verontschuldigingen, mevrouw,' zei Beel.

'Mijn zienswijze op de Koude Oorlog en de wapenwedloop is alom bekend,' merkte Juliana op.

Drees schraapte zijn keel. Hij wilde een escalatie van het onderhoud bij voorbaat voorkomen.

'Ja, maar uw standpunten komen niet overeen met die van het kabinet,' zei Drees.

Ondertussen zocht Beel naar de juiste woorden om zijn standpunt kenbaar te maken. 'Mevrouw, wij, het kabinet dus, maken ons grote zorgen over de kwestie op het paleis.'

'Hoe bedoelt u?' vroeg Juliana.

'Volhardt u in uw voornemen tot een scheiding?' vroeg Beel.

'Ja zeker.'

'Vindt u zo'n stap niet hoogmoedig?' vroeg Beel.

'Nee, eerder waarachtig,' zei Juliana.

'Mevrouw, een echtscheiding zal onvermijdelijk leiden tot een monarchale crisis,' zei Drees, terwijl hij haar streng aankeek.

'We zullen zien,' zei Juliana kalm.

'Ik wil u met klem vragen uw persoonlijke belang af te wegen tegen het landsbelang,' vroeg Drees.

'U vraagt mij te berusten in de huidige situatie?' vroeg Juliana. Drees knikte, alsof haar overgave nabij was. Juliana schudde glimlachend haar hoofd. 'Dat kan ik niet langer, daarvoor zult u begrip moeten opbrengen.'

Op 7 juni 1956 werd het artikel over Juliana en de groep rond Greet Hofmans met veel foto's gepubliceerd in het Duitse weekblad *Der Spiegel*. Op de kamer van de minister-president in het Haagse Torentje bekeken Drees, Beel en Beyen de Duitse publicatie over de crisis aan het Nederlandse hof. Het artikel ontbeerde elke subtiliteit of nuance en sprak van zinsbegoocheling van de Nederlandse vorstin door toedoen van de duivelse gebedsgenezeres Margaretha Hofmans, die Juliana in een ontoerekeningsvatbare toestand had gebracht. Greet wilde uit de NAVO stappen. Greet wilde alle wapens in de oceaan gooien. Greet wilde van alle zittende ministers af. Tijdens het wekelijkse onderhoud tussen vorstin en minister-president had Greet telkens het hoogste woord. Ze commandeerde in bijzijn van de vorstin de Nederlandse minister-president, die ten einde raad was over de toestanden aan het Nederlandse hof. Prins Bernhard probeerde al jaren de crisis te bezweren, maar was daar niet in geslaagd. Hij had geen antwoord meer op de listen van deze Raspoetin. Beel bladerde door het Duitse tijdschrift.

'Mevrouw danst volledig naar de pijpen van juffrouw Hofmans,' zei Louis terneergeslagen.

'Het nummer is gedateerd op 13 juni. De dag van de verkiezingen,' zei Beyen.

'Importeur Van Ditmar moet de verspreiding van het tijdschrift in Nederland tegenhouden,' zei Drees, alsof hij met een handgebaar een stolp over Nederland kon zetten.

'Ik heb een vergadering met de verzamelde Nederlandse hoofdredacteuren belegd,' zei Beyen. 'Met het nadrukkelijke verzoek om te zwijgen over de affaire. Ik wil geen ongewenste artikelen in de Nederlandse dagbladen.'

'Romme heeft die toezegging al gedaan namens de Volkskrant, daar hoeven we ons voorlopig geen zorgen over te maken,' zei Drees.

'Er moet vandaag een telex uit, gericht aan alle Nederlandse hoofdredacteuren met het dwingende verzoek om uiterste terughoudendheid te betrachten ten aanzien van de hofcrisis, zodat de uitslag van de verkiezingen niet wordt beïnvloed,' zei Beel.

'Is de bron bekend?' vroeg Drees.

'Nee,' zei Beel.

'Dit komt in ieder geval niet van mij, dat zal ik mevrouw persoonlijk laten weten,' zei Beyen, want Juliana had hem eerder op loslippigheid tegenover de buitenlandse pers betrapt.

'Ik zou deze sensationele overdrijvingen niet eens durven publiceren,' zei Beel.

'Aperte leugens zijn het,' zei Drees. 'Juffrouw Hofmans is nog nooit bij een gesprek tussen mevrouw en mij aanwezig geweest.' Hij was onaangenaam verrast door de buitenlandse publicatie, alsof de status van Der Spiegel de leugens en onwaarheden omtoverde tot de onaantastbare waarheid. Drees dacht over de vraag wie er belang kon hebben bij deze publicatie, niemand van het koninklijk huis of van de hofhouding, leek hem. Er moest een onbekende partij actief zijn, die belang had bij het beschadigen van de Nederlandse vorstin.

~

Onder één hoedje

*J*uliana was bij haar jurist Van Hamel op bezoek geweest, die aan de andere kant van Baarn woonde. Hij bood haar aan om haar naar huis te brengen, maar meneer Van Hamel was een tikje verstrooid en kon de juiste weg naar het paleis niet vinden. Juliana genoot van het uitzicht, maar merkte dat ze rondjes reden door de lommerrijke villabuurt.

'Weet je niet meer waar ik woon?'

'Jawel, maar ik weet niet meer hoe ik er moet komen,' zei Van Hamel. Juliana wees hem de goede richting. Een kwartier later arriveerde de Renault bij het hek van het paleis. De auto stond stil bij het wachthokje van de marechaussee en Van Hamel draaide zijn raampje open.

'Uw papieren,' zei de marechaussee nors.

'Ik breng deze dame thuis,' stamelde Van Hamel.

'Dat kan me niet schelen. Ik wil uw papieren zien,' zei de marechaussee. Juliana boog zich over Van Hamel heen.

'Maar ik ben de koningin!' zei ze.

De schildwacht keek de auto in en schoot kaarsrecht in de houding. Van Hamel en Juliana proestten het uit en hij parkeerde zijn Renault naast het bordes. Ze liepen het bordes op en Juliana klopte op de deur, maar niemand kwam opendoen. Juliana rammelde aan de deur.

'Waarom heeft het paleis eigenlijk geen bel?'

'Geen idee,' zei Juliana. Ze keek naar de lakei die kwam toegesneld. Juliana en Van Hamel werden opgewacht door meneer Jonge, de kamerheer van de koningin. Hij begeleidde hen naar de tuinkamer, waar Marie Anne en Walraven hen opwachtten. Juliana schonk koffie in. Ze vond het storend als hofdames, kamerheren of lakeien haar kleine dingen uit handen namen. Het Duitse tijdschrift lag opengeslagen op tafel. Juliana pakte het op en bekeek eerst de foto's.

'Als ik het goed begrijp is Greet vóór uittreding uit de NAVO en heeft God haar geopenbaard dat ik de grootste koningin aller tijden zal worden,' zei Juliana.

'Greet benoemt zelfs na de verkiezingen een informateur,' zei Walraven besmuikt. Meneer Van Hamel, Marie Anne en Juliana konden hun lachen niet inhouden.

'Ik vind het wel ernstig dat de suggestie wordt gewekt dat ik op grove wijze misbruik maak van mijn constitutionele bevoegdheden,' zei Juliana. De anderen knikten instemmend.

'Greet wil het ministerschap van Drees, Beel en Beyen niet verlengen,' zei Marie Anne.

'Ja, die arme Greet pleegt morgen nog zwaaiend met haar paraplu een staatsgreep op haar eenenzestigste,' lachte Juliana. Iedereen proestte het opnieuw uit. De gepubliceerde verdachtmakingen waren grotesk en absurd. 'De leugen regeert.'

'Bij het staatsbezoek aan president Auriol op het Elysée zat je te breien, omdat Greet je had gezegd dat breien een kalmerende uitwerking heeft op mannen,' zei Marie Anne.

'Ik heb een enorme hekel aan breien,' zei Juliana, 'ik eis een rectificatie. Ik wil niet in de annalen terechtkomen als de breiende koningin. Stel je toch eens voor!'

Ze reageerden de spanning af die de onaangename publicatie in het gerespecteerde tijdschrift teweegbracht.

'Wat gaan wij hiertegen doen?' vroeg Juliana.

'Ik heb vanochtend al gezegd dat het belangrijk is om achter de bron te komen,' zei Van Hamel. Juliana won van tijd tot tijd advies in bij de Baarnse advocaat.

'Bel ze op en vraag het ze,' zei Juliana.

'Ik vermoed dat ze hun bron geheim willen houden, anders was hij wel al bekend,' zei Hamel.

'Als het tenminste een hij is, dat weten we niet,' zei Marie Anne.

'Je denkt dat deze streek het werk kan zijn van een vrouw?' vroeg Juliana. Marie Anne knikte. 'Vanuit mijn eigen huis?'

Marie Anne knikte weer. 'Ik pas ervoor om iemand in mijn omgeving te verdenken.'

'We moeten die mogelijkheid toch onder ogen zien,' zei Van Hamel, 'zodat het geen tweede keer gebeurt, want deze publicatie mag op ons grotesk overkomen, de lezers denken daar anders over.'

'Die geloven dit?' vroeg Juliana ontzet.

'Ja, dit artikel heeft een aardige demagogische waarde,' zei Van Hamel, 'die we niet mogen onderschatten.'

'Meen je dat?'

'Ja,' zei Van Hamel.

'Kun je die Duitsers niet aanklagen wegens belediging van het Nederlandse staatshoofd?'

'Dan krijgen ze precies wat ze willen.'

'Een rel?' vroeg Juliana.

Van Hamel knikte.

'Ik denk dat deze publicatie weer eens te wijten is aan de loslippigheid van Beyen,' zei Juliana.

'Zal ik hem bellen?' vroeg Marie Anne.

'Ja, ontbied hem maar,' zei Juliana, 'dan kunnen we hem aan de tand voelen.'

In de bibliotheek stonden vier stoelen in een halve cirkel met daartegenover de stoel waarop minister Beyen van Buitenlandse Zaken plaatsnam. Juliana, Van Hamel, Walraven en Marie Anne zaten tegenover hem. Minister Beyen maakte een gespannen indruk. Hij vermoedde wat hem boven het hoofd hing, want het gebeurde niet elke dag dat hij bij de koningin werd ontboden.

'Weet u hier meer van?' vroeg Marie Anne, die als directeur van het Kabinet der Koningin al eerder aanvaringen had gehad met Beyen over zijn openhartige contacten met de buitenlandse pers.

'Nee, niet zoals u suggereert,' zei Beyen.

'Ik ben zeer teleurgesteld over deze gang van zaken,' zei Marie Anne.

'Als u mij toestaat, dan licht ik het een en ander toe.'

'Hebt u met buitenlandse journalisten gesproken?'

'Ja,' zei Beyen, 'ik heb met Donald Edgar van de *Daily Express* gesproken. Ik hoopte dat ik iets meer te weten zou komen over de persoon die *Der Spiegel* heeft getipt. Ik acht het voor Hare Majesteit van het allerhoogste belang dat wij hier spoedig achter komen.'

'Wat bent u te weten gekomen?'

'Hij vertelde mij dat de hoofdredacteur van *Der Spiegel* samenspant met een van de grote politieke partijen en dat de PvdA de zaak aan het rollen heeft gebracht. Ik heb meteen gezegd dat dit volstrekt ondenkbaar is. Daarna wees hij naar Zijne Koninklijke Hoogheid, maar ik ben ervan overtuigd dat dit niet klopt. Zijn eigen man, Sefton Delmer, ontkent categorisch. Anderen vermoeden dat Van Maasdijk erachter zit,' zei Beyen.

'Onze voorlichter?' zei Marie Anne verbaasd.

'Dat komt niet van mij,' zei Beyen.

'Van wie dan?'

'Het is het Haagse stadsgesprek, kwade tongen. Ik wist niet dat Van Maasdijk mede-eigenaar is van *De Telegraaf* en dat hij heeft gecollaboreerd in de oorlog.'

'Van Maasdijk is nooit veroordeeld, zijn hoofdredacteur Stokvis heeft een straf van twee jaar gekregen,' antwoordde Marie Anne.

'Tja, dat weet ik allemaal ook niet,' zei minister Beyen, 'maar ik weet wel dat Van Maasdijk mij bij Hare Majesteit afschildert als een gevaarlijke intrigant.'

'En dat bent u niet?' vroeg Juliana.

'Nee, majesteit, ik doe altijd al het mogelijke om dergelijke publicaties en de bespreking ervan in de Nederlandse pers tegen te houden. Mijn doel daarbij is te voorkomen dat u leed wordt berokkend door de openbare behandeling van uw persoonlijk leven.'

'Maar u hebt juist het tegenovergestelde bereikt met al uw gesprekken met die buitenlandse journalisten,' zei Marie Anne. 'Dit groteske artikel vol overdrijvingen, onwaarheden en aperte leugens wordt door de mensen in het land als zoete koek geslikt.'

'Ik weet dat ik onder verdenking sta, maar ik durf met mijn hand op mijn hart te beweren dat ik mij de afgelopen vier jaar volledig heb ingezet om te voorkomen dat uwe majesteit persoonlijk wordt gegriefd, dat al wat ik doe wordt ingegeven door mijn trouw aan u als vorstin en mijn toewijding aan u persoonlijk.'

'Dat zijn fraaie woorden, meneer Beyen,' zei Marie Anne, 'maar u hebt indertijd ook uitvoerige gesprekken gevoerd met de Amerikaanse journalist Daniel Shorr over alles wat zich op Soestdijk afspeelde.'

'Die gesprekken waren juist bedoeld om de heer Shorr ervan te overtuigen af te zien van publicatie in de weekbladen *Time* en *Life*. Ik heb hem uiteindelijk zover gekregen. Ik kan niet beoordelen in hoeverre deze gang van zaken aan mijn interventie te danken is geweest, maar de hoofdzaak is dat zij niet plaatsvond. Shorr verliet Nederland en heeft in de Verenigde Staten een andere betrekking aanvaard. Uwe majesteit heeft hem op onze voordracht op 13 mei vorig jaar tot officier in de Orde van Oranje-Nassau benoemd,' zei minister Beyen. 'U moet niet vergeten dat wij praktisch geen enkel machtsmiddel bezitten om publicaties als in *Der Spiegel* te voorkomen. Die journalisten menen dat uw persoonlijk leven een zaak van algemeen belang is.'

'Ik kan ze beter toegang verschaffen tot mijn paleis, zodat ze met eigen ogen kunnen zien dat er geen Hofmans-groep bestaat, ik weet namelijk nooit wat daarmee wordt bedoeld. Greet met in haar kielzog tien oude dametjes met stenguns die de revolutie uitroepen?'

'Ze doelen, zoals u zult begrijpen, op de bijeenkomsten op Het Oude Loo,' zei Beyen.

'Er is niets verdachts aan die theosofische theekransjes bij mijn moeder. Laat ze liever over die Bilderberg-groep schrijven, dat is ouwe-jongens-krentenbrood en grootschalige wapenhandel,' zei Juliana verontwaardigd. 'We leven in een vrij land waar iedereen mag denken en zeggen wat hij of zij wil, en dat is een groot goed dat nooit ofte nimmer mag worden ondermijnd. Ik heb dat recht net zo goed als elke andere Nederlandse burger.'

'Binnenskamers, ja, buitenskamers is meneer Drees voor elk woord van u verantwoordelijk,' zei Beyen.

'Hoog tijd dat die wet op de helling gaat,' zei Juliana. 'Ik wil best zelf interviews geven en de pers te woord staan, dan is er geen ruimte meer voor die belachelijke hersenspinsels en verdachtmakingen aan mijn adres.'

'Dat ben ik met u eens, majesteit,' zei Beyen.

'Wie heeft er belang bij om mij en mijn entourage verdacht te maken?' vroeg Juliana.

'Zijne Koninklijke Hoogheid ziet in de Hofmans-groep een gevaar en er zijn meer partijen actief die met een angstvallig oog naar uw vriendschap met mejuffrouw Hofmans kijken,' zei Beyen.

'Wat vrezen ze dan in godsnaam?' vroeg Juliana.

'Ik geef u slechts de boodschap,' aarzelde Beyen, die wilde voorkomen dat Juliana in toorn zou ontsteken.

'Spreek,' zei Juliana beslist.

'Zij vrezen dat uw neiging om u op politiek terrein te begeven u door juffrouw Hofmans wordt ingegeven en dat u bewust of onbewust onder communistische invloed staat,' zei Beyen. 'De publicatie in *Der Spiegel* geeft de regering de gelegenheid om in te grijpen.'

Iedereen zweeg, nu kwam de aap uit de mouw. Niet dat het duidelijk werd uit welke hoek de klappen kwamen of wie de publicitaire actie had georganiseerd, maar het werd duidelijk dat het artikel een wapen in de strijd was.

'Sefton?' vroeg Juliana.

'Nee,' zei Beyen, 'die heeft van publicatie in de *Daily Express* afgezien en liet tijdens het gesprek dat ik met hem heb gevoerd merken dat de regering moest worden wakker geschud en tot actie moest overgaan.'

'Misschien heeft hij de informatie doorgespeeld aan Derk Jacobi van *Der Spiegel*,' opperde Marie Anne.

'Nee, dat is niet het geval,' zei Beyen, 'want door zijn lange vriendschap met Zijne Koninklijke Hoogheid weet de heer Sefton Delmer dat publicatie alleen maar leidt tot een verdere aantasting van de verhouding tussen Zijne Koninklijke Hoogheid en Hare Majesteit en dat wil hij juist voorkomen.'

'Bent u daar zeker van?' vroeg jurist Van Hamel, 'dat durft u onder ede te verklaren?'

'Ja, zo helpe mij God almachtig,' zei Beyen.

'U hebt ook contact met Derk Jacobi gehad?' vroeg Marie Anne.

'Dat klopt,' zei Beyen, 'Jacobi zei mij dat de publicatie een zaak van algemeen belang was.'

'Als dit artikel een wapen van het kabinet is om in te grijpen aan het hof,' vroeg Van Hamel, 'wie spant er dan samen tegen onze koningin? U bent tenslotte lid van het kabinet.'

'Ik moet u helaas het antwoord schuldig blijven, want ik weet het niet,' zei Beyen. 'Drees heeft de hoofdredacteuren verzocht om niets te publiceren wat grievend zou kunnen zijn voor Uwe Majesteit en Zijne Koninklijke Hoogheid. Ik kan u alleen zeggen dat er binnen het kabinet rekening wordt gehouden met een constitutioneel conflict tussen Hare Majesteit en het kabinet.'

'Is dat uw vermoeden of weet u het zeker?' vroeg Marie Anne.

'Dat is mijn vermoeden en als ik meer weet, verwittig ik u meteen,' zei Beyen.

Even later namen ze afscheid van de minister van Buitenlandse Zaken. Marie Anne, Van Hamel, Walraven en Juliana keken elkaar aan.

'Ik blijf de verdenking koesteren dat meneer Beyen een beroepsintrigant is,' zei Van Hamel.

'Dus toch,' zei Juliana.

Professor Van Hamel knikte.

De Ferrari-motor gilde schril voordat Bernhard naar een hogere versnelling schakelde. Het was laat en er was niet veel verkeer op de weg, dus hij reed flink door naar kasteel Warmelo. Daar aangekomen liep Bernhard met zijn vriend Sefton Delmer over de brug naar de ingang. Zijn moeder Armgard wachtte hen op en kuste haar zoon hartelijk, net als Sefton, die ook tot haar intimi behoorde.

'Liebling,' zei ze tegen de Engelse journalist.

'Geht's dir?' vroeg Bernhard.

'Sehr gut,' zei Armgard.

Ze liepen door de hal naar de ontvangstzaal van het kasteel. Prinses Armgard liet de mannen alleen.

'You don't mind if we talk Dutch?' vroeg Bernhard.

'Not at all.'

'I will translate it afterwards,' zei Bernhard. Ze liepen de zaal binnen, waar enkele vrienden van hen zaten. Carl Romme was er met zijn jonge k v p-collega Joseph Luns, die sinds de verkiezingen demissionair minister zonder portefeuille was.

'Mag ik u voorstellen aan Joseph Luns,' zei Romme.

'Ik heb veel goeds over u gehoord,' zei Bernhard en hij schudde Luns de hand.

'Hoogheid,' zei Luns beleefd met een hoofdknik.

'Zeg maar Bernhard. Sefton Delmer, een goede vriend van me.' Luns en Romme gaven Delmer eveneens een hand.

'De verkiezingen zijn redelijk verlopen,' zei Romme.

'En niet verstoord door *Der Spiegel*,' zei Luns.

'U hebt het gelezen?' vroeg Bernhard.

'Uiteraard,' merkte Romme op terwijl hij een sigaar aanstak. Bernhard keek zijn vrienden een voor een aan.

'*Der Spiegel* heeft het wat overdreven, maar de kern van het verhaal klopt,' vond Bernhard.

'Het zou bijna lachwekkend zijn, als het niet zo ernstig was,' zei Romme.

'Ik heb alles gedaan om het binnenskamers te houden, want geen enkele man geeft graag toe dat zijn vrouw niet in orde is,' zei

Bernhard, 'maar aangezien het om de koningin van ons land gaat, moet er zo snel mogelijk een eind aan deze bizarre situatie komen.'

'Drees probeert uw vrouw altijd te sussen,' stelde Romme.

'Mijn vrouw laat zich niet meer sussen,' zei Bernhard.

'Ik heb ook eens een aanvaring met haar gehad,' meldde Carl.

'Recentelijk?' vroeg Bernhard.

'Nee, jaren geleden, over de Indische kwestie. Ze heeft me toen allerlei lelijke dingen toegefluisterd,' antwoordde Romme.

'Dan heb je het nog over de rustige jaren,' glimlachte Bernhard terwijl een huisbediende drankjes serveerde. 'Er is eigenlijk maar één oplossing,' zei hij, waarna hij even zweeg. Hij probeerde in te schatten of hij nog even moest wachten met het presenteren van een oplossing of dat het moment nu geschikt was.

'En die is?' vroeg Romme nieuwsgierig.

'Beatrix wordt dit jaar achttien. Ze moet haar zieke moeder opvolgen,' zei Bernhard terwijl hij een lucifer bij zijn pijp hield. Sefton zweeg en Luns keek Romme aan.

'Wil de koningin hieraan meewerken?' vroeg Romme.

'Nee,' zei Bernhard, 'ze heeft een duwtje in de rug nodig.'

'Een gedwongen abdicatie is erg ingrijpend,' zei Romme.

'Onze Atlantische vrienden maken zich zorgen over de invloed van de Hofmans-groep,' zei Bernhard, 'onze steun is noodzakelijk voor het opbouwen van de alliantie. De Hofmans-groep ondermijnt dat proces.' Hij hanteerde sinds de scheidingsbrief van zijn vrouw een oorlogsidioom. Hij beschouwde die brief als een oorlogsverklaring, en deze oorlog wilde hij winnen.

'Nu loopt u te hard van stapel. De KVP staat bij de formatie garant voor een verhoging van het defensiebudget van 1,35 tot 1,6 miljard gulden. Daar hoeven ze in Washington geen slapeloze nachten van te krijgen.'

'Carl, begrijp toch eens wat er gaande is. Mijn vrouw werkt niet mee aan de formatie. Hofmans gooit met de dag meer roet in het eten,' zei Bernhard, 'ze moet worden tegengehouden.'

Romme knikte instemmend.

De koningin ontving de demissionaire minister-president Drees en minister Beel op haar werkkamer in bijzijn van Marie Anne, Walraven en advocaat Van Hamel.

'Als u mij de vrijheid toestaat om een vraag te stellen alvorens we beginnen,' zei Drees.

'Ga uw gang,' antwoordde Juliana.

'Waarom is uw advocaat aanwezig?'

'Omdat ik dat op prijs stel.'

'Het komt mij voor als een motie van wantrouwen.'

'Dat is niet het geval. Zie het als een voorzorg.'

'Voor wat, mevrouw?'

Juliana gaf geen direct antwoord. Ze ging over tot de orde van de dag. 'Weet u uit welke hoek de klappen komen?'

'De heer Beyen is het deze keer in ieder geval niet, daar steek ik mijn hand voor in het vuur,' zei Beel.

'Dat lijkt mij een premature conclusie, want de heer Beyen spreekt dagelijks met veel buitenlandse journalisten,' zei Van Hamel, 'we hebben met hem gesproken, maar ik werd niet gerustgesteld door zijn antwoorden.'

Drees zuchtte diep in de wetenschap dat de situatie weer een stapje verder was geëscaleerd. 'U vertrouwt ons niet meer, mevrouw?'

'Nou, zover wil ik niet gaan, maar ik weet wel dat er partijen zijn die tegen Margaretha en mij samenspannen. Of die in het kabinet zitten of daarbuiten kan ik niet zeggen.'

'Wij gaan sinds uw inhuldiging op basis van vertrouwen met elkaar om, daar is wat mij betreft geen verandering in gekomen.'

'Dat is goed om te horen,' zei Juliana, 'maar u weet dat er dagelijks pogingen worden ondernomen om mijn gezag te ondermijnen. Ik krijg elke dag via mijn persdienst knipsels uit binnen- en buitenlandse kranten en die liegen er niet om, dat kan ik u wel verzekeren.'

'Dat betreur ik ten zeerste,' zei Drees.

'We ondernemen niets om de Kroon te beschadigen of u in een kwaad daglicht te stellen,' meldde Beel.

'Dat hoeft ook niet, want dat is al gebeurd,' zei Juliana. 'Beyen had er beter aan gedaan om zijn mond te houden.'

Drees zweeg en dacht koortsachtig na over een tactiek om haar wantrouwen weg te nemen.

'Het lijkt mij het beste om op korte termijn naar buiten te treden, zodat iedereen, en met name de pers, ons kan zien als één gezin,' vond Juliana.

'Wij beraden ons op een politieke oplossing,' zei Beel.

'Waar denkt u aan?' vroeg Van Hamel.

'O, een oud Nederlands politiek recept: het instellen van een onderzoekscommissie die de kwestie onderzoekt, de angel eruit haalt en later officieel rapporteert, dan wordt de zaak meteen gedepolitiseerd,' zei Beel.

'Welke kwestie bedoelt u?' vroeg Juliana bezorgd.

'De ongewenste publiciteit,' antwoordde Beel.

'De bron, die moet u vinden. Niets meer en niets minder. En koester niet de hoop dat ik milder word ten aanzien van mijn wensen voor het nieuwe kabinet. Ik zal tijdens de consultaties de komende dagen zeggen waar het op staat en dan pas benoem ik de informateur,' zei Juliana vastberaden.

'Ik ga er vooralsnog van uit dat we dat in wederzijds overleg doen zoals gewoonlijk, mevrouw,' zei Drees, die dit proces voor de vierde keer inging.

'Als u mijn vertrouwen beschaamt, verliest u mijn steun,' zei Juliana, 'en laat ik niet horen dat u kennis hebt van plannen om mij buiten staat van regeren te verklaren.'

Drees schudde bezorgd zijn hoofd. Hij was niet in staat om haar wantrouwen weg te nemen, dat was juist alleen maar toegenomen.

Op het Concours Hippique in de Amsterdamse RAI zat de volledige koninklijke familie bijeen in haar loge. Juliana aan de ene zijde en Bernhard aan de andere zijde met tussen hen in de vier dochters. Ze zwaaiden vriendelijk glimlachend naar de tientallen fotojournalisten die geknield en staand in het zand voor de loge foto's namen. Marie Anne, Walraven en twee hofdames zaten op de tweede rij in de loge. Bernhard gaf een teken dat de fotosessie voorbij was. Hij keek glimlachend achterom naar zijn moeder Armgard en haar Poolse echtgenoot. Beiden waren gepassioneerde liefhebbers van de paardensport. De zandbak werd vrijgemaakt voor de spring- en dressuurproeven. De eerste ruiter presenteerde zich te paard voor de koninklijke familie. Hij nam zijn cap af, boog bij wijze van eerbetoon en begon met zijn ruiterproef. Juliana stond na de derde ruiterproef op. Ze verliet met haar gezelschap de koninklijke loge. Het doel van haar bezoek was volbracht. Ze wist dat de foto's van een verenigde koninklijke familie de volgende dagen in alle Nederlandse, Duitse en Engelse dagbladen zouden verschijnen. De dochters waren net als hun vader fervent paardenliefhebbers en bleven op het concours.

's Ochtends vroeg op 21 juni hing de ochtendmist over de grasvelden. De ochtendzon brak door en Juliana liep samen met Walraven, Greet en Marie Anne naar de bank onder de eik achter het paleis. Walraven had wat dagbladen bij zich.

'Wat schrijft Sefton vandaag?' vroeg Juliana. Walraven zocht in het stapeltje dagbladen, trok de *Daily Express* eruit en las het hoofdartikel voor.

'Er zal geen nieuwe Nederlandse regering gevormd worden zolang de hofcrisis voortduurt. Koningin Juliana moet óf haar mystieke vriendin opgeven óf afstand doen van de troon.'

'Sefton windt er geen doekjes meer om,' zei Juliana.

'Ik vertrek wel,' zei Greet.

'Dat zal niet gebeuren,' zei Juliana. 'Bernhard is kennelijk de journalistiek ingegaan, die is van alle markten thuis.'

'Al iets van Drees gehoord?' vroeg Walraven.

'Ik heb hem gisteravond thuis opgebeld om weer eens te soebatten of ze toch geen manier kunnen vinden om die buitenlandse reizen van Bernhard aan banden te leggen.'

'Met resultaat deze keer?' vroeg Walraven.

'Het is net alsof je je hand in een emmer met palingen steekt,' zei Juliana, 'je pakt er een, maar voordat je hem eruit kunt halen, glibbert hij alweer uit je handen.'

'Drees zal deze vergelijking zeker op prijs stellen,' zei Marie Anne glimlachend.

'Als je het over de duvel hebt,' zei Walraven. Uit de verte kwam een man met een zwarte hoed op aangehold over het grasveld. Het was Beel, die buiten adem bij het gezelschap arriveerde. Hij hapte naar lucht.

'Minder roken, meneer Beel!' zei Juliana.

'Zal ik doen, mevrouw,' zei Beel, 'ik zocht u want ik heb mijn ontslag als demissionair minister aangeboden.'

Juliana keek Beel verrast aan.

'Komt u dat nu mededelen of aanbieden?'

'Ik ga een commissie leiden die de situatie rond de berichtgeving gaat onderzoeken,' zei Beel opgewonden.

'Ik heb daar geen opdracht voor gegeven,' merkte Juliana bits op.

'Zijne Koninklijke Hoogheid heeft het besluit al getekend.'

'Dat is volstrekt inconstitutioneel!' riep Juliana.

'We hebben het er eerder over gehad,' zei Beel.

Juliana voelde nattigheid.

'U speelt onder één hoedje met Bernhard,' riep Juliana boos.

Beel schudde het hoofd, maar het mocht niet baten. Ze geloofde hem niet.

~

De waarheid openbaar

*D*e katholieke staatsman Beel zat in de conferentiezaal van het ministerie van Algemene Zaken met twee andere gezagsdragers achter de tafel op een verhoging. Beel fluisterde tegen zijn collega-commissieleden en keek ondertussen de zaal in, die langzaam volstroomde met journalisten. Beel knikte naar een ambtenaar, die de microfoon aanzette. Hij tikte op het spreekijzer en hoorde het versterkte geluid weergalmen door de rumoerige zaal die was afgeladen met journalisten uit binnen- en buitenland.

'Goedemiddag, ik ga enkele mededelingen doen,' zei Beel.

Het werd stil in de zaal.

'Heden, 29 juni 1956, maak ik bekend dat ik per direct aftreed als demissionair minister. Ik ga een commissie leiden die op uitdrukkelijk verzoek van Hare Majesteit is ingesteld. Ik zal de koninklijke verklaring voorlezen.'

Beel opende een map, schoof ostentatief enkele papieren opzij en pakte er vervolgens met een theatraal gebaar een koninklijke brief uit. Hij zette zijn leesbril op.

'De wijze waarop men het in den vreemde toelaatbaar heeft ge-
oordeeld in het openbaar ons gezinsleven en de verhoudingen in
onze naaste omgeving te belichten heeft ons beiden teleurgesteld
en gegriefd. Wij zijn daarom van mening dat het noodzakelijk is
dat er een onderzoek wordt ingesteld naar de omstandigheden die
tot een dergelijke berichtgeving hebben kunnen leiden. Prof. dr.
L.J.M. Beel, prof. dr. G.S. Gerbrandy en jonkheer Tjarda van Starkenborgh Stachouwer hebben erin toegestemd dit onderzoek te
verrichten en ons advies uit te brengen. Is getekend Hare Majesteit
Koningin Juliana en Zijne Koninlijke Hoogheid Prins Bernhard.'

Beel keek de zaal vol persmuskieten in en schoof de koninklijke
verklaring terug in de map.

'U kunt nu vragen stellen,' zei Beel.

Vele vingers van dagbladjournalisten schoten omhoog. Beel
wees er een aan.

'Wat is precies de opdracht van deze commissie van wijze mannen?'

'Die heb ik zojuist voorgelezen,' zei Beel.

'Kunt u meer in detail treden?'

'Nee, dat kan ik in dit stadium niet.' Hij wees een andere journalist aan.

'Kunt u de omstandigheden die aanleiding hebben gegeven tot
de berichten enigszins toelichten?'

'Die omstandigheden gaan we juist onderzoeken,' zei Beel laconiek.

'Ja, maar wat is nu precies de aanleiding voor uw commissie
van onderzoek?'

'De negatieve berichtgeving in de pers,' zei Beel.

'Is die ongegrond, wilt u dat zeggen?'

'Daarop antwoorden zou prematuur zijn.'

'Dus de berichtgeving klopt? Onze vorstin staat onder de invloed van een Raspoetin?'

'U verdraait mijn woorden. De commissie gaat de omstandigheden onderzoeken die tot de berichtgeving hebben geleid. De
bron kan malicieus zijn, dat wil zeggen dat er een partij actief is die

willens en wetens onze vorstin en de prins-gemaal in een kwaad daglicht stelt. Dát gaan wij onderzoeken zodat herhaling in de toekomst wordt voorkomen.'

'U suggereert dat de gepubliceerde feiten leugens zijn?' vroeg een journalist.

'Ja, die indruk hebben wij,' zei Beel.

'Het zijn dus leugens en geen feiten, terwijl iedereen weet dat mejuffrouw Hofmans al jaren aan het hof verkeert, dus de publicaties bevatten toch een kern van waarheid.'

'Heren, heren, alstublieft. Zodra het onderzoek is afgerond beleg ik een persconferentie en hopelijk zal ik tegen die tijd op al uw vragen antwoord kunnen geven.'

'Kunt u iets zeggen over de ophanden zijnde koninklijke scheiding ten gevolge van de verdeeldheid in het Huis van Oranje,' vroeg een journalist van het Amsterdamse *Parool*.

'Het zijn kwalijke geruchten die ons dierbare koningshuis beschadigen,' zei Beel.

Beel keek naar Gerbrandy en Tjarda, die instemmend knikten. Vele vragen volgden en Beel deed ze telkens weer af met nietszeggende antwoorden. Hij was in zijn sas en genoot van het feit dat hij in het middelpunt van de belangstelling stond. Niemand van de pers pinde hem vast op zijn huichelachtige antwoorden. Beel wist als geen ander dat zijn commissie niet was ingesteld om de bron inzake de negatieve berichtgeving rond het koninklijk paar te onderzoeken. Zijn onderzoek ging niet over het verminderde zicht van prinses Marijke of de wonderbaarlijke geneeskunsten van Greet Hofmans; Beel moest de koninklijke crisis bezweren. Deze was weliswaar persoonlijk van aard, maar was inmiddels uitgegroeid tot een publieke zaak. De hofcrisis zou bij een verdere escalatie ook de verantwoordelijke ministers raken. Beel had met Drees, Romme en andere bewindslieden uren achtereen overlegd in het Torentje hoe ze het beste buiten schot konden blijven. Niemand mocht ontdekken dat er een constitutionele crisis tussen vorstin en demissionair kabinet dreigde. De lopende formatie maakte de zaak nog ingewikkelder. Juliana had een stevige vinger in de pap. Beel koos in overleg met Drees voor een bezorgde brief namens Juliana en Bernhard, zodat het demissionaire kabinet geen verantwoordelijkheid droeg voor zijn onderzoek. De bewindslieden wasten hun handen bij voorbaat in onschuld, ongeacht de uitkomst van het onderzoek. Ze wisten waar ze op uit waren. Juliana moest terug in het gareel. Als het niet goedschiks kon dan kwaadschiks. Juliana's laatste wapen was een publiekelijk aftreden met een radio-interview waarin zij haar aftreden en scheiding aan het Nederlandse volk zou uitleggen. Zover mocht het niet komen.

Beel was op de hand van Bernhard. Gerbrandy volgde eveneens de Atlantische lijn. Hij was weliswaar Oranjegezind en voelde mededogen met de verwarde Juliana, maar zaken gingen nu eenmaal voor. Tjarda was kort daarvoor afgetreden als permanent gedelegeerde van Den Haag bij de NAVO. Carl Romme voerde achter de schermen met ijzeren hand de regie, hij toonde weinig mededogen met die dolgedraaide vrouwen in het paleis. Hij had eerder te doen met Bernhard, die al jaren last had van de fratsen van de toverkol aan het hof. Romme was geërgerd omdat zij religieuze standpunten vertolkte die afbreuk deden aan het Nederlands kerkelijk gezag. Ze deed uitspraken over alle religieuze gezindten en beweerde dat de kerken geen alleenrecht konden doen gelden op God. Romme wilde dat ze het veld ruimde zodat Juliana weer bij zinnen kon komen. Romme wist dat de zomer bij uitstek de periode was om moeilijke beslissingen te nemen; het Nederlandse volk ging pootjebaden of over de hei wandelen. Romme gaf Bernhard het advies om zo lang mogelijk in het buitenland te verblijven, zodat elke verdenking in zijn richting werd vermeden, mocht het onaangenaam worden om de toverkol uit het paleis te verwijderen. Ze hielden telefonisch contact. Bernhard vertrok met zijn oudste dochter, zijn moeder Armgard en stiefvader Pantchoulidzew naar de paardenspelen in Stockholm en bleef daar enkele weken. Later tijdens die reis zat Bernhard de Bilderberg-conferentie voor. Juliana probeerde deze buitenlandse uitstapjes te verhinderen, maar boekte geen enkel resultaat. Er werden tijdens de Bilderberg-conferentie zaken gedaan. De Amerikanen wilden hun militaire uitgaven in West-Duitsland drastisch verminderen. De West-Europese bondgenoten moesten het verschil bijpassen en de Nederlandse bewindslieden wilden dat verzoek honoreren. Juliana wilde de defensie-uitgaven juist terugdringen en het beschikbare geld voor andere doeleinden aanwenden, die in het belang waren van het Nederlandse volk, terwijl Bernhard niet alleen bezorgd was over de oprukkende communistische horden, maar ook persoonlijk financieel belang had bij een verhoging van de defensie-uitgaven. In die tijd kon niemand vermoeden dat de inspecteur-generaal van de Nederlandse strijdkrachten op provisiebasis wapeninkopen deed in Amerika, dat kwam pas twintig jaar later aan het licht. Romme had als fractieleider namens de KVP de verhoging van het defensiebudget met enige honderden miljoenen guldens aan Bernhard toegezegd. Hij eiste namens zijn partij een aantal ministersposten op tijdens de formatie, en zijn loopjongen Luns had hij het ministerie van Buitenlandse Zaken beloofd. Onder die omstandigheden ging Beel aan het werk met zijn commissie van onderzoek.

Bernhard weigerde tijdens Beels onderzoek elke vorm van commentaar in het openbaar. Hij verbleef telkens maar kort in het land. Hij vloog door naar Tanganyika of Amerika. De Amerikaanse hetze tegen Juliana kwam in juni 1956 pas goed op gang. Alan Dulles verbood de Holland-Amerika-lijn om nog langer het Wilhelmus aan boord van de schepen te spelen en Juliana's portret moest worden verwijderd. De Nederlandse ambassadeur in Washington, die Juliana tijdens haar Amerikaanse rondreis in 1952 nog voor koppig meisje had uitgemaakt, tekende ambtshalve bezwaar aan tegen de verwijdering van het portret van het Nederlandse staatshoofd, maar dat mocht niet baten. In de Amerikaanse pers werden Juliana's uitlatingen uit 1952 over het bereiken van de wereldvrede keer op keer gepubliceerd, in de Verenigde Staten werden haar pacifistisch gedachtegoed en adhesiebetuigingen aan Moskou gezien als staatsvijandige uitlatingen. Sympathisanten van het communisme werden met harde hand uit het Amerikaanse openbare leven verwijderd tijdens openbare tribunalen waarin burgers werden aangeklaagd en vervolgd. De Amerikaanse pers drong aan op het aftreden van Juliana.

Greet Hofmans vertoonde zich niet langer in het openbaar. Zij werd belaagd door journalisten, moest onderduiken en werd bedreigd door pers en boze burgers die haar als splijtzwam van het paleis beschouwden. Greet had in een interview de achtergronden kunnen toelichten, maar ze had Juliana beloofd te zwijgen.

Bernhard ontmoette Romme en Luns bij zijn moeder op kasteel Warmelo. De mannen dineerden en kwamen tot zaken.

'Met betrekking tot het buiten staat van regeren laten verklaren van uw vrouw,' zei Romme. Hij pakte zijn koffiekopje op.

'Ja,' zei Bernhard.

'Is uw oudste dochter bereid om haar moeder op te volgen?'

Bernhard knikte instemmend.

'Ziet zij dat niet als verraad jegens haar moeder,' vroeg Luns.

'Beatrix wil net als wij dat haar moeder tegen de Hofmansgroep in bescherming wordt genomen en dat deze groep wordt ontmanteld.'

'Van het hof verwijderd?' vroeg Romme.

'Ja, desnoods met harde hand,' zei Bernhard. 'Van Heeckeren, zijn moeder, Rita, Van Tellegen, en er zijn er nog meer.'

'Kunt u een lijst maken?' vroeg Romme.

Bernhard knikte.

'Ik bespreek het wel met Drees en Beel,' zei Romme.

'Ze moeten inzien dat dit de enige mogelijkheid is,' zei Bernhard. Luns en Romme knikten instemmend. 'Mijn dochters koesteren net als ik een sterke weerzin tegen Hofmans. Ze heeft hun moeder volledig in de tang,' zei Bernhard, 'dat moet nu maar eens afgelopen zijn.'

'We zijn het helemaal met u eens,' merkte Romme op.

'Waarom dan nog langer getreuzeld?' vroeg Bernhard.

'We moeten het advies van de commissie afwachten.'

'Die zal ons ten dienste staan,' zei Luns sussend.

'Tjarda vind ik onbetrouwbaar,' zei Bernhard, 'en Gerbrandy was vroeger bijzonder op mijn vrouw gesteld.'

'Die draait wel bij,' zei Romme.

'En Louis?'

'Die laat zijn antwoord afhangen van zijn onderzoek,' zei Romme, 'maar hij staat aan onze kant, maakt u zich daar geen zorgen over.'

'Ik mag hopen dat ze inzien dat mijn vrouw niet meer bij zinnen is,' zei Bernhard. 'Ik vind het moeilijk dat toe te geven, maar de waarheid moet gezegd worden, deze kwestie sleept al te lang voort!'

~

De onderzoekscommissie

Beel instrueerde op het secretariaat van Huis ten Bosch in Den Haag een zestal ambtenaren, onder wie de kamerbewaarder: 'Ik eis van iedereen absolute geheimhouding.'

De ondergeschikten knikten gehoorzaam. Beel trad resoluut op. Hij was nu vierenvijftig jaar en had een aangeboren talent om te organiseren en leiding te geven. Bovendien was hij intelligent en kon in zakelijk opzicht goed overweg met andere mensen, hij trad ze met respect tegemoet, was niet het type politicus dat naar boven likte en naar beneden trapte. Thuis bij zijn vrouw voelde hij zich vaak niet op zijn gemak. Hij wist dat zijn vrouw beter overweg kon met zijn kinderen. Beel hield van zijn kinderen zoals het een goed katholiek huisvader betaamt, maar vond zijn bevrediging in zijn werk. Hij wilde sturen, richting geven en moeilijke zaken tot een oplossing brengen. Beel nam de touwtjes stevig in handen en combineerde dat met zijn dienstbare karakter. Het beviel hem goed om tweede of derde viool te spelen, zolang hij zich verzekerd wist van het vertrouwen van de dirigent. Beel had in de loop van de jaren het vertrouwen van Drees gewonnen. Ze waren vrienden geworden ondanks hun verschillen in katholieke respectievelijk sociaaldemocratische achtergrond. De verschillen kwamen slechts tot uiting tijdens verkiezingen, dan behartigden ze hun wederzijdse partijbelangen, maar altijd in onderling vertrouwen en overleg. Beel had ondervonden dat hij zijn werk beter kon uitvoeren buiten de schijnwerpers van de openbaarheid. Hij wist dat openheid een democratisch vereiste was, maar dat wilde niet zeggen dat alles zich in de openbaarheid moest afspelen; dat leidde vaak tot ongewenste resultaten omdat te veel mensen zich ermee gingen bemoeien.

'Ik typ 's avonds thuis zelf de verslagen in drievoud uit voor de leden van de commissie, en dat is het enige verslag. De gasten arriveren in geblindeerde wagens. Ik houd de gastenlijst onder mij,' zei Beel autoritair.

De aanwezigen knikten andermaal.

Daags erna zaten de heren Beel, Gerbrandy en Tjarda strak in het pak achter een tafel die bedekt was met een zwart laken in het Haagse paleis van de koningin. In de ruime barokke zaal stond op enkele meters afstand van de tafel een stoel voor degene die door de commissie werd gehoord. Een geblindeerde auto van het ministerie reed tot vlak voor de ingang. Een lid van de marechaussee opende het portier. Een bleke Greet Hofmans, gekleed in een grijs mantelpakje, stapte uit. Ze liep achter de ambtenaar aan naar binnen. Greet werd vriendelijk begroet door Tjarda, Gerbrandy en Beel. Een karaf water en een kristallen glas werden door de kamerbewaarder op een tafeltje naast haar stoel gezet. Beel kuchte en bladerde door het dikke dossier. Gerbrandy en Tjarda keken nors voor zich uit.

'U kent de reden van deze bijeenkomst?'

Greet knikte.

'Dan steek ik maar gelijk van wal. Wanneer hebt u Hare Majesteit voor het eerst ontmoet?'

'Dat is als ik het me goed herinner in 1948 geweest. Rita kwam bij mij met het verzoek of ik naar Marijke wilde kijken.'

Gerbrandy keek Greet misprijzend aan. 'Wellicht bedoelt u mevrouw Van Heeckeren-Penning?'

Greet knikte.

'Goed, u beweerde dat u prinses Marijke kon genezen?'

'Dat heb ik nooit beweerd.'

'Volgens onze bronnen hebt u wel degelijk beweerd dat prinses Marijke het zicht in haar ogen terug zou krijgen,' zei Beel.

'Dat behoorde tot de mogelijkheden.'

'U gaf onze koningin valse hoop?' insinueerde Beel.

Greet schoot in een nerveuze lach. 'Dat heb ik nooit gedaan, meneer Beel.'

'U verdient de kost als gebedsgenezeres,' zei Beel.

'Ik heb nog nooit een cent van iemand aan het hof aangenomen en ik ben geen genezeres die onder het prevelen van gebeden en zwaaiend met slangen mensen geneest. Zo werk ik niet. Ik weet niet waar u dat hebt gehoord, maar het is niet waar. Ik snijd ook geen dieren open om te kijken hoe hun ingewanden erbij liggen om dan voorspellingen te doen.'

'Goed, goed, dat begrijpen we, maar wat doet u dan?'

'Ik luister.'

'Dat doen wij nu ook.'

'Ja, maar ik luister met mijn hart naar de mensen, dan wacht ik op een doorgeving van God, die ik meestal ontvang, die draag ik over aan de mensen die bij mij komen met hun levensvragen. Ik preek niet, bezweer niet, manipuleer niet, het is een gave Gods.'

'Als ik u goed begrijp, bent u dus een orakel,' zei Gerbrandy. Beel en Tjarda lachten besmuikt. Greet voelde zich niet serieus genomen.

'Nee, helaas ben ik geen orakel!'

'Goed, goed, juffrouw Hofmans, dat laten we dan voorlopig rusten,' zei Tjarda op gedistingeerde toon.

'U bent dus geneeskundige?' vroeg Beel minzaam.

Greet knikte.

'Zonder opleiding?'

'Ik heb de school des levens doorlopen.'

'Ja, maar u beoefent de geneeskunde zonder enige medische kwalificatie of bevoegdheid?' vroeg Gerbrandy.

'Ik heb geen diploma nodig.'

Gerbrandy knikte instemmend. Beel maakte een notitie.

'U hebt zeven jaar aan het hof gebivakkeerd, hebt daar zelfs uw eigen vertrek gehad. Nadat prins Bernhard bezwaar maakte, bent u in de nabijheid van het paleis gaan wonen. Waarom deed u dat allemaal? Waarom drong u zich zo op? Wat waren daarbij uw bedoelingen?' vroeg Tjarda.

'U vraagt drie dingen tegelijk, die ik een voor een zal beantwoorden, meneer Tjarda,' zei Greet. Ze schonk het glas vol met water, nam rustig een slok en overdacht haar antwoord. 'Mijn vriendschap met Juliana,' begon ze te vertellen.

Ze werd onderbroken door een verbolgen Tjarda: 'Hare Majesteit.'

Greet knikte.

'U was bij de bijeenkomsten op Het Oude Loo?' vroeg Beel.

'Ik heb uw eerdere vraag nog niet beantwoord.'

'Ga uw gang,' zei Beel.

'Tussen de koningin en mij is in de loop der jaren een vertrouwensband gegroeid. We zijn vriendinnen geworden,' zei Greet met enige trots.

'Vindt u dat gepast?' vroeg Tjarda.

'Waarom zou ik een vriendschap ongepast moeten vinden?'

'Vanwege het standsverschil, juffrouw!' zei Tjarda streng.

'Dat speelt geen enkele rol tussen ons,' zei Greet.

Jonkheer Tjarda keek afwijzend naar de vrouw uit het volk. Van huis uit keurde hij een te vertrouwelijke omgang tussen adellijke personen en lieden uit het volk af.

'U kwam op de bijeenkomsten op Het Oude Loo?' vroeg Beel.

'Ja,' zei Greet, 'maar als de lezingen in het Frans, Duits of Engels waren, ging ik buiten wandelen, dan vertelde Juliana mij later wat er was gezegd.'

'Hare Majesteit, ik stoor mij bijzonder aan dat gebruik van

voornamen alsof u met onze koningin op school hebt gezeten,' zei Tjarda.

'Wilt u dan dat ik Majesteit, Hare Majesteit of Mevrouw Majesteit zeg?' vroeg Greet.

'Ik wil dat u de correcte titulatuur gebruikt,' zei Tjarda kwaad.

'Majesteit wil in de dagelijkse omgang bij voorkeur met mevrouw worden aangesproken,' zei Greet.

Tjarda beet geërgerd op zijn lip.

'U hebt gestemd bij de verkiezingen?' vroeg Gerbrandy.

'Jawel.'

'Op welke partij?'

'Dat is mijn zaak.'

'Wilt u de vraag beantwoorden,' zei Beel streng.

'Ben ik verplicht op deze vraag antwoord te geven?'

De drie heren knikten eensgezind.

'Sinds de oorlog stem ik op de C P N,' zei Greet.

Beel maakte een aantekening in zijn schrift.

'U bent pacifiste?'

'Ja, dat klopt. Ik geloof in de kracht van wederzijdse ontwapening.'

'U geeft Hare Majesteit gevraagd en ongevraagd politieke adviezen?' vroeg Tjarda.

'Nee, nooit.'

'U spreekt met Hare Majesteit nooit over politiek?'

'Nee, want dat interesseert mij niet,' zei Greet.

'Waarom brengt u dan uw stem uit op de communisten?'

'Ik vond hun optreden tijdens de oorlog bijzonder moedig.'

Beel notuleerde en hief zijn hand op, zodat zijn collega's hun vragenvuur stopten totdat hij bij was met zijn notities. 'Het is uw plicht om onze vragen naar waarheid te beantwoorden,' zei Beel.

'Dat doe ik.'

'Nee, dat doet u niet. Uit ons onderzoek blijkt dat u wel degelijk met Hare Majesteit over politieke kwesties hebt gesproken,' zei Beel.

Greet schudde ontkennend.

'Spreekt u over uw vertrouwelijke contacten met Hare Majesteit met derden?' vroeg Tjarda.

'Nee, dan zou mijn contact met mevrouw niet vertrouwelijk meer zijn,' antwoordde Greet met een glimlach.

'U staat niet onder ede, maar ik wil u erop wijzen dat u verplicht bent de waarheid te spreken,' zei Gerbrandy, die Greets gevatheid niet waardeerde.

'U spreekt dus nooit met derden over uw koninklijke contact?'

'Ah, ik begrijp al waar u naartoe wilt!' zei Greet.

'Waar willen wij dan naartoe, juffrouw?' vroeg Gerbrandy.

'U denkt dat ik spioneer voor de communisten!' zei Greet lachend. 'Dat is werkelijk baarlijke nonsens!'

De drie heren zwegen.

'U hebt actief bijgedragen en meegewerkt aan het huidige schisma aan het hof,' zei Tjarda.

'Dat heb ik niet.'

'Hoe zou u uw rol in de huidige crisis willen omschrijven?'

'Het is eerder een hetze.'

'Tegen u?'

'En tegen mevrouw,' zei Greet, die begreep dat het geen gesprek was, zoals aangekondigd, maar een verhoor waarbij zij zichzelf moest verweren tegen alle insinuaties en beschuldigingen.

'U weet dat Hare Majesteit haar huwelijk met prins Bernhard wil beëindigen,' vroeg Beel.

Greet knikte.

'Wat vindt u daarvan?'

'Geen enkele vrouw wil met een man getrouwd zijn die haar bedriegt,' zei Greet, 'dat zult u hopelijk met mevrouw eens zijn.'

'U steunt Hare Majesteit in haar wens tot scheiding?'

'Als in een huwelijk langdurig geen sprake meer is van enige gemeenschap tussen twee mensen, dan kan ik mij voorstellen dat een van beide partijen de verbintenis wilt verbreken,' zei Greet.

De drie heren zwegen wederom.

'Zojuist ontkende u nog dat u besluiten van Hare Majesteit beïnvloedt!' zei Gerbrandy.

'Ze neemt haar eigen beslissingen!' antwoordde Greet.

'Het zal niet de eerste keer zijn dat u onzekere mensen manipuleert,' zei Tjarda.

'Pardon, ik manipuleer nooit iemand.'

'U kunt van alles beweren, maar u zult niet kunnen ontkennen dat u de kost verdient met het misleiden van zieke en wanhopige mensen, die u valse hoop geeft met uw vermeende goddelijke doorgevingen.'

'Waarom beledigt u mij telkens?' vroeg Greet gekwetst.

'Omdat uw zogenaamde werk godslasterlijk is!' zei Tjarda.

'Dat is niet waar!' zei Greet.

'U bent beter op uw plaats als waarzegster op de kermis dan aan het hof!' zei Gerbrandy.

Beel peilde Greets reacties op de insinuaties van zijn commissieleden. Hij zag dat zij geïntimideerd raakte. Hij hoopte dat ze zou breken en zou opbiechten wat er werkelijk gaande was aan het hof. Beel schraapte zijn keel, nam een slok water en keek naar juffrouw Hofmans.

'U weet niets van mijn werk. Ik kan daar in deze vijandige sfeer niet over uitweiden, misschien moet u een keer langskomen tijdens een van mijn bijeenkomsten, dan staan er rijen wachtenden die baat bij mijn werk hebben,' zei Greet.

'We zijn niet geïnteresseerd in uw volksbedrog,' zei Tjarda, 'onze enige interesse en zorg is uw relatie met onze vorstin, die onder uw invloed ongewenste beslissingen neemt.'

'Misschien ongewenst voor u, maar bijzonder gewenst door mevrouw, die zich nooit laat leiden door adviezen van derden. U wilt niet inzien dat onze vorstin een eigen wil heeft. U ziet het liefst dat zij al jaren wordt betoverd door een heks, maar dat ben ik niet!'

Beel, Tjarda en Gerbrandy zwegen gelaten.

'Zo'n simpele uitleg moet toch wel een belediging zijn voor uw intelligentie, heren!'

'Het staat u vrij om ons belachelijk te maken, maar ik kan u verzekeren dat u verantwoordelijk bent voor de zinsbegoocheling van onze vorstin,' zei Beel kalm, 'of u dat erkent of ontkent doet daar niets aan af.'

'Er is geen sprake van zinsbegoocheling.'

'In dat opzicht verschillen wij van mening,' zei Beel.

Greet begreep dat de kloof van onbegrip, wederzijds wantrouwen en vijandigheid niet te overbruggen was. De heren achter de tafel hielden vast aan hun opvattingen.

'Samenvattend komt de commissie tot de conclusie dat u misbruik maakt van de goedgelovigheid van mensen die in existentiële nood verkeren, zoals onze vorstin met haar dochter prinses Marijke,' zei Beel zakelijk, 'en u hebt ervoor gezorgd, dat de goede verhoudingen tussen Hare Majesteit en prins Bernhard ernstig en langdurig zijn verstoord!'

'Dat heeft hij zelf gedaan!' riep Greet boos.

'Juffrouw, ik gebied u nogmaals om met respect over Zijne Koninklijke Hoogheid te spreken!' riep Tjarda verontwaardigd uit.

'Ik dank u voor uw komst,' zei Beel.

'Ja, maar,' bracht Greet vertwijfeld uit, 'er is helemaal niets opgehelderd.'

'U kunt vertrekken,' zei Beel.

Greet Hofmans stond op en verliet de zaal. Ze werd opgewacht door de kamerbewaarder, die haar mee naar buiten nam. Tjarda en Gerbrandy zwegen. Beel notuleerde driftig.

'Wat een vertoning,' verzuchtte Gerbrandy. Tjarda en Beel beaamden zijn opmerking.

's Middags wandelden Greet en Juliana over het ruiterpad in het bos achter het paleis. Greet was zeer aangeslagen.

'Twijfelden ze aan je oprechtheid?' vroeg Juliana.

'Ja, volledig.'

'Dat is niet zo mooi,' zei Juliana.

'Ze vinden mij een waarzegster die op de kermis thuishoort.'

'Dat is malicieus van de heren.'

'Waar zijn ze op uit?' vroeg Greet.

De twee vrouwen zagen een viertal ruiters aankomen. Ze deden een stap opzij. De vier paarden galoppeerden in volle vaart voorbij. Bernhard stond in zijn stijgbeugels en negeerde zijn vrouw en haar vriendin. Stof waaide op en Juliana sloeg haar sjaal voor haar mond.

'Idioten,' riep ze de ruiters na, maar ze hoorden haar niet.

De volgende dag bracht Walraven na zijn gesprek met de commissie verslag uit bij Juliana op haar werkkamer. Hij liep opgewonden heen en weer voor haar bureau.

'Ik heb anderhalf uur lang mijn best gedaan om allerlei vooronderstellingen te corrigeren,' zei hij.

'Waar sturen ze op aan?' vroeg Juliana.

'De stellingen zijn in ieder geval betrokken.'

'Welke stellingen?'

'Ze wilden weten hoe ik als intelligent persoon van goeden huize onder de invloed was geraakt van een intrigante uit het volk,' zei Walraven.

Juliana dacht na.

'En hoe ze jou zo kan misleiden!' zei hij verbaasd.

'Dat heeft Margaretha mij ook al verteld.'

'Het schijnt niet tot hun botte koppen door te dringen dat jullie goede vriendinnen zijn!'

'Ze politiseren de vriendschap,' zei Juliana, 'net zoals die verderfelijke perspublicaties. Greet moet de zondebok worden.'

'Van wat?'

'Van mijn onbuigzaamheid,' zei Juliana, 'die in de ogen van de commissie wordt veroorzaakt door Greet, die mij dus elke dag betovert.'

'Wat willen ze daarmee bereiken?' vroeg Walraven.

'Mij uitroken, naar ik vermoed,' zei Juliana, 'ik ben een bron van zorg voor mijn man en de bewindslieden. Ze willen mij de mond snoeren, maar dat zal ze nooit lukken, zo helpe mij God almachtig!'

'Ik ga ervan uit dat de commissie is geïnstalleerd om de bron van het artikel in *Der Spiegel* boven tafel te krijgen.'

'De agenda is kennelijk bijgesteld, Walraven.'

'Arme Rita,' mompelde de baron.

'Je vrouw is momenteel bij de commissie?'

De baron knikte beduusd. Juliana keek naar buiten en zag Irene bij de vijver in het park staan. Juliana was nu zevenenveertig jaar, maar miste zoals vaker de vertrouwelijke steun van haar moeder. In noodgevallen kon ze wel bij haar terecht, maar dat vond ze niet prettig. Haar moeder had zich helemaal teruggetrokken uit het openbare leven. Wilhelmina had na Juliana's inhuldiging een aantal vertrouwelingen overgedragen aan haar dochter in de hoop dat deze mensen de nieuwe koningin voldoende zouden steunen. Wilhelmina was chronisch vermoeid geraakt door vijftig jaar koningschap. Ze wilde de rest van haar leven in stilte en afzondering doorbrengen. Juliana vond haar moeders wens begrijpelijk, maar soms ook onverbiddelijk en hard. Zij ervoer haar moeders beslissing vaak als afwijzing en uitsluiting, alsof zij de deur naar haar enige dochter voorgoed had dichtgedaan. Juliana vond steun bij Walraven, Marie Anne en Greet, maar wist dat als het erop aankwam ze er alleen voor zou staan.

Mevrouw Van Heeckeren-Penning plukte een wit pluisje van haar groene rok en liet dat los boven de marmeren vloer in de zaal van paleis Huis ten Bosch, het dwarrelde naar beneden. Rita keek naar de mompelende heren achter de tafel. Beel maakte een grapje waar de anderen om glimlachten. Er lagen stapels dossiers en ordners op de tafel van de commissie. Beel schraapte zijn keel en richtte zich tot Rita. Tjarda en Gerbrandy bestudeerden diverse documenten.

'Namens de commissie heet ik u allereerst hartelijk welkom, mevrouw Van Heeckeren,' zei Beel, 'ik zou wensen dat de reden van ons samenzijn aangenamer was dan de huidige situatie rechtvaardigt, maar deze is u bekend.'

Rita knikte.

'Wij gaan daarover van gedachten wisselen. Wij stellen u vragen, die u naar eer en geweten beantwoordt. Mocht u kennis hebben van zaken die wij over het hoofd zien, of waar wij geen weet van hebben, dan stellen wij het op prijs als u ons daarvan op de hoogte brengt.'

Rita knikte opnieuw.

'Zoals u weet hebben wij met uw echtgenoot gesproken, die sinds 1950 werkzaam is in het civiele huis van de koningin. U dient ons koningshuis al langer als gouvernante. Ik neem aan dat u met uw echtgenoot over zijn gesprek hebt gesproken?'

Rita knikte wederom.

'Wat waren zijn bevindingen?'

'Mijn man vond de commissie bevooroordeeld inzake de invloed ten hove van juffrouw Hofmans,' zei Rita kortaf.

'De baron is die mening toegedaan?' zei Beel.

'Ja, hij had een zekere onbevangenheid van de commissie verwacht,' zei Rita, 'een snelle opheldering zou hij na die nare perscampagne hebben gewaardeerd.'

'Daar streven wij dan ook naar,' zei Beel.

'Het opsporen van de bron achter de perscampagne?'

'Ja, en opheldering van de hofcrisis, die ons, zoals u begrijpt, bijzonder zorgen baart, mede gezien in het licht van de constitutionele risico's die eraan zijn verbonden,' merkte Beel cryptisch op.

'Ik kan u niet helemaal volgen, meneer Beel,' zei Rita.

'Er dreigt een constitutioneel conflict tussen onze vorstin en het demissionaire kabinet, wat de voortgang van de huidige formatie bemoeilijkt en u bent, neem ik aan, op de hoogte van de wens van onze vorstin om te gaan scheiden.'

'U gaat hierover persoonlijk spreken met het koninklijk paar?' vroeg Rita.

'Ja, dat gesprek staat hoog op onze agenda, maar we consulteren eerst alle betrokkenen, zodat wij een volledig beeld krijgen,' zei Beel.

Rita was benieuwd welke strategie de drie heren bij haar zouden toepassen. Greet was door hen beledigd en geschoffeerd. Walraven had anderhalf uur lang geprobeerd om de aannames achter de vragen te ontzenuwen.

'Laat ik mij richten op de pedagogische aspecten van de opvoeding van onze prinsessen, want daarvoor bent u al die jaren medeverantwoordelijk geweest,' zei Beel.

Rita knikte.

'Wiens idee was het om de kinderen naar de school van Kees Boeke in Bilthoven te sturen?' vroeg Beel.

'Van hun moeder.'

'Was u het daar als gouvernante mee eens?'

'De schoolkeuze is een zaak van de ouders.'

'Waren de beide ouders het erover eens?'

'Nee, dat waren ze niet.'

'Prins Bernhard tekende bezwaar aan?'

'Ja, dat klopt,' zei Rita.

'Kees Boeke is niet alleen een onderwijsvernieuwer, hij is ook actief in de procommunistische vredesbeweging. Bent u daarvan op de hoogte?' vroeg Beel, die nauwlettend Rita's reactie observeerde.

'Ik weet dat Kees Boeke aanhanger is van De Derde Weg, zoals veel andere mensen die geen vertrouwen meer hebben in de goede afloop van de Koude Oorlog.'

'Dat geldt eveneens voor u en uw echtgenoot?'

'Ja, wij vrezen een nieuwe wereldoorlog binnen afzienbare tijd, maar die bezorgdheid vertaalt zich niet in een partijpolitieke richting of standpunt,' antwoordde Rita genuanceerd.

'Welke politieke partij heeft uw steun?' vroeg Gerbrandy.

'Onze politieke gezindheid speelt geen enkele rol tijdens het uitoefenen van onze taken aan het hof,' zei Rita, 'u vraagt een arts ook niet op welke partij hij stemt, alvorens u hem consulteert voor een medische klacht.'

Beel glimlachte beleefd. Hij had namens de commissie uitvoerig met Walraven van Heeckeren gesproken, die feitelijk niets had gezegd tijdens het anderhalf uur durende gesprek. Beel wilde een herhaling van deze oeverloze exercitie voorkomen. Walraven had geen kwaad woord over Hofmans gezegd. Hij had ontkend dat er een Hofmans-groep actief was op het paleis. Hij had Beels vragen ontzenuwd en gecorrigeerd. De baron had de vragen van de commissie op kundige wijze teruggekaatst en geneutraliseerd.

'U en uw man zien uw vrees voor een nieuwe wereldoorlog niet terug in het programma van een politieke partij?' vroeg Beel.

'Nee, die staat los van elke politieke stroming.'

'Vreemd,' zei Beel.

'Hoe dat zo?' vroeg Rita.

'U bezoekt sinds jaren de bijeenkomsten op Het Oude Loo,' zei Gerbrandy, 'daar wordt toch een visie op een vreedzame samenleving geformuleerd?'

Rita knikte. 'Ja, maar zoals ik al zei, vertaalt zich dat niet in politieke steun aan de katholieken, gereformeerden, hervormden, socialisten of communisten.'

'De Oude Loo-bijeenkomsten zijn zonder politiek oogmerk?'

'Ja,' zei Rita, 'dat gebeurt zo op uitdrukkelijk verzoek van onze vorstin.'

'Kunt u iets zeggen over de thema's die worden besproken?' vroeg Gerbrandy.

'Een lezing waar ik persoonlijk veel aan heb gehad, ging over het absolute in de individuele godsbeleving.'

Beel tikte ongeduldig met zijn vulpen op het blanke vel papier. 'Wat is uw mening over juffrouw Hofmans?' vroeg hij.

'Tja, hoe zal ik het zeggen,' aarzelde Rita.

'Een genezeres?' vroeg Beel.

'Ja, misschien, eerder een vrouw die goed kan luisteren vanuit een theosofische levensopvatting.'

'In feite onschuldig?' vroeg Beel.

'Ja, dat denk ik wel.'

'U hebt de groei en wasdom van de bijzondere vriendschap tussen onze vorstin en juffrouw Hofmans van nabij meegemaakt. Kunt u ons daar iets over vertellen?' vroeg Beel.

'Dat kunt u beter aan de dames zelf vragen.'

'Ik vraag naar uw indruk als getuige,' zei Beel verbeten.

'Ze zijn goed bevriend, zielsverwanten zou ik haast zeggen.'

'Vindt u niet dat zo'n vriendschap risico's met zich meebrengt voor onze vorstin?'

'Waar doelt u op?'

'We weten dat juffrouw Hofmans de prins een negatieve houding toedicht, wat zo ongeveer wil zeggen dat de beste vriendin van onze vorstin haar echtgenoot beschuldigt van een negatieve magnetische uitstraling.'

'Tja,' zei Rita glimlachend.

'We belanden door dat verwijt van juffrouw Hofmans op het terrein van spiritistische krachten, helderziendheid en exorcisme,' zei Beel, 'alsof de prins een duivel is die moet worden uitgedreven, dat vinden wij niet zo onschuldig als u zo-even beweerde.'

Rita's gezicht verstarde. Ze ging rechtop zitten, nam een slok water en zette het glas terug. Ze keek de heren aan.

'We wachten op uw reactie, mevrouw Van Heeckeren,' zei Beel.

'Ik denk na over uw opmerking,' zei Rita.

'U kunt ook waarnemen of een persoon positieve of negatieve magnetische krachten uitstraalt?' vroeg Beel sarcastisch.

'Dat kan ik niet,' zei Rita.

'En juffrouw Hofmans kan dat wel?' vroeg Tjarda. 'Die maakt voor onze vorstin uit wie deugt en wie niet deugt?'

'Laat ik het zo zeggen. Een zeker opportunisme en egoïsme is de prins niet vreemd,' zei Rita.

'Kunt u wat specifieker zijn?' vroeg Beel.

'Nee, dat kan ik niet.'

'U bedoelt dat u dat wel kunt, maar dat u dat niet wilt?' vroeg Tjarda.

Rita knikte.

'Dit is een vertrouwenscommissie,' zei Gerbrandy.

'Mijn antwoord komt nooit buiten deze muren?' vroeg Rita.

'U hebt mijn woord,' zei Beel.

'Goed, ik zal het toelichten. Het heeft Juliana diep gekwetst dat de prins bij een Engelse vrouw buitenechtelijke kinderen heeft verwekt, iets waar zij vier jaar geleden bij toeval achter is gekomen,' zei Rita. 'De prins heeft sindsdien niets gelegen laten liggen aan zijn huwelijksbelofte, dus als u dat negatieve magnetisme achterwege laat, krijgt u een beeld van het gedrag van een echtgenoot dat op geen enkele wijze een garantie is voor een harmonieus huwelijksleven!'

Beel keek Rita verrast aan. Hij vergat het een en ander op te schrijven. Gerbrandy en Tjarda leken het in Keulen te horen donderen. Er viel een ongemakkelijke stilte. Beel boog ten slotte voorover, pakte zijn vulpen op en noteerde Rita's informatie ijverig in zijn schrift.

'Als u de crisis aan het hof onderzoekt, lijkt het mij van belang dat u deze feiten meeweegt, dan zult u wellicht het besluit van onze vorstin kunnen respecteren.'

'Hebt u bewijzen voor deze aantijgingen?' vroeg Tjarda.

'Ja, die heb ik,' zei Rita.

'Kunt u die ons ter beschikking stellen?' vroeg Beel.

'Gezien het vertrouwelijke karakter van deze informatie zal ik dat met Juliana moeten bespreken,' zei Rita, 'maar als u Marie Anne Tellegen hoort, zal ze u hetzelfde vertellen.'

Beel zuchtte diep, draaide de dop op zijn vulpen en streek met zijn hand over zijn kale hoofd. 'Ik schors de zitting,' stamelde hij. De heren stonden op en verlieten met Rita de zaal van Huis ten Bosch.

Deftige achterkamertjes

O p de kamer van secretaris-generaal Boon op het departement van Algemene Zaken in Den Haag vergaderden de heren Beel, Gerbrandy, Tjarda, Boon, Romme en Drees. Aan de wand hing een donker stadsgezicht van de schilder Breitner. De heren zaten in de gecapitonneerde leren fauteuils met elkaar te praten en de kamer stond blauw van de rook.

'Dit werpt een nieuw licht op de teloorgang van het koninklijk huwelijk,' zei Beel. Hij doofde zijn sigaret in de kristallen asbak. Drees dacht na over de nieuwe informatie.

'Gedurende een aantal jaren hebt u samen met de heer Fock de contacten begeleid tussen het kabinet en Hare Majesteit,' zei Gerbrandy.

De heer Boon knikte.

'Hoe verliepen die?'

'In het begin goed, maar naarmate Hare Majesteit overtuigder raakte van haar vredesmissie werden de contacten spaarzamer en verliepen deze stroever. Het eindeloze schrappen in haar Amerikaanse redevoeringen heeft het vertrouwen behoorlijk geschaad,' zei Boon, 'maar ik denk niet dat haar politieke opvattingen het grootste probleem zijn.'

'Wat is dan het grootste probleem?' vroeg Drees.

'Haar huwelijk,' zei Boon.

'Op welk aspect doelt u?'

'Op een voortslepende midlifecrisis.'

'Van Juliana?' vroeg Beel.

'Van beiden; het lijkt mij verstandig om een adviseur in te schakelen met expertise op het gebied van de seksuologie,' zei Boon.

'U loopt wel erg hard van stapel,' meende Beel.

De anderen lachten om Boons suggestie.

'Bernhard zei mij ook al zoiets,' zei Romme.

'Uit eigenbelang neem ik aan?' merkte Drees droog op. Gerbrandy, Boon, Beel en zelfs jonkheer Tjarda konden de grap van de minister-president wel waarderen.

'Even serieus,' zei Beel, 'hoe ziet u dat precies?'

'We mogen het Bernhard niet kwalijk nemen dat hij het elders zoekt. Juliana komt sinds zij onder de invloed van Hofmans staat, hoe zal ik het zeggen…' aarzelde Boon.

'Ze komt niet meer tegemoet aan haar huwelijkse plichten?' zei Drees.

Boon knikte instemmend.

'Dat mag dan wel zo zijn, maar enige zelfbeheersing van de kant van de prins zou ik wel op prijs hebben gesteld,' zei Drees, 'ik vind de hele vertoning tamelijk schaamteloos. Ik wil ook dat de kwestie van de buitenechtelijke kinderen wordt uitgezocht en meegenomen in het eindrapport van de commissie, want het is natuurlijk een legitieme scheidingsgrond.'

'Die we helaas niet kunnen honoreren,' zei Beel.

'Nee, dat is natuurlijk uitgesloten!' antwoordde Drees.

'Wij kunnen ze niet dwingen om van elkaar te houden,' zei Beel.

'Het is de prijs die ze betalen voor het gearrangeerde huwelijk,' zei Drees, 'ik zie niet in hoe het huwelijk door het inschakelen van een expert weer op de rails kan worden gezet.'

'Het is een gemeenplaats, dat weet ik,' zei Tjarda, 'liefde laat zich niet dwingen, maar aan de andere kant mogen we niet vergeten dat veel gearrangeerde huwelijken wél bevredigend verlopen. Ik zie dat dagelijks.'

'Liefde heeft er weinig mee te maken,' zei Romme, die bijna de hele tijd had gezwegen. 'Als zij, zoals een goede getrouwde vrouw betaamt, had voldaan aan haar huwelijkse plichten, was er niets aan de hand geweest, dan was Bernhard haar trouw gebleven, waren er geen buitenechtelijke kinderen en had Juliana voor haar wanhoop en eenzaamheid geen steun gezocht bij die toverkol, en dan was zij politiek niet zo ontspoord.'

'Carl!' zei Drees verbaasd.

'Het zijn allemaal afwijkingen,' vervolgde Romme, 'geloof mij nou maar!'

'We leven niet meer in de negentiende eeuw,' zei Drees.

'Voor een gezonde verhouding tussen man en vrouw zou dat soms wel beter zijn, Willem,' mompelde de conservatieve Romme.

Iedereen zweeg. Romme was gevormd naar de idealen van de katholieke staat waarin de huwelijkse rechten en plichten van mannen en vrouwen vastlagen. De man zwaaide de scepter als kostwinner, de vrouw diende haar man in elk opzicht en ontving als zorgende moeder liefde, genegenheid en respect. Carl keek de anderen aan.

'We hebben hier te maken met een eenzame vrouw, die op de troon zit. Ze zoekt troost bij een godsdienstwaanzinnige volksvrouw en die zal aan deze toestand geen einde maken, dat kan ik jullie wel verzekeren. Hofmans vindt het prachtig, ze geniet van elk moment en houdt ervan om weerloze mensen een rad voor ogen te draaien! Ik vind het overigens een tekortkoming van de kerk dat zo'n vrouw dagelijks volle zalen kan trekken met haar ketterse kwakzalverij!'

'Misschien heb je gelijk, Carl, maar toch zou ik enige reserve, misschien zelfs wel onthouding, van de prins hebben verwacht,' bleef de reactie van de calvinistisch ingestelde Drees.

'Dat kun je wel vinden, Willem, maar hij is een gezonde vent, die net als ieder ander recht heeft op geluk in de liefde. Vergeet niet dat dit zich al jaren voortsleept. Bernhard is tenslotte geen monnik!'

'U vindt het te laat voor consultatie door een specialist met expertise in de seksuologie?' vroeg secretaris-generaal Boon.

'Ja,' bromde Carl Romme.

'Waar denk jij dan aan?' vroeg Beel.

'Jullie weten dat ik al mijn hele leven bevriend ben met Eduard Hoelen,' zei Carl.

'De bekende zenuwarts?' vroeg Beel.

Carl Romme knikte. 'Ik heb Ed gesproken en ik vind dat de commissie hem moet consulteren. Hij is niet alleen een goede vriend, maar heeft internationaal een zeer goede reputatie als psychiater en neurochirurg.'

De anderen waren wel gewend aan Rommes drastische politieke beleid en oplossingen, maar hadden nog niet eerder de mogelijkheid onder ogen gezien dat er sprake kon zijn van een voortschrijdend ziekteproces bij de vorstin.

'Wat zijn dokter Hoelens bevindingen?' vroeg Beel.

'Ik ben maar een eenvoudig jurist en politicus, Louis,' zei Romme lachend, 'dat moet je hem zelf vragen.'

'Is dokter Hoelen bereikbaar?'

Romme knikte.

'Hij is in zijn kliniek.'

'Heb je hier met anderen over gesproken, Carl?' vroeg Drees nieuwsgierig.

'Nee,' zei Romme, 'maar ik zal het wel met Bernhard bespreken, als jullie dat goedvinden.'

Iedereen zweeg.

De volgende dag sprak de commissie op paleis Huis ten Bosch met de voormalige verzetsstrijdster en directeur van het Kabinet der Koningin, Marie Anne Tellegen, die tegenover de commissie op geen enkele wijze in detail trad over de staat van het koninklijke huwelijk. Zij vond het beneden alle peil dat drie heren in opdracht van het kabinet zo'n onderzoek deden achter de rug van de betrokkenen om. Het was de taak van de commissie om de bron van de lasterlijke perspublicaties op te sporen in plaats van zich een oordeel aan te matigen over zaken uit de persoonlijke levenssfeer van de vorstin. Juffrouw Tellegen wees Beel in ondubbelzinnige woorden terecht toen hij verwees naar de verzaking van de huwelijkse plichten door de vorstin als oorzaak van de duurzame ontwrichting van haar huwelijk. Marie Anne vond Beels opmerkingen ongehoord, schandalig en banaal. Beel bood zijn excuses aan, maar Marie Anne aanvaardde deze niet.

's Avonds tikte Beel zijn handgeschreven verslag van het gesprek met Marie Anne Tellegen uit op zijn Remington-typemachine, die op het bureau in zijn studeerkamer stond. Beel deed normaal gesproken nooit secretarieel werk, hij had er geen handigheid in, maar onder deze omstandigheden vond hij het beter om alles zelf ter hand te nemen, ondanks het late uur. Zo wist hij honderd procent zeker dat er geen extra velletje en carbonnetje werd toegevoegd tijdens het uittypen van zijn handgeschreven verslagen. Beel stond net op toen hij een motor op de oprit hoorde ronken. Hij deed het gordijn opzij en zag een Aston Martin de oprit oprijden. Bernhard stapte uit in een vliegeniersjack. Beel zwaaide naar hem. Even later was Bernhard boven en hij ging in de fauteuil naast Beels mahoniehouten bureau zitten.

'Ik kom even bijpraten, want ik vlieg morgenvroeg naar Washington.'

'Uw onderhoud met de commissie staat voor volgende week op de agenda,' zei Beel.

'Ja, ja, dat weet ik, dan ben ik er weer,' zei Bernhard, 'ik wil alleen even weten hoe het werk vordert.'

'Het is beter als we niet in detail treden over de hoorzittingen,' antwoordde Beel beleefd.

'Louis, je hoeft voor mij niets te verbergen!' zei Bernhard joviaal. De aristocratische Bernhard had van nature een innemendheid en hartelijkheid die de Brabantse katholieke ambtenaar niet op gelijke voet kon beantwoorden.

'Blieft u een consumptie?' vroeg Beel stijfjes.

'Nee, dank je,' zei Bernhard, 'ik zal je niet storen bij je werk. Ik maak mij alleen zorgen over de gezondheid van mijn vrouw.'

'Is ze ziek?' vroeg Beel.

'Nee, niet lichamelijk, maar ze ontspoort geestelijk,' zei Bernhard, 'het wordt met de dag erger.'

'Wat wordt met de dag erger?'

'Ze doolt 's nachts met Hofmans met brandende kaarsen door de gangen van het paleis. Ze roepen God aan, spreken bezweringen uit, krijsen en gillen. Het is je reinste zinsbegoocheling, waanzin! Haar Russische Romanov-bloed speelt op. Ze blaft overdags lakeien af, smijt met borden en wordt bij het minste of geringste driftig.'

'Ja, dat heb ik ook eens aan den lijve mogen ondervinden,' antwoordde Beel.

'Op advies van Carl Romme heb ik de zenuwarts Hoelen benaderd,' zei Bernhard, 'die wil jouw commissie wel ontvangen.'

'Is dat niet een tikkeltje prematuur?'

'Dat vind ik niet,' zei Bernhard, 'of wil je wachten tot de boel helemaal uit de klauwen loopt?'

Beel schudde het hoofd.

'Bel Eduard voor een afspraak,' zei Bernhard, 'dan hoor ik volgende week wel wat daar uitkomt.'

Beel knikte gehoorzaam.

De drie commissieleden, Beel, Tjarda en Gerbrandy, stapten in de regeringsauto die voor paleis Huis ten Bosch geparkeerd stond. Carl Romme zat al achter in de auto. Hij zou het bezoek aan zijn vriend Eduard Hoelen begeleiden. De chauffeur reed naar de uitgang. Voor het hek stonden journalisten te wachten. Een verslaggever was zo brutaal om op het autoruitje te kloppen.

'Professor Beel,' riep de verslaggever. Beel zwaaide met zijn hand dat het persvolk moest verdwijnen, maar zij gaven geen gehoor aan zijn verzoek. De verslaggever drong zich op en bleef op de autoruit bonzen. Beel draaide geërgerd het raampje omlaag.

'Scheer je toch weg, brutale vlerk!' snauwde Beel de journalist toe, die evenals de andere verslaggevers opzij stapte. De chauffeur gaf gas. De auto reed snel de weg op. De pers had het nakijken. De commissie ging op bezoek bij de Wassenaarse zenuwarts prof. dr. E. Hoelen om advies in te winnen.

Carl Romme was al tientallen jaren bevriend met de katholieke neuroloog-psychiater te Den Haag die tevens geneesheer-directeur was van de psychiatrische kliniek St. Jacobus-Stichting en van de neurochirurgische kliniek St. Ursula te Wassenaar. Hij behoorde tot dezelfde vriendenkring als de KVP'er Kortenhorst, die in 1948 voorzitter van de Tweede Kamer was geworden. Romme en Kortenhorst hadden voor de oorlog in de advocatuur samengewerkt. Ze hadden met instemming gekeken naar de Duitse wederopbouw in de jaren dertig onder leiding van de nationaal-socialisten. Veel katholieken hadden in die tijd bewondering en sympathie voor de dynamiek en levenslust van de Duitse nationaal-socialisten. Het antisemitisme namen ze op de koop toe, want dat bestond over de hele wereld. In Amerika stonden voor de oorlog bij veel cafés, bibliotheken en andere openbare gelegenheden borden met de tekst: 'NO JEWS, NO NEGROES, NO DOGS.' Dat soort duidelijkheid in signalering van ongewenste elementen bleef in Nederland in die jaren achterwege, maar veel mensen, onder wie vooraanstaande figuren zoals Romme, Kortenhorst en Hoelen, hadden eigenlijk niet zoveel sympathie voor joden. Dokter Hoelen was niet overtuigd antisemitisch, want als hij eenmaal een rijke joodse patiënt onder zijn hoede kreeg en deze behandelde, dan ging hij voor hem door het vuur. Hij had tijdens de oorlog meerdere malen onderdak geboden aan joodse vluchtelingen, net zoals hij na de oorlog onderdak bood aan vervolgde NSB'ers. De patiënt stond altijd voorop, ongeacht de achtergrond of geschiedenis, en het feit dat hij alleen zeer welgestelde patiënten behandelde, kwam doordat de St. Ursula een particuliere kliniek was en geen psychiatrisch ziekenhuis voor arme verwarde en gestoorde mensen.

Kortenhorst trad in 1947 op als advocaat voor de van oorlogsmisdaden verdachte Pieter Menten. Hij besprak de zaak met zijn vriend en collega Carl Romme. Kortenhorst bepleitte in 1947 op basis van het Besluit Politieke Delinquenten 1945 dat iemand die zich in bewaring bevond, in vrijheid zou worden gesteld indien voortzetting van de bewaring een bedreiging zou vormen voor diens geestelijke en lichamelijke toestand. Eduard Hoelen onderzocht patiënt Menten, constateerde een psychische aandoening en schreef een psychiatrisch rapport over Mentens geestelijke toestand. Kunstkenner en antiekhandelaar Pieter Menten werd ervan verdacht dat hij tijdens de oorlog bij de Gestapo en Sicherheitspolizei in Polen had gewerkt en zich had verrijkt door het leegroven van joodse huizen. Hij ontkende tegenover dokter Hoelen alle beschuldigingen en wist hem ervan te overtuigen dat hij ten onrechte moest hangen. Advocaat Kortenhorst en dokter Hoelen hielpen Pieter Menten met zijn opname in de kliniek, waar hij als psychiatrische patiënt werd verpleegd en zich ter beschikking moest houden van justitie. Hoelen gaf justitie de garantie dat hij Menten in zijn inrichting vasthield als ware hij een gedetineerde. Hij schreef zijn patiënt slaapkuren voor, diagnosticeerde Menten als zenuwziek ten gevolge van alle beschuldigingen en verdachtmakingen en weet de achteruitgang van de psychische toestand van zijn patiënt aan de harde verhoren van justitie, die in zijn kliniek plaatsvonden. Hoelen was een vooraanstaand psychiater en neurochirurg, die heilig geloofde in de biologische oorsprong van psychisch lijden en ziekten. De neurochirurgie boekte in die jaren grote vooruitgang met de behandeling van manisch-depressieven en andere geesteszieken door elektroshocktherapie en partiële lobotomie. In Amerika en Engeland reisden zelfs neurochirurgen rond die bekwaam waren geraakt in het uitvoeren van deze hersenoperaties.

Romme, Beel, Tjarda en Gerbrandy werden bij de receptie van de St. Ursula-kliniek door afdelingsarts Paanakker opgewacht. Hij begeleidde ze naar de kamer van de geneesheer-directeur en daar kwam Beel meteen ter zake.

'U bent op de hoogte van de delicate situatie?'

Dokter Hoelen was een streng ogende arts.

'Ik heb enkele gesprekken met Carl en de prins gevoerd,' zei Hoelen. Beel, Gerbrandy en Tjarda keken Romme aan.

'Dat had je ons weleens mogen vertellen,' zei Tjarda.

'Spijt mij, dat ben ik vergeten,' bromde Romme.

'Wat is uw indruk, dokter?' vroeg Beel.

'De waandenkbeelden – zinsbegoocheling met een groot woord – en de driftaanvallen kunnen wijzen op een psychiatrische aandoening, maar zoiets kan ik pas vaststellen na een uitgebreid medisch onderzoek.'

'U krijgt niet de indruk dat er sprake is van een zenuwziekte bij onze vorstin?' vroeg Beel.

'Er is wellicht sprake van enige pathologie, maar de ernst en omvang kan ik niet vaststellen zonder dat ik haar heb gezien en onderzocht, dat spreekt voor zich.'

'En zeker niet als de persoon in kwestie zichzelf niet als ziek ervaart,' vulde Romme aan.

'Dat komt helaas vaker voor,' merkte Hoelen op.

'De vorstin zal niet vrijwillig instemmen met een medisch onderzoek,' zei Beel, 'integendeel, zou ik haast zeggen.'

'Als zo'n gedragsstoornis samengaat met een paranoïde inslag kan het moeilijk zijn om toestemming te krijgen, maar de patiënt ziet het vaak als een verlichting dat het lijden wordt erkend.'

Iedereen zweeg.

'Wat moeten we ons bij zo'n behandeling voorstellen?' vroeg Beel.

'In de kliniek behandelen we dagelijks met goed resultaat ernstig depressieve en psychotische patiënten met gesprekstherapie, medicinale behandelingen, elektroshocks en partiële lobotomie om het psychisch lijden te verminderen en genezing tot stand te brengen.'

'Welke risico's brengt zo'n behandeling met zich mee?' vroeg Tjarda.

'De eerste tijd na de behandeling treedt er een lichte vorm van geheugenverlies op, maar die verdwijnt na enkele dagen, dan komt de persoonlijkheid van de patiënt tot rust, en dat is uiteraard het doel van de behandeling.'

Beel maakte aantekeningen in zijn agenda.

'Tast zo'n psychische aandoening het beoordelingsvermogen van de persoon in kwestie aan?' vroeg Gerbrandy.

'Kunt u iets specifieker zijn?'

'Stel dat iemand gelooft dat hij in direct contact staat met God of een of andere geest. Is zo'n zinsbegoocheling dan een teken van ziekte?'

'Ja, dat is een symptoom van de pathologie,' zei Hoelen, 'maar ik moet u op hart drukken dat ik pas een diagnose kan stellen na een onderzoek, dan kan ik bij een eventuele aandoening een behandelingsplan opstellen in overleg met de patiënte.'

Iedereen knikte instemmend.

'Ik dank u dat u bereid bent geweest om ons te ontvangen en te woord te staan,' zei Beel.

'Ik wens u sterkte met uw moeilijke taak,' zei Hoelen, 'zoals u al hebt begrepen, houdt Carl mij op de hoogte.'

Beel, Gerbrandy en Tjarda knikten en schudden dokter Hoelen hartelijk de hand bij het afscheid.

Incognito

*J*uliana, Greet en Marie Anne waren per trein naar Zwitserland afgereisd om een paar dagen in de bergen te wandelen. Juliana had haar lievelingsteckel meegenomen. De kleine hond rende keffend over de alpenwei om de drie vrouwen heen. Ze waren 's ochtends vanuit Zermatt met het treintje omhoog de bergen ingegaan en vanaf het laatste stationnetje omhooggeklommen. Marie Anne had een rugzak met brood, kaas en melk bij zich, zodat ze de lunch in de buitenlucht konden gebruiken. Juliana liep voorop en achteraan sjokte Greet, die ouder was en niet zo'n goede conditie had. Haar leren bergschoenen knelden om haar voeten. Elke dag kreeg ze er blaren bij, die ondanks de vele behandelingen met zalf en pleisters steeds meer pijn begonnen te doen tijdens het lopen.

'Wil je wat rusten, Gré?' vroeg Juliana.

'Het kan nog wel effetjes,' zei Greet vermoeid.

Boven de tweeduizend meter lag er eeuwige sneeuw in de bergen van het Zwitserse Wallis. De hemel was helder en tot in de verte strak blauw en de vrouwen droegen zonnebrillen tegen het felle licht. Juliana wachtte op de andere twee en keek ademloos naar het schitterende uitzicht over de bergketens en diepgelegen dalen.

'Dit is heel wat dramatischer dan ons polderlandje,' zei Juliana.

'Ja, en die bergen worden ook nooit overstroomd door de zee,' zei Marie Anne lachend. Zij liep met Juliana voorop. Ze stopten bij een bergbeek die boven het wandelpad liep. Het schone water van de beek klaterde door de rotsbedding bergafwaarts. Juliana ging op haar hurken zitten, vulde het kommetje van haar hand met water en wilde een slok nemen, maar het water spoelde tussen haar vingers weg. Lachend probeerde ze het opnieuw. Marie Anne deed haar leren rugzak af en pakte er een tinnen beker uit, die ze vulde in de stroom. Ze nam een slok bergwater.

'Kouder dan uit de kraan in het chalet,' zei Marie Anne. Juliana pakte de beker aan, vulde hem weer en nam ook een slok. Juliana keek toe hoe Greet stapje voor stapje naar boven kwam.

'Gaat het nog?' vroeg Juliana. Ze pakte de hand van Greet en trok haar omhoog, zodat ze op een grote kei naast de bergbeek kon uitpuffen.

'God heeft de natuur schitterend geschapen, maar het is wel gruwelijk inspannend om er doorheen te wandelen,' zei Greet lachend. Ze wiste het zweet met een zakdoek van haar voorhoofd.

'Moet je nou overal God bij halen?' vroeg Marie Anne, 'soms word ik daar helemaal stapel van.'

'Dit is toch Zijn schepping,' zei Greet ontwapenend.

'O, dat bedoel ik nou precies.'

'Dames, dames,' zei Juliana, 'we hebben twee uur aan één stuk door geklommen, ga alsjeblieft niet kibbelen, dat verpest mijn uitzicht.'

Juliana zette haar teckel in het ondiepe gedeelte van de klaterende bergbeek en keek toe terwijl haar hond gulzig het koude water opslurpte.

'We kunnen hier wel even iets eten,' zei Juliana. Marie Anne knikte en ging in het gras zitten. Ze pakte de lunch uit haar rugzak, knipte een zakmes open en sneed een dikke plak kaas in drie stukken.

'Word je er zelf nooit horendol van, altijd dat gepraat over God, alsof Hij er wat aan kan doen?' zei Marie Anne. Juliana lachte, alsof Marie Anne een grap maakte, maar Marie Anne probeerde Greet uit haar tent lokken. Het begon haar te storen dat Greet te pas en te onpas met Gods bedoelingen op de proppen kwam. Marie Anne vond Greets invloed op Juliana te groot worden. Greet was niet alleen Juliana's boezemvriendin, maar ook bijna een plaatsvervangende moeder. Marie Anne herinnerde zich dat Bernhard een keer had gezegd dat hij thuis vijf dochters had.

'Ik kan er weinig aan doen dat God mij geroepen heeft,' zei de inmiddels op adem gekomen Greet.

'Nee, daar kun je misschien niets aan doen,' zei Marie Anne, 'je zou er alleen wat zuiniger mee om kunnen springen.'

Juliana glimlachte onzeker.

'Verklaar je nader,' zei Greet.

'Naarmate ik ouder word, twijfel ik steeds meer aan het bestaan van God, want alles wat in de geschiedenis in Zijn naam is gebeurd, is niet iets om trots op te zijn.'

'Je vindt dat ik dat doe?' vroeg Greet.

'Dat zeg ik niet.'

'Maar dat bedoel je wel?'

Marie Anne nam een hap van haar boterham. Juliana keek zwijgend over de bergketens uit.

'Je geeft geen antwoord, Marie Anne,' zei Greet.

'Ik denk erover na,' zei deze. 'Het moeilijke van zulke religieuze zaken vind ik dat iets zogenaamd Gods wil is, maar die wordt niet rechtstreeks door God geopenbaard, het zijn altijd weer mensen die Zijn bedoelingen duidelijk maken aan andere mensen.'

'Je gelooft dus niet meer in God?' vroeg Greet.

'Steeds minder,' zei Marie Anne.

'En jij?' vroeg Greet.

'Ik trek mijn eigen plan,' zei Juliana. Ze knoopte haar veters los, schopte haar bergschoenen uit en stak haar voeten in het koude bergwater.

'Ik zal het anders zeggen,' zei Marie Anne, 'ik weet dat mensen geloven, dat geeft ze steun, maar als ik er rationeel en analytisch over nadenk, dan kom ik tot de conclusie dat religie geen enkele basis heeft in de realiteit.'

'Dat vind ik wel erg kortzichtig,' riep Juliana vanaf de rand van de beek, 'het gaat om het onvoorwaardelijke geloven.'

'Nee, het is niet kortzichtig,' zei Marie Anne, 'het geeft mensen veel troost om in een god te geloven. Het bestaan is een stuk kaler en eenzamer zonder God.'

'Ik weet niet wat er vandaag met je aan de hand is, Marie Anne,' zei Greet op gepikeerde toon, 'maar je kraamt onzin uit. Ik heb dagelijks contact met God, Hij leidt mij. Hij steunt mij tijdens mijn werk met andere mensen, die hulp zoeken en vinden bij God. Kijk eens om je heen naar al die wonderen in de natuur, die behoren tot Gods schepping, net als wij.'

Marie Anne zweeg wijselijk. Juliana droogde haar voeten af met een handdoekje dat zij uit Marie Annes rugzak pakte.

'Jij pleit voor een atheïstische visie?' vroeg Juliana.

'Ja, misschien wel,' zei Marie Anne, 'dat maakt de dingen helder, geeft mensen een eigen verantwoordelijkheid en voorkomt dat mensen misdaden begaan in de naam van God.'

'Als God niet bestaat, wat ik met heel mijn hart bestrijd, dan zijn mensen die zeggen Gods bedoelingen te kennen eenvoudigweg oplichters, die andere mensen voorliegen,' zei Greet beledigd.

Marie Anne knikte.

'En dat slaat op mij?'

'Wie de schoen past, trekke hem aan.'

Greet schudde haar hoofd, terwijl ze Marie Anne en Juliana licht verwijtend aankeek. Ze stond op en liep terug naar het bergpad.

'Waar ga je heen?' vroeg Juliana.

'Ik ben moe, ik zie jullie bij het chalet.'

Juliana wilde opstaan, maar Marie Anne hield haar tegen.

'Je hebt Greet op haar ziel getrapt,' zei Juliana. Ze twijfelde of ze Greet achterna zou lopen of bij Marie Anne zou blijven.

'Soms denk ik dat het beter zou zijn als we haar nooit hadden

leren kennen,' zei Marie Anne, 'dan was alles niet zo uit de hand gelopen.'

'Wat zeg je nou? Dat is Greets schuld niet.'

Marie Anne zweeg.

'Ik ben het in ieder geval niet met je eens,' zei Juliana, 'kom we
gaan nog een stukje naar boven, dan zijn we bij de top.'

Marie Anne pakte de spullen in haar rugzak. Juliana klom verder zonder om te kijken.

~

Koninklijk verhoor

Bernhard ontving op zijn werkkamer de heren Beel, Tjarda en Gerbrandy. Ze werden binnengelaten door zijn secretaris, terwijl Bernhard zat te telefoneren met een Amerikaanse kennis.

'Yeah, right,' zei hij.

Bernhard droeg weer een van zijn elegante kostuums met de onafscheidelijke witte anjer op zijn revers. De drie commissieleden zagen er saai en grijs uit naast de flamboyante prins. Beel keek naar alle foto's en trofeeën die Bernhard op zijn talloze reizen had verzameld. Deze beëindigde zijn telefoongesprek en voegde zich bij de drie heren.

'Goede reis gehad, hoogheid?' vroeg Beel.

'Ja, uitstekend.'

De voormalige premier Gerbrandy wist dat Bernhard Nederlandse staatszaken in den vreemde behartigde en dat hij zich volledig inzette voor het landsbelang.

'We komen even met u praten,' zei Beel.

'Over het damestheekransje,' reageerde Bernhard lachend. 'Als ik op reis ben, kan ik die toestand gelukkig een beetje vergeten, want een mens wordt er nogal somber van als hij de hele tijd met zijn neus daarbovenop wordt gedrukt.'

'Dat geloven wij graag,' zei Tjarda.

'Ik zal jullie eerlijk zeggen dat ik mijn huwelijk al jaren niet meer au serieux neem,' zei Bernhard.

'Wat ziet u als oorzaak?' vroeg de oudere Gerbrandy. Bernhard dacht een moment na en stopte nieuwe tabak in zijn pijp. Tjarda bood de prins een aansteker aan, maar Bernhard wimpelde dat beleefd af.

'Een pijp steek je aan met een lucifer,' zei Bernhard. Hij hield de Zweedse lucifer boven de kop van zijn pijp, inhaleerde en blies de tabaksrook omhoog. 'Moet je eens ruiken, nieuwe oogst. Rechtstreeks uit Virginia.'

De heren knikten instemmend.

'Oké, kan ik vrijuit spreken?' vroeg de prins.

'Graag,' zei Beel.

'Goed, ik vind de huidige geestesgesteldheid van mijn vrouw zeer zorgelijk,' zei Bernhard.

'Dat is de reden van het ontsporen van uw huwelijk?' vroeg Beel.

'Ja, uiteindelijk wel. Je moet goed begrijpen hoe ze is grootgebracht. Ze is opgevoed door hofdames die in het gelid sprongen als de kleine Jula de kamer binnenkwam. Wilhelmina was afstandelijk en overheersend, die zei alleen wat ze moest doen. Toen ik mijn vrouw leerde kennen was ze onzeker, ze had weinig zelfvertrouwen. Juliana wilde eigenlijk nog niet trouwen en kinderen krijgen. Op haar vijfentwintigste was ze zelf nog een kind, maar moeders wil was wet. De opvolging moest veilig worden gesteld, dat begrijpt u! In Amerika hebben ze dat probleem gelukkig niet,' merkte Bernhard lachend op, 'daarom pleit ik bij dezen voor een Nederlandse republiek!'

De commissieleden lachten mee. Beel hield zijn notitieblok op zijn knie en maakte braaf aantekeningen.

'We mogen niet vergeten dat dit voor geen enkel kind een normale situatie is,' zei Gerbrandy empathisch.

'Om na je twintigste kinderen te krijgen?' vroeg Bernhard. 'In Afrika krijgen de meisjes op hun twaalfde, dertiende jaar al baby's. Daar ligt het niet aan, hoor.'

'Om koningin te worden,' zei Gerbrandy.

'O, dat ja, dat heeft haar als persoon geen goed gedaan, moet ik er eerlijk bij zeggen. Ik heb haar proberen te steunen, maar ik was vaak op reis. Niet voor mijn plezier, maar voor de krijgsmacht en het Nederlandse bedrijfsleven. Jullie zouden mijn agenda eens moeten zien, dan word je al moe van het lezen,' zei Bernhard geamuseerd.

Beel knikte beleefd.

'Toen ze eenmaal onder haar moeders vleugels vandaan was, werd Jula een eigenwijs koppig meisje, ze deed alleen nog maar wat ze zelf wilde. Ze was het vaak niet eens met het kabinet, maar dat kwam ook weer voort uit haar onzekerheid.'

'De hele geschiedenis rond Willy Lages is daar een voorbeeld van,' zei Gerbandy.

Bernhard knikte. 'Achteraf gezien kun je stellen dat ze labiel is geworden na de geboorte van Marijke. Ze voelde zich persoonlijk verantwoordelijk voor Marijkes gebrek. Het gaat nu gelukkig goed, maar in die tijd zag het er niet best uit.'

'Was dat de aanleiding voor haar labiliteit?'

'Tja, ik had haar nog zo gewaarschuwd om niet hoogzwanger naar die Indische repatrianten te gaan, maar ze moest en ze zou, heel eigenwijs. Ze liep daar rode hond op, en dat was volgens professor Weve de oorzaak van Marijkes oogziekte. De dokters konden na de operatie niets doen. Een vriend van mij, generaal Koot, tipte mij over een gebedsgenezeres. Ik dacht: baat het niet, schaadt het niet, maar dat bleek later het begin van alle ellende te zijn.'

'Juffrouw Hofmans?' vroeg Beel.

'Ja, dat mens maakte mijn vrouw gek, die zei haar dat het allemaal goed zou komen, dat Marijke door Gods liefde weer zou gaan zien, dat God ervoor zorgde dat Jula de beste koningin van de wereld zou worden, dat al haar beslissingen goed waren en als mijn vrouw het niet meer wist, en dat gebeurt nog weleens, dan belt Hofmans met de Allerhoogste en krijgt ze 's avonds of de ochtend erop antwoord,' zei Bernhard. 'Als ik het zo vertel, klinkt het haast komisch.'

De drie heren knikten.

'Hofmans beantwoordde ook haar vragen over politiek en andere staatszaken?' vroeg Tjarda.

'Ja, het kwam erop neer dat Greet met haar telefoonlijntje naar de Allerhoogste mijn vrouw het zelfvertrouwen gaf dat zij miste. Tragisch eigenlijk als je erover nadenkt, dat een mens op die manier de weg kwijtraakt.'

Beel sloeg het papier van zijn notitieblok om. Hij begon op een nieuw vel te schrijven. Er viel een stilte. De klok tikte. Bernhard ging verzitten en peuterde aan zijn Italiaanse leren schoenen.

'Het zijn waanzinnige jaren geweest hier in huis,' zei Bernhard treurig.

'Het vertrouwen tussen u en uw vrouw is sinds de komst van juffrouw Hofmans aan het hof verstoord geraakt?' vroeg Tjarda.

'Ja, helaas wel.'

'We betreuren de wens tot scheiding van uw vrouw,' zei Gerbrandy.

'Ik kan mij daar zó boos over maken,' zei Bernhard.

'Hebt u ooit enige aanleiding gegeven?' vroeg Gerbrandy.

Bernhard keek hem aan en wist waar hij op doelde, maar hij wilde er niet op ingaan. Hij vond dat een persoonlijke aangelegenheid. 'Ik weet waar je naartoe wilt,' zei Bernhard. Hij stond op, liep naar zijn bureau en trok een la open. Hij haalde er een zilveren pijpenstoker uit en ging weer zitten. 'Het zijn roddels en leugens van Hofmans dat ik in Afrika onder de inlanders tien kinderen heb rondlopen, en dat ik aan elke vinger tien vrouwen heb in de Verenigde Staten. Ik zal jullie eerlijk zeggen dat ik dat mens wel iets kan doen.'

'Ik kan mij daar wel iets bij voorstellen,' zei Beel.

'Zij heeft er alles aan gedaan om een wig tussen mijn vrouw en mij te drijven. Ze heeft het voor elkaar gekregen dat mijn vrouw niet meer van mij houdt, maar het is nog erger, mijn vrouw ziet mij als een duivelse kracht die met alle middelen moet worden bestreden.'

'Dat heeft ze u gezegd?' vroeg Beel.

'Dat hoeft ze niet te zeggen, want dat is overduidelijk haar doel, daarom moet Jula van mij scheiden. Het werd mij te gortig toen mijn vrouw mij van diefstal beschuldigde. Ik kreeg een waas voor mijn ogen en ben meteen de volgende dag naar de minister-president gestapt!'

'Daar was ik bij,' merkte Beel op.

Bernhard spreidde zijn armen, alsof hij machteloos stond. 'Ik zal jullie nog op een saillant detail attent maken,' zei hij, 'als mijn vrouw onder grote spanning staat, dan wordt ze dikker. Bij de meeste mensen is dat andersom, maar Juliana komt aan, ook als ze geen hap meer eet. Ik durf mijn hand er niet voor in het vuur te steken, maar ik denk dat ze op het moment wel negentig kilo weegt.'

De heren knikten instemmend, terwijl Beel de feiten noteerde.

'Ik ben ervan overtuigd dat mijn vrouw professionele hulp nodig heeft.'

De onderzoekscommissie was geïmponeerd door de oprechtheid en openheid van Zijne Koninklijke Hoogheid. Ze bedankten hem hartelijk voor het geschonken vertrouwen. Hij wenste ze bij het afscheid sterkte en hoopte op een verstandig eindoordeel dat niet al te lang meer op zich liet wachten, anders zou de situatie nog meer ontsporen. Beel beloofde spoed.

Alvorens de commissie in de beslotenheid van Huis ten Bosch met de koningin sprak, legden de heren een bezoek af aan juffrouw Hofmans in haar caravan achter het Baarnse huis van de familie Mijnssen. Greet wachtte de heren op, die buiten haar gehoor hun ergernis uitspraken over het gedrag van de koningin. Het feit dat zij de afgelopen jaren vaak deze aftandse houten caravan had bezocht tastte haar koninklijke gezag aan, en dat Juliana dat niet inzag, was voor de commissie eens temeer een signaal dat zij ze niet meer allemaal op een rijtje had. De leden van de commissie namen in de bescheiden caravan plaats tegenover een licht nerveuze juffrouw Hofmans. Greet bood de heren vriendelijk thee aan, maar ze bedankten.

'Ik doe geen gif in uw thee, als u dat soms mocht denken,' merkte Greet spottend op. Niemand gaf een krimp, de spanning liet geen relativering toe. De commissieleden hadden afgesproken dat ze het kort zouden houden. Ze bleven maar een paar minuten. De heren Beel, Tjarda en Gerbrandy hielden hun jassen aan.

'Hoe verloopt uw onderzoek naar de lasterlijke perscampagne?' vroeg Greet. Ze nam een slokje van haar thee.

'We zijn hier gekomen om u dringend te verzoeken alle banden met onze koningin met onmiddellijke ingang te verbreken,' zei Beel autoritair.

Greet keek de heren vluchtig aan. 'Volgens mij is dat geen verzoek, maar een gebod, meneer Beel.'

'Het is geen gebod, maar een verzoek namens ons allen, want strafrechtelijk kunnen we niets tegen u ondernemen.'

'Anders zou u dat doen?' vroeg Greet verbouwereerd.

'Ja,' zei Gerbrandy, 'als daarmee deze precaire situatie wordt opgelost, zouden wij niet schromen om zo'n drastische maatregel te nemen.'

'O,' zei Greet. Ze was geïntimideerd.

'De commissie doet een dringend beroep op u in naam van de Kroon, als dat u tenminste iets zegt!' zei Tjarda fel. Hij verborg zijn adellijke afkeer tegenover deze eenvoudige vrouw niet.

Greet keek de heren van de commissie verrast aan. 'Juliana is de Kroon en u vraagt mij namens haar af te zien van mijn omgang met haar,' merkte Greet op.

'U moet ons niet belachelijk maken,' zei Beel.

'Dat zou ik niet durven, ik probeer alleen uw verzoek te begrijpen. Ik weet niet veel van het staatsrecht.'

'Zoveel is ons al duidelijk, juffrouw,' zei Tjarda.

'Dan ga ik er gemakshalve maar van uit dat u als hooggeleerde heren het bij het rechte eind hebt.'

Beel, Tjarda en Gerbrandy knikten.

'En juffrouw Hofmans, geeft u gehoor aan ons verzoek?' vroeg Tjarda ongeduldig.

'Of ik mijn vriendschap met Juliana verbreek?' vroeg Greet.

'Ja, wat is daarop uw antwoord?' vroeg Beel.

'Het spijt mij, maar dat kan en wil ik niet beloven.'

Greet was nog niet uitgesproken of de heren stonden al op.

'We weten genoeg,' zei Beel beslist.

De mannen liepen gehaast de caravan uit. Greet zag ze zonder te groeten of om te kijken naar een zwarte auto lopen die voor het huis stond geparkeerd. Een chauffeur opende het portier, ze stapten in en verdwenen.

Daags erna zat een gedistingeerd uitziende koningin Juliana met een stola van vossenbont en hoed tegenover de commissie in de barokke zaal van haar paleis. Ze wachtte af en zag de heren ondertussen op fluistertoon met elkaar confereren.

'Kan het onderhoud beginnen, heren?' vroeg Juliana.

'Jawel, majesteit,' zei Beel.

'Begint u dan,' zei Juliana.

Beel schraapte zijn keel, nam een slok water, zette zijn vingertoppen tegen elkaar en richtte zich tot de vorstin.

'De commissie heeft veel mensen gehoord. Ik wil de zaak in het kort samenvatten, als u daar geen bezwaar tegen hebt?'

'Als dat helderheid schept, graag,' zei Juliana.

'Goed, we hebben de afgelopen weken veel betrokkenen en ooggetuigen gesproken,' zei Beel.

'Ik heb u meerdere malen verzocht mij een lijst van de getuigen te bezorgen, maar die heb ik tot op heden niet mogen ontvangen,' zei Juliana.

Beel keek bezorgd naar Tjarda en Gerbrandy. 'We hebben de crisis aan het hof onderzocht en willen u onze bevindingen voorleggen,' zei hij.

'Er is geen crisis aan mijn hof!'

'Met uw welnemen, maar de commissie is een andere mening

toegedaan,' zei Beel. 'We zien als aanleiding de oogziekte van uw dochter Marijke. U zocht hulp en uw man heeft u in contact gebracht met de gebedsgenezeres juffrouw Hofmans, die indertijd weinig kon doen voor uw zieke dochter. Deze vrouw heeft zich tijdens de daaropvolgende acht jaar een zekere positie aan het hof verworven en deze gedurende die periode alsmaar versterkt. Er is onzes inziens sprake van een verregaande invloed aan het hof van juffrouw Hofmans. De commissie houdt haar enerzijds medeverantwoordelijk voor de recente verwijdering tussen u en uw echtgenoot en anderzijds heeft de groep-Hofmans bijgedragen tot het ontstaan van een fanatiek religieus pacifisme dat een normale en gezonde samenwerking met het kabinet in de weg staat en dat naar onze mening debet is aan de ontstane kloof tussen u en uw ministers.'

Juliana zweeg lange tijd. 'Dat zijn dus uw bevindingen?' vroeg ze ten slotte.

Beel knikte.

'Was het niet uw taak om de bron van de lastercampagne op te sporen?' vroeg Juliana koel.

'Ja, we hebben een onderzoek ingesteld naar de omstandigheden die tot deze berichtgeving hebben geleid,' zei Gerbrandy.

'Dat vroeg ik niet,' was Juliana's reactie.

'Dan heb ik uw vraag verkeerd begrepen,' zei Gerbrandy.

'Hebt u wel bij hoofdredacteur Derk Jacobi van *Der Spiegel* geïnformeerd naar zijn bron?'

'We hebben veel mensen uit uw entourage gehoord, die allen getuige zijn geweest van de gebeurtenissen aan het hof,' zei Beel.

'U bent toch niet hardhorend?' vroeg Juliana.

'Nee, dat ben ik niet, majesteit,' zei Beel.

'Heeft de commissie in Hamburg geïnformeerd?' vroeg Juliana.

'Daar kregen we geen antwoord. De heer Jacobi wilde niet op ons verzoek ingaan,' antwoordde Beel. Hij verzweeg het feit dat niemand van zijn commissie naar Duitsland had gebeld of dat zelfs ook maar had geprobeerd.

'Dat is uiterst curieus,' vond Juliana, 'u hebt uw onderzoek niet goed gedaan.'

'De commissie is van mening dat juffrouw Hofmans u een rad voor de ogen draait,' gaf Tjarda nadrukkelijk te kennen.

'Als er iemand is die een hekel aan politiek heeft, dan is het Greet wel, en het moet mij van het hart dat haar gelijk hier en nu door u wordt bewezen,' merkte Juliana kalm op.

'Het moet voor u bijzonder onaangenaam zijn om de waarheid te vernemen,' zei Gerbrandy vaderlijk.

'De waarheid?'

De heren van de onderzoekscommissie knikten eensgezind.

'Leugens zijn het. U intidimeert Greet op een achterbakse manier door haar te dreigen met strafrechtelijke vervolging,' zei Juliana fel, 'wat heeft ze in godsnaam misdaan?'

Beel keek ongemakkelijk naar zijn collega's. Hij pakte een glas van het dienblad, schonk het vol met water en liep om de tafel heen om Juliana het glas geven, maar ze nam het niet aan.

'Het is beter als we allemaal rustig blijven,' meende Beel, die terugliep naar de tafel en weer ging zitten.

'Het is een affront!' riep Juliana uit.

'Dat wij tot klaarheid gaan brengen, majesteit!' zei Gerbrandy.

Juliana pakte haar sigaretten, ze stak er een op en blies de rook naar de commissietafel.

'We zullen de zaak ophelderen,' stelde Tjarda.

'Het feit dat u mij en Greet Hofmans zonder enige aanleiding affronteert laat zich niet ophelderen, dat ziet u hopelijk ook wel in,' zei Juliana.

'Het is niet de intentie van de commissie om u te kwetsen,' suste Beel, 'de commissie wil alleen helpen om deze zaak tot een oplossing te brengen.'

Juliana keek de drie heren aan.

'Ik zal u de hele zaak uit de doeken doen,' zei Juliana, 'de kern van deze crisis ligt in de grondwet, die de liberaal Thorbecke in 1848 heeft herschreven om de macht van mijn voorvaderen aan banden te leggen. Het absolutisme van de koning moest indertijd worden beëindigd.'

Beel keek naar Tjarda en Gerbrandy.

'De monarchie moest behouden blijven voor volk en vader-land,' zei Juliana, 'maar de macht van de koning moest worden beperkt. Thorbecke maakte de koning onschendbaar en de mi-nister-president verantwoordelijk voor al zijn daden en uitlatin-gen. Nu, meer dan honderd jaar later, is de heer Drees officieel ver-antwoordelijk voor al mijn daden en uitlatingen in het openbaar. U zult het met mij eens zijn dat dit een uiterst bizar compromis is.'

'We mogen aannemen dat uw familie indertijd akkoord is ge-gaan met de heer Thorbecke?' veronderstelde Gerbrandy.

'Ja, maar nu wil het geval,' zei Juliana, 'ik zou haast willen spre-ken van een historisch precedent, dat ik het al sinds jaren niet eens ben met het beleid van mijn ministers en de heer Drees. Hij en zijn collega's kunnen geen verantwoordelijkheid nemen voor mijn vi-sie, dus dienen ze hun ontslag aan mij aan te bieden, maar wat doen die heren, die gaan op achterbakse wijze samenspannen te-gen mij en Greet.'

Ze doofde haar sigaret in een asbak die op het bijzettafeltje naast haar stoel stond.

'U acht juffrouw Hofmans dus te goeder trouw?' vroeg Tjarda.

'Ja,' zei Juliana.

'Dat gelooft u onvoorwaardelijk?'

'Ja, Greet is de enige die ik volledig vertrouw.'

'En niet uw echtgenoot?' vroeg Gerbrandy.

'Nee, die wantrouw ik helaas ten zeerste.'

'Ziet u niet in dat dit een ernstige dwaling uwerzijds is?'

'Nee, integendeel.'

De commissie zweeg gegeneerd.

'Ik kan ook aftreden, maar dan wil ik het Nederlandse volk over de radio uitleggen wat de motieven zijn voor mijn aftreden en voor de scheiding.'

'Majesteit, dat willen we juist voorkomen!' zei Beel paniekerig.

'We zijn van mening dat uw visie op een negatieve wijze wordt beïnvloed door een groep pacifisten aan het hof onder leiding van juffrouw Hofmans, die tegenover ons heeft verklaard dat ze op de CPN stemt,' zei Gerbrandy bezorgd.

Juliana keek hem verrast aan. Ze barstte spontaan in een schaterlach uit. Beel, Tjarda en Gerbrandy keken verontrust, alsof dit eens temeer een bewijs was van haar geestelijke ontsporing.

'U ziet Greet als het rode gevaar?' vroeg Juliana terwijl ze haar lachen probeerde in te houden, 'volgens mij bent ú de weg kwijt en niet ik!'

Beel, Tjarda en Gerbrandy keken haar medelijdend aan.

'Het spijt ons ten zeerste dat u niet inziet dat de groep-Hofmans u als spreekbuis gebruikt,' zei Beel.

'De groep-Hofmans?!' herhaalde Juliana. Ze barstte opnieuw in een schaterlach uit, die door de barokke zaal galmde. Haar stola zakte van haar schouders toen ze opstond en naar de deur liep.

'Gegroet heren!' zei ze.

'Majesteit?' riep Beel haar na, maar ze keek niet op of om en verdween door de antieke deur.

Juliana ontbood die middag de demissionaire minister-president op het paleis. In bijzijn van Walraven wachtte ze Drees op in de bibliotheek. Deze kwam met zijn aktetas in de hand en met een bleek gezicht binnen, alsof hij een brand kwam blussen zonder dat hij wist waar de vlammen uitsloegen. Juliana keek hem verstoord aan.

'Meneer Drees, ik heb vanochtend met de commissie gesproken en ik ben daar erg van geschrokken.'

'Hoe dat zo, mevrouw?'

'Onder het mom van een onderzoek naar de dagelijkse laster in de pers proberen ze mijn beste vriendin door het slijk te halen.'

'Juffrouw Hofmans?' vroeg Drees.

'Die moet blijkbaar worden gekielhaald,' zei Juliana, 'weet u daar meer van?'

Drees dacht na en schudde ontkennend zijn hoofd.

'Ook is mij ter ore gekomen dat er een procedure wordt voorbereid om mij buiten staat van regeren te verklaren,' meldde Juliana.

'Zo'n plan bestaat bij mijn weten niet, maar ik moet bekennen dat ik die geruchten ook heb gehoord.'

'Van wie?'

'In de wandelgangen,' zei Drees rustig.

Juliana keek hem argwanend aan. 'Wie wil mij in godsnaam ten val brengen?'

'Dat zou ik u niet kunnen zeggen. Mijn prioriteit is de formatie van het nieuwe kabinet en dat is al gecompliceerd genoeg.'

'Ook daar word ik niet naar behoren over geïnformeerd.'

'Bij dezen, mevrouw.'

'Wel wat aan de late kant, meneer Drees. Ik heb u nooit eerder op inconstitutioneel gedrag mogen betrappen.'

'Ik vond het verstandiger om u te ontzien hangende het onderzoek van de commissie-Beel.'

'Mij te ontzien?' herhaalde Juliana ongelovig.

'Ja mevrouw.'

Walraven van Heeckeren sloeg zijn hand voor zijn mond om zijn ontzetting te verbergen. Hij draaide zich om naar het raam, zodat Drees zijn reactie niet kon zien, maar net iets te laat.

'De reactie van de baron stoort mij, mevrouw,' zei Drees.

'Wat stoort u?' vroeg Juliana.

'Zijn arrogantie!' zei Drees. 'Het lijkt mij beter als de baron ons alleen laat zodat we vertrouwelijk over de voortgang van de formatie kunnen praten.'

Baron Van Heeckeren verliet de bibliotheek.

'Zo beter, meneer Drees?' vroeg Juliana met geveinsde welwillendheid.

Drees zuchtte.

'U moet de commissie opdracht geven om het onderzoek te staken!'

Drees knikte, maar ging niet op haar verzoek in. 'We streven naar een meerderheidskabinet,' zei hij zakelijk.

'Dan wordt u voor de vierde keer premier!'

Drees knikte.

'Een zekere gewenning aan het pluche kan u niet worden ontzegd, of zie ik dat verkeerd?'

'Och, voor het zover is moeten er nog heel wat kwesties worden opgelost. De VVD weigert in te stemmen met het defensiebudget,' zei Drees.

'Dat verrast mij,' antwoordde Juliana.

'Ze vinden het te weinig, mevrouw!'

'Nu begrijp ik het weer, en hoe staat het met de mannetjes?'

'Zoals u al opmerkte, word ik waarschijnlijk voor de vierde maal minister-president, Romme wordt vice-premier en uiteraard minister van Buitenlandse Zaken.'

Juliana sloeg met haar hand op tafel.

'Ik benoem geen kabinet waar Romme deel van uitmaakt, knoopt u dat goed in uw oren! En die loopjongen van hem, die nare vlerk Luns, komt zeker ook op Buitenlandse Zaken?'

'Ja, dat was wel het plan.'

'Sluit mij dan maar meteen op en benoem Bernhard tot koning!' riep Juliana getergd uit. Ze stond op, pakte haar sigaretten uit haar handtas en stak er een op.

Drees voelde zich niet langer op zijn gemak. 'U ziet de zaken verkeerd,' zei hij kalm. Hij wilde tegen elke prijs een woede-uitbarsting harerzijds voorkomen; als het onderhoud onredelijk en emotioneel werd, zou hij het zo snel mogelijk afronden.

Juliana ging weer tegenover hem zitten in haar fauteuil. Ze haalde diep adem.

'Ik wens Romme in geen enkel kabinet!' zei ze beslist.

'Mevrouw, ik vraag u nogmaals om u te bezinnen.'

'Wat voeren jullie in godsnaam in jullie schild?'

Drees schudde moedeloos het hoofd en keek haar bijna smekend aan. 'Ziet u dan helemaal niet wat er aan de hand is?'

'Ja, er is een samenzwering tegen Greet en mij gaande, dat is wat er aan de hand is, maar denk niet dat wij ons onder de zoden laten schoffelen, meneer Drees.'

Hij zweeg, pakte zijn aktetas en haalde er zijn agenda uit.

'Het lijkt mij het beste als we een nieuwe afspraak maken.'

'Waarom in 's hemelsnaam?'

'U laat mij geen andere keuze dan nu te vertrekken.' Drees borg zijn agenda weer op en stond op.

'Blijf zitten!'

Hij gehoorzaamde niet. 'Ik wil u dringend adviseren om rust te nemen en eens met een bevoegd arts van gedachten te wisselen.'

'Uw permitteert zich nogal wat, meneer Drees. De brutaliteit!'

Drees stond al bij de deur met zijn aktetas, jas en hoed in de hand. 'We hopen allemaal dat u tot inkeer komt, dat is het beste voor alle betrokkenen,' zei hij minzaam. Hij groette haar en sloot de deur van de bibliotheek achter zich.

De dagen vlogen ondertussen voorbij op het paleis. De prinsessen volgden hun eigen programma en zagen hun moeder nauwelijks, ze verbleven in het weekend op Warmelo bij oma 'Tolle Lola' om Greet te ontlopen. Bernhard was eigenlijk nooit thuis en het werd stil in het centrum van de storm. Greet en Juliana zagen elkaar dagelijks. Ze spraken over van alles en wisselden boeken uit. Walraven en Marie Anne legden hun oor te luisteren in Den Haag om zoveel mogelijk op de hoogte te blijven. Walraven had van Beel vernomen dat zijn commissie over enkele weken haar rapport zou presenteren. Juliana had haar vertrouwen in Beels onderzoekscommissie zowel mondeling als schriftelijk opgezegd, maar ze had geen reactie ontvangen van Beel. Juliana besprak dagelijks met Marie Anne het verloop van de kabinetsformatie te Den Haag. Ze wisten dat de politici uiteindelijk niet om Juliana heen konden; zij moest elke politieke benoeming bekrachtigen met een Koninklijk Besluit.

Juliana had het plan opgevat om met een klein gezelschap af te reizen naar villa De Gelukkige Olifant in Italië, zodat Greet, Walraven, Marie Anne en zijzelf konden genieten van de warmte in Toscane. Marie Anne vond het beter om nu niet op vakantie te gaan, maar Juliana lachte haar zorgen weg alsof ze niets te vrezen hadden. Juliana en Greet hadden veel plezier in het opstellen van een mondelinge toelichting op de scheiding over de radio. Ze zou zich richten tot de vrouwen in Nederland, die vast wel mededogen en compassie zouden hebben met een bedrogen vrouw. Juliana wist echter dat het nooit zover zou komen. Het was al generaties lang traditie in de koninklijke familie om te dreigen met abdicatie als er sprake was van ongewenste ontwikkelingen. Mocht het echt ooit zover komen dan zou de ontreddering groot zijn. Ze wist dat haar aftreden niet waarschijnlijk was. Alles zou goed komen, daar vertrouwde Juliana uiteindelijk op.

In het Torentje te Den Haag liet Carl Romme zijn vriend Eduard Hoelen uit. Fotografen en verslaggevers stonden te wachten op de brug, maar Eduard weerde de foto's af door zijn hoed voor zijn gezicht te houden. Er werd in de landelijke pers gespeculeerd dat prof. dr. E. Hoelen zou worden gevraagd voor het ministerschap van Volksgezondheid. Eduard negeerde de vragen van de persmuskieten. Hij had net uitgebreid met Carl, Louis en Willem over andere vertrouwelijke zaken gesproken. Eduard stuurde Carl die avond een briefje waarin hij schreef dat die verslaggevers waarschijnlijk graag een ledemaat af zouden staan om te weten te komen waar ze werkelijk over hadden gesproken. Gelukkig hadden ze geen flauw idee. Hoelen wilde verder bezoek aan Den Haag vermijden omdat hij speculaties over zijn vermeende politieke carrière in *De Telegraaf, Het Parool* en *de Volkskrant* niet op prijs stelde. Hij was in hart en nieren een arts die begaan was met het lot van zijn patiënten, en dat zou zo blijven.

Carl Romme ijsbeerde na Eduards vertrek door de kamer in het Torentje. Ze hadden zojuist de Amerikaanse en Engelse kranten ontvangen, die dagelijks schreven over de Nederlandse hofcrisis. Willem Drees ondertekende in rap tempo allerlei documenten van het departement zonder ze zelfs maar in te kijken. Carl wees Louis op de koppen in de buitenlandse kranten, waaronder *Newsweek* en de *US News and World Report* van 21 juli 1956.

'Die Amerikanen weten er wel raad mee,' zei Romme, 'het House of American Activities maakt schoon schip met alle personen die verdacht worden van communistische activiteiten.'

'Die Amerikanen willen alles graag simpel en overzichtelijk houden,' zei Drees, 'je bent voor ze of tegen ze, vriend of vijand!'

'Ik vind ze juist briljant, zo is het tenminste duidelijk,' riep Carl opgetogen.

'In een Amerikaanse cowboyfilm die ik laatst zag droegen de goeden witte hoeden en de slechten zwarte hoeden.'

'Wel heel overzichtelijk, Willem,' zei Carl.

'Kan zijn, maar er is nog een kleur, en dat is grijs,' mompelde Drees terwijl hij zich door de stapel te ondertekenen documenten heen werkte. Beel rookte een sigaret en bladerde door de kranten en tijdschriften.

'Wanneer gaan we iets doen?' vroeg Carl.

'Eind augustus geeft Louis zijn persconferentie, daarna bezoekt Eduard onze vorstin op het paleis en dan wachten we de ontwikkelingen af,' zei Drees.

'Je stelt je te slap op, Willem,' zei Carl nadrukkelijk.

'Ik heb nog nooit dwingende adviezen van Juliana ontvangen.'

Carl schoot in de lach. 'Luister nou eens naar wat je zegt.'

'Ik ontken niet dat er een verschil van inzicht bestaat tussen ons en de vorstin, maar daar voorziet onze grondwet helaas niet in,' mompelde Drees, 'ja, aftreden, maar dan wil ze alles gaan uitleggen over de radio en dat kunnen we al helemaal niet gebruiken.'

Romme schudde ongeduldig zijn hoofd. 'Je moet de koe bij de horens vatten,' stelde hij.

'Daar zeg je me wat. Onze hooggewaardeerde prins laat zich niet bij de horens vatten, die doet alleen wat hem goeddunkt.'

'Je kunt veel op hem aanmerken, maar hij is eerlijk en heeft meer voor het Nederlandse bedrijfsleven gedaan dan wij met zijn allen bij elkaar,' zei Carl.

Drees knikte.

'Moet Lieftinck niet naar Juliana toe?' vroeg Carl.

Drees knikte.

Op het paleis liep kamerheer Van Maasdijk de tuinkamer in, waar Juliana *Der Zauberberg* van Thomas Mann zat te lezen in het gezelschap van Walraven en zijn moeder Adolphine van Heeckeren, die met Greet schaakte.

234

Greet verzette haar paard en zei triomfantelijk: 'Schaak!'

Walravens adellijke moeder glimlachte beleefd en bracht haar koning met haar volgende zet in veiligheid.

'De heer Drees belde met de mededeling dat de heer Lieftinck tot nieuwe formateur wordt benoemd,' zei Van Maasdijk.

'Die man werkt toch bij het Internationaal Monetair Fonds, of vergis ik mij?' vroeg Juliana.

'Ja, hij werkt bij het IMF, maar hij is hier met vakantie,' zei Van Maasdijk.

Walraven dacht na.

'Wat denk je, Walraven?' vroeg Juliana.

'Het zou mij niet verbazen als het een Amerikaanse bemoeienis is om de al maanden voortslepende formatie tot een goed einde te brengen.'

'Maar ik moet hem toch ontvangen?' vroeg Juliana.

'Zijn benoeming moet met een Koninklijk Besluit worden bekrachtigd,' antwoordde Walraven.

'Of sturen ze weer zo'n pro forma-akte?' vroeg Juliana, 'en wat moet die Lieftinck eigenlijk bereiken?'

'Volgens mijn bron op Algemene Zaken gaat hij proberen een extraparlementair coalitiekabinet te formeren,' zei Van Maasdijk.

'Los van de politieke fracties?' vroeg Juliana.

Van Maasdijk knikte.

'Dan jassen ze het verhoogde defensiebudget er als een hamerstuk doorheen,' merkte Walraven op, 'een heel slimme man, die Lieftinck. Heeft in 1949 de schatkist gespekt door de gezinsleden van omgekomen joodse families in de Duitse kampen formeel om het uur te laten overlijden, eerst vader, dan moeder, dan oudste kind en ga zo maar door; op die manier moesten ze steeds opnieuw successierechten betalen. De enkele nabestaande trok aan het kortste eind.'

Juliana schudde het hoofd. 'Kruideniers en middenstanders.'

~

De persconferentie

O p het ministerie van Algemene Zaken was een vijftigtal roezemoezende journalisten en fotografen bijeen. De heren Beel, Tjarda en Gerbrandy verschenen ten tonele. Beel ging in het midden van de tafel achter de microfoon zitten en stak gelijk van wal.

'Goedemorgen, mag ik uw aandacht?'

Het werd stil in de perszaal.

'Vandaag, 24 augustus 1956, lees ik als voorzitter van de commissie een officieel communiqué namens het koninklijk paar voor.' Beel schraapte zijn keel. 'Prof. dr. P.S. Gerbrandy, jonkheer mr. Tjarda van Starkenborgh Stachouwer en prof. dr. L.J.M. Beel hebben ons, na de taak te hebben volbracht die hun was opgedragen, rapport uitgebracht over hun bevindingen en ons van advies gediend. Wij zijn hen dankbaar. Het advies is voor ons van grote betekenis geweest voor het oplossen van de bestaande moeilijkheden. Wij zien de toekomst vol vertrouwen tegemoet.'

Beel zweeg en keek de zaal in in de wetenschap dat hij in feite niets had gezegd. Tientallen vingers gingen de lucht in, alsof Beel voor een klasje leerlingen stond die de meester vragen mochten stellen.

'U daar,' zei Beel.

'Welk advies, professor Beel?'

'Het is niet aan mij om commentaar te geven op deze koninklijke verklaring,' zei Beel, alsof hij moeite had met zijn eigen zwijgzaamheid.

'Wat bedoelen ze met bestaande moeilijkheden?'

'Blijft koningin Juliana aan?' vroeg een andere journalist.

'Natuurlijk blijft onze koningin aan,' zei Beel, 'hoewel het niet de opdracht van de commissie is om met de inhoud van het advies naar buiten te treden, wil ik toch een verklaring afgeven.'

Beel zweeg even, alsof het hem moeite kostte om de juiste toon te vinden alvorens hij zei: 'De koningin heeft haar relatie met juffrouw Hofmans verbroken.'

'Voor hoe lang?'

'Heeft ze dat zelf gedaan?'

'Geeft juffrouw Hofmans een persconferentie?'

'Heeft ze dat onder dwang gedaan?'

Beel, Tjarda en Gerbrandy luisterden naar het spervuur van vragen alvorens Beel zijn hand omhoogstak om de journalisten tot bedaren te brengen.

'De relatie tussen de koningin en juffrouw Hofmans is voor onbepaalde tijd verbroken,' zei Beel.

'Voor altijd?' vroeg een journalist van *de Volkskrant.*

Beel knikte.

'Er zullen ook enige mutaties in de hofhouding plaatsvinden en Hare Majesteit zal de bijeenkomsten op Het Oude Loo niet meer bezoeken. Prinses Beatrix gaat in Leiden studeren,' zei Beel, waarmee hij de goede verstaander indirect duidelijk maakte dat van een voortijdige troonsafstand door Juliana geen sprake zou zijn.

'Zijn dit vrijwillige beslissingen van onze vorstin?'

Beel keek verrast naar Tjarda en Gerbrandy.

'Ik begrijp uw vraag niet,' zei Beel.

'Heeft koningin Juliana deze moeilijke besluiten in volledige vrijheid genomen?' herhaalde de journalist zijn vraag.

'Natuurlijk,' antwoordde Beel doodgemoedereerd. 'Hare Majesteit is niet alleen bijzonder intelligent, maar ook zeer verstandig. Vandaar haar wijze besluitvorming naar aanleiding van het advies van de commissie.'

'De rotte appelen aan het hof worden verwijderd?'

Beel knikte.

'En prins Bernhard?' vroeg een journalist.

'Zijne Koninklijke Hoogheid zal morgen terugkeren uit Washington, enige dagen in ons land verblijven en vervolgens doorreizen naar Tanganyika voor een korte vakantie.'

'Als ik het goed begrijp, meneer Beel, heeft onze koningin haar hoofd gebogen?' vroeg een journalist van *De Waarheid*.

'Die terminologie lijkt mij ongepast,' zei Beel.

'Ze wordt gedwongen haar hofhouding te zuiveren,' zei dezelfde journalist.

'Ik begrijp dat u als journalist van *De Waarheid* gewend bent geraakt aan het woord zuiveren, maar die term is in deze context niet op zijn plaats,' merkte Beel kalm op.

'Prins Bernhard blijft volledig buiten schot, dat kunt u niet ontkennen, meneer Beel!' riep deze journalist, maar hij kreeg geen antwoord.

'Ik wil het laten bij de zojuist gegeven toelichting op het koninklijke communiqué. Ik dank u allen voor uw komst,' zei Beel. Hij raapte zijn papieren bijeen en verliet met in zijn kielzog Tjarda en Gerbrandy de perszaal.

's Avonds regende het pijpenstelen bij paleis Soestdijk. In de bar van hotel Trier tegenover de wachthuisjes van de marechaussee stond Victor Sims, een Engelse journalist van de *Sunday Pictorial*, een glas bier te drinken. De barman stond achter de bar glazen te spoelen. Ze waren de enige aanwezigen. Victor keek op zijn horloge, liep naar de telefoon, draaide een nummer en wachtte op verbinding.

'Victor Sims, ik wil graag de heer Van Heeckeren spreken. Ja, hij weet dat ik hem zou bellen.'

Sims keek door de ruit naar buiten en zag door de regen het witte paleis in de verte liggen.

'Van Heeckeren,' zei Walraven over de telefoon.

'Victor Sims, *Sunday Pictorial*, ik zit in Hotel Trier.'

'Iemand uit de naaste omgeving van de koningin komt u ophalen,' zei Walraven.

'Oké,' zei Victor.

Hij legde de hoorn op de haak, pakte wat kleingeld en schoof dat naar de barman. Buiten in de stromende regen zette Victor de kraag van zijn Burberry-jas omhoog. Hij liep naar een wachtende auto op de parkeerplaats voor het hotel. De journalist Friso Endt van *Het Parool* zat achter het stuur. Beide mannen zagen een Amerikaanse limousine langzaam naar de uitgang van het paleis rijden. Victor keek toe terwijl het slagschip de weg overstak en op hem afkwam.

'Kenteken RG-85-19,' zei Victor.

Friso noteerde op een kladje het kenteken.

'Ik zal achter u aan rijden,' zei Friso.

Victor liep met gebogen hoofd naar het geopende portier van de Amerikaanse slee. Hij stapte in en keek in het vriendelijk glimlachende gezicht van een grote man van halverwege de vijftig.

'Van Maasdijk,' zei de kamerheer van de koningin. Hij droeg een hoed, een bril en een donkergrijs krijtstreeppak. Hij reed de parkeerplaats af in de stromende regen. De ruitenwissers gingen heen en weer. Van Maasdijk stelde zich in het Engels voor. Hij had een zwaar accent. Hij lette in het slechte weer goed op de weg en deed een dashboardlampje aan voor Victor Sims, die het kladblok op zijn knie vasthield.

'We willen het Engelse volk graag informeren over wat er gaande is op het paleis,' zei Van Maasdijk. 'De koningin heeft de commissie niets toegezegd. Prins Bernhard, zijn moeder en andere politici die de prins steunen azen op de troon.'

'Namen?' vroeg Sims.

Van Maasdijk hield beide handen stevig aan het stuur. Hij aarzelde, want hij wist dat hij niet ongestraft politici kon beschuldigen van het plegen van een verkapte staatsgreep.

'Uw bron binnen het hof is anoniem?' vroeg Van Maasdijk.

'Ja, dat beloof ik u,' zei Sims.

'Romme, Luns, Beel en de anderen steunen Bernhard volkomen.'

'Weet de minister-president van deze coup d'état?'

Van Maasdijk knikte.

'Bezoekt juffrouw Hofmans de koningin nog steeds?' vroeg Sims.

'Ja, natuurlijk,' zei Van Maasdijk.

'De koningin heeft dus nog niet gebroken met haar?'

'Nee, ze heeft een sterke band met juffrouw Hofmans, en peinst er niet over haar vriendschap op te zeggen. Dat zou voelen als afstand doen van haar geloof.'

In het Torentje bekeken Beel, Drees en Romme de foto in de Engelse krant van een wegrijdende Amerikaanse auto bij Soestdijk. Drees had via de veiligheidsdienst het kenteken laten natrekken. Het was de auto van kamerheer Van Maasdijk, die vroeger voor Bernhard had gewerkt maar naar het andere kamp was overgelopen omdat hij zich niet langer kon verenigen met het rücksichtslose optreden van Bernhard. Hij werd aanvankelijk geïmponeerd door Bernhards innemende en charmante manier van optreden, maar was later gedesillusioneerd geraakt door diens opportunisme, geldzucht en egoïsme. Op het moment dat Bernhard besloot dat hij de loopgravenoorlog op het paleis tegen elke prijs wilde winnen, al moest hij zijn vrouw opofferen, liep Van Maasdijk over. Van Maasdijk en Van Heeckeren zagen het als hun taak om de koningin te beschermen, maar het lek naar de Engelse pers vloog als een boemerang terug in hun gezicht. Beel las de vette koppen boven het hoofdartikel in de *Sunday Pictorial*: 'Samenzwering aan het Nederlandse hof.'

'Van Maasdijk en Van Heeckeren lekken naar de buitenlandse pers,' zei Romme.

'Ik aanvaard onder geen beding dat leden van de hofhouding

op eigen houtje de pers te woord staan,' zei Drees geërgerd, 'en kwaadaardige praatjes verspreiden.'

'Nou, maar ze zitten er niet ver naast, Willem,' zei Romme lachend.

'We kunnen ze hier de nek mee omdraaien,' merkte Beel op.

'Ik heb Van Maasdijk al op zijn sodemieter gegeven,' zei Drees. Hij liep naar zijn bureau, pakte een getypte brief en las deze voor aan zijn collega's.

'Ik heb vanochtend een brief geschreven, die zo meteen naar Soestdijk wordt gebracht. Aan Hare Majesteit de Koningin et cetera, Majesteit, het bezwaart mij, dat ik mij tot u moet richten om uw aandacht te vragen voor de situatie die ontstaan is als gevolg van hetgeen is gepubliceerd in de *Sunday Pictorial*. Ik zou echter mijn plicht verzaken indien ik er niet op wees hoe ernstig de toestand is geworden,' las Drees aan de anderen voor, 'de *Sunday Pictorial* is een blad met een zeer sensationeel karakter. De verslaggever van dit blad deelt aan de heer Van Heeckeren mede dat officiële instanties weigeren hem inlichtingen te verschaffen over "de kwestie-Soestdijk". In plaats van deze voor de hand liggende gedragslijn te volgen, zorgt de heer Van Heeckeren ervoor dat de heer Van Maasdijk in zijn auto de journalist meeneemt en lange tijd met hem spreekt. De heer Van Maasdijk stelt dat niet hij sprak maar de journalist, die reeds veel zou hebben geweten.'

'Uiteraard, en dit is pas echt lachwekkend,' merkte Drees op tegen Beel en Romme, 'uiteraard kan het niet de bedoeling van de Engelse journalist zijn geweest om de heer Van Maasdijk voor te lichten over de toestand op het paleis.'

Romme zat schuddebuikend op zijn stoel.

'Erg gevat, Willem.'

'In ons land – allereerst bij vrijwel de gehele pers – bestaat thans de indruk dat leden van de hofhouding, die geacht worden uw vertrouwen te genieten, een Engels blad hebben gebruikt om te verkondigen dat enkele ministers en andere politici een complot smeden om u tot aftreden te dwingen.'

Romme en Beel knikten instemmend.

'Eerlijkheid is altijd de beste manipulatie,' zei Romme.

'Ik zal een en ander in een publiek verweer recht pogen te zetten om te voorkomen dat er wordt gepolemiseerd tussen personen in uw naaste omgeving en het kabinet. Als dit langer voortduurt komt het kabinet in een onhoudbare positie. Ik kan niet langer volhouden dat het gaat om persoonlijke aangelegenheden. Het is dringend gewenst dat de heren Van Maasdijk en Van Heeckeren onmiddellijk met verlof gaan. Mij dunkt dat alleen langs deze weg, althans op dit punt, een verdere escalatie kan worden voorkomen, die ernstige gevolgen voor u zou kunnen hebben. Met eerbiedige gevoelens, uw dienstvaardige W. Drees.'

Beel en Romme zwegen. Drees wachtte op hun reactie en deed de brief in een envelop, die even later op Soestdijk zou worden bezorgd.

'En?' vroeg Willem.

'Ik ga akkoord met de verwijdering van Van Maasdijk en Van Heeckeren van het hof met onmiddellijke ingang. Als ze daar aantoonbaar geen gehoor aan geven,' zei Beel, 'dan komen ze in de problemen. Ik betwijfel of het verstandig is om haar te bedreigen. We hebben afgesproken dat Eduard haar zijn hulp en expertise aanbiedt.'

'Ik ben het met Louis eens,' zei Carl.

'Ik dreig niet, maar wijs op de ernstige gevolgen die verdere loslippigheid van een kamerheer en een particulier-secretaris voor haar kunnen hebben. Ze schenden de geheimhouding waarmee ze bij hun aanstelling contractueel akkoord zijn gegaan.'

'Je meet met twee maten,' zei Carl.

'Hoezo?' vroeg Willem.

'Je moet niet raar opkijken als Juliana een pittig briefje terugschrijft dat Bernhard dan allang van het hof verwijderd had moeten worden,' zei Carl.

'Dat weet ze toch niet. Ze denkt volgens mij nog steeds dat Beyen uit de school heeft geklapt,' zei Willem.

'Zodra we bericht hebben dat Van Maasdijk en Van Heeckeren zijn opgestapt, kan Eduard er met zijn collega naartoe.'

'Wanneer?' vroeg Louis.

'Volgens Bernhard,' zei Carl, 'zou hij het beste rond een uur of tien 's avonds kunnen gaan, dan is alles stil en rustig.'

'Hij is erbij?' vroeg Willem.

Carl knikte.

'Ik ben er ook,' zei Louis, 'op verzoek van de prins.'

Drees keek hen een moment aan en gaf enkele seconden blijk van twijfel aan de juistheid van de plannen door bedachtzaam met zijn hoofd te schudden.

'We staan met onze rug tegen de muur, Willem,' hielp Carl hem herinneren. 'Dit is tot in den treure besproken.'

Drees knikte.

'Het is de enige oplossing. Nogmaals, waar strandt het schip anders? Dat zou ik weleens willen weten,' zei Carl.

'Dat houd ik mijzelf ook voor ogen,' zei Willem, 'dat deze ingreep onafwendbaar is.'

'En hoog tijd,' vond Louis.

Zinsbegoocheling

Het was een rustige en warme nazomeravond. De bomen in het park ruisten zachtjes in de wind, over enkele weken deed de herfst zijn intrede. Bernhard zou over een maand naar Tanganyika vertrekken, dan kon hij weer lange voettochten maken over de Afrikaanse vlakte. Hij ging deze keer alleen met zijn trouwe vriend Hans. Hij leefde naar zijn komende reis toe, maar zou eerst de crisis in zijn huis tot een goed einde moeten brengen. Bernhard had de gebeurtenissen nauwlettend en met zorg voorbereid. Er mocht niets misgaan. Hij keek in het rond en rolde zijn hemdsmouwen op alsof hij aan de slag ging. In Nederland was de nazomerse warmte vochtig, de ramen op de eerste verdieping stonden open, maar het bleef benauwd. Zijn dochters logeerden bij zijn moeder. Alle narigheid van die avond bleef ze zodoende bespaard. Hij was opgelucht dat de al jaren slepende loopgravenoorlog in zijn huis afgelopen zou zijn. Het had al te lang geduurd. De afhandeling moest elegant en soepel verlopen, zonder schreeuwen, onredelijke verwijten of vechtpartijen. Hij zou de orde in zijn huis met gezag herstellen. Bernhard wachtte op de komst van Eduard, Louis en enkele anderen die hem zouden helpen. Kamerheer Van Maasdijk was weg, Marie Anne was die avond ook van huis en Walraven was nu nog bij Juliana, maar zou binnenkort met zijn vrouw Rita en zijn moeder Adolphine verdwijnen – goedschiks of kwaadschiks. Ze moesten Greet maar meenemen naar hun landgoed Molencaten. Daar had dat mens eerder gebivakkeerd in een huisje in het bos. Bernhard had Greet na het eten te voet zien arriveren. Zijn vrouw, Greet en Walraven zaten vermoedelijk in de bibliotheek te schaken, te lezen of deden een of ander Hollands gezelschapsspelletje, misschien speelden ze wel een toneelstukje dat zijn vrouw samen met een Amsterdamse verslaggeefster had geschreven. Had ze zich maar tot die onschuldige bezigheden beperkt, dan was deze avond nooit gekomen. Maar het moest gebeuren, daar was hij het met Drees, Beel, Romme en Hoelen over eens. Het was onafwendbaar. Uiteindelijk zou zijn vrouw inzien dat ze mede in haar belang handelden, maar dat had tijd nodig, misschien wel veel tijd. Bernhard wist uit ervaring dat alle wonden met de tijd heelden. Wijsheid kwam met de jaren, met de ervaring. Je moest lering trekken uit je ervaringen, en zijn vrouw had dit te weinig gedaan. Ze had zich ingegraven in een onmogelijke positie, ze had zich omringd met paladijnen die haar wrok en woede jegens hem aanwakkerden. Het had haar levensplezier vergald. De godsdienstwaanzinnige Hofmans stond symbool voor dit alles. Hij had er beter aan gedaan als hij haar jaren geleden tijdens een jachtpartij met een verdwaalde kogel had omgelegd, dan was alles niet zo uit de hand gelopen. Hij glimlachte bij deze gedachte. In het echte leven moest je andere middelen zoeken om je doel te bereiken, subtieler, verfijnder en onzichtbaar. Wat nu ging komen zou voor de rest van zijn leven een in nevelen gehuld geheim blijven. Hij had 's middags het geheimhoudingscontract met Eduard Hoelen ondertekend. Er werden wel vaker beroemde politici en publieke figuren in het geheim opgenomen in zijn kliniek, alsof machtige en belangrijke mensen nooit iets mankeerden. Bernhard wist wel beter. Hij had de geestelijke ontsporing van zijn vrouw van nabij meegemaakt.

'Jetzt reicht's,' mompelde Bernhard zachtjes toen hij de stoet auto's aan zag komen. De wagens stopten aan de achterkant van het paleis. Beel, Hoelen, zijn collega dr. Paanakker en twee psychiatrisch verpleegsters stapten uit. De verpleegsters waren stevige zwijgzame vrouwen van halverwege de veertig.

'Goedenavond, hoogheid,' zei Eduard Hoelen.

Bernhard schudde hem, Beel en Paanakker vriendelijk de hand. Hoelen was een indrukwekkende gestalte. De Wassenaarse geneesheer-directeur straalde rust, overwicht en gezag uit.

'Kom, laten we naar binnen gaan,' zei Bernhard.

Twee geüniformeerde adjudanten voegden zich bij het gezelschap. Beel, Bernhard en Hoelen liepen met hun gevolg naar de bibliotheek en gingen naar binnen. Juliana en Greet zaten op de bank en Walraven zat in een fauteuil te lezen.

'Wat heeft dit te betekenen?' vroeg Juliana.

'Dokter Hoelen wil even met je praten,' zei Bernhard. 'Juffrouw Hofmans en Walraven gaan even met mij mee naar de gang!'

'Het is usance dat ik bij mevrouw blijf,' zei Walraven. Hij rook meteen onraad.

'Juffrouw Hofmans, u kunt nu vertrekken,' zei Beel streng.

'Wat is er in godsnaam aan de hand?' riep Juliana uit. Ze stond op en keek beurtelings naar Hoelen, Beel en Bernhard. Ze was overrompeld. Achter Bernhard stonden zijn twee adjudanten.

'Ik eis nu antwoord!' brieste Juliana.

'Ik begrijp dat we u met dit onaangekondigde bezoek enigszins overvallen, mevrouw. Laat ik mij eerst aan u voorstellen,' zei Hoelen beleefd.

Hij reikte Juliana vriendelijk de hand.

'Professor dokter Hoelen.'

Juliana nam zijn uitgestoken hand niet aan.

'Wie heeft u ontboden?' vroeg ze.

'Ik ben geneesheer-directeur van de St. Ursula-kliniek. Het spijt mij nogmaals dat wij uw rust verstoren, maar de commissie-Beel en uw echtgenoot hebben mij dringend verzocht om langs te komen.'

Juliana was van haar stuk gebracht, haar handen trilden. Ze had na Beels leugenachtige persconferentie vervelende ontwikkelingen verwacht, maar geen inval in haar eigen huis om tien uur 's avonds. Margaretha werd de bibliotheek uit gevoerd door Bernhards adjudanten. Ze stribbelde tegen, maar dat mocht niet baten.

Walraven weigerde te vertrekken.

'Meneer Van Heeckeren, u had met verlof moeten zijn.'

'Dat zijn uw zaken niet, meneer Beel,' zei Walraven.

'U hebt een aangetekend schrijven ontvangen waarin u en de heer Van Maasdijk in kennis worden gesteld van schorsing aan het hof,' zei Beel autoritair. 'U hebt het vertrouwen van Hare Majesteit op grove wijze geschonden door uw perscontacten.'

'De enige die functionarissen aan het hof ontslaat ben ik,' zei Juliana, 'uw inmenging en houding zijn stuitend, meneer Beel.'

'Ik blijf bij mevrouw,' zei Walraven.

'Scheer je weg, man!' riep Beel.

Walraven schudde opnieuw van nee.

'Ik verzeker u dat het om een vertrouwelijke aangelegenheid gaat. Uw aanwezigheid wordt daarbij niet op prijs gesteld,' verordonneerde Beel. Hij stelde zich naast Walraven op, mocht deze wederom weigeren te vertrekken.

'Ga maar, Walraven. Ik red het wel,' zei Juliana kalm.

Walraven vertrok naar de gang, waar Bernhard en zijn adjudant Hofmans voor hun rekening namen. Haar jas werd haar aangereikt. Bernhard sprak haar toe: ze moest vertrekken en zich nooit meer aan het hof vertonen. Een adjudant begeleidde Greet naar de uitgang. Juliana zag een andere man met twee verpleegsters op de gang staan. Bernhard pakte Juliana stevig bij de arm en duwde haar de bibliotheek in. Hij trok de deur dicht en draaide deze van buiten op slot.

'Dit is ongehoord,' riep Juliana.

Ze bonsde met haar vuist op de deur.

Beel keek Hoelen aan.

'Dokter Hoelen wil graag met u praten, mevrouw,' zei Beel.

'Zullen we gaan zitten, mevrouw?' vroeg Hoelen beleefd.

'Onder geen beding,' riep Juliana, 'wat zijn jullie van plan? Dat stormt mijn huis binnen! Stuurt mijn vriendin weg! Walraven moet ophoepelen! Wat voeren jullie in je schild?'

Juliana's overslaande stem getuigde van paniek.

'Er is niets aan de hand,' zei Beel rustig.

'Jij moet je mond houden!' riep Juliana, 'jij belegt persconferenties waarin je namens mij concessies verkondigt die ik van mijn levensdagen niet zal doen!'

Beel zweeg gelaten.

Juliana keek naar de geneesheer-directeur, die als een standbeeld midden in de bibliotheek bleef staan met zijn dokterstas in de hand.

'Ik heb dat gedaan in het belang van de Kroon,' zei Beel.

'In mijn belang?'

'Nee, in het belang van de Kroon,' antwoordde Beel, 'en in overleg met de prins, de heer Drees en andere dragers van het bevoegd gezag.'

'En ik moet de concessies doen? Niet het kabinet, niet Bernhard, geen woord over Bernhard. Jullie regelen achter mijn rug om dat Lieftinck orde op zaken komt stellen.'

'Dat is een besluit van het demissionaire kabinet, mevrouw.'

'Ik sta aan het hoofd van de regering. Vergeet dat nooit!'

'Ik spreek niet namens de regering, maar namens het kabinet,' zei Beel. 'De regering, dat bent u samen met het kabinet.'

'Je bent een katholieke gluiperd, die mij een lesje staatsrecht denkt te geven. Ongehoord brutaal ben je!'

'Er bestaat geen enkele overeenstemming meer tussen u en het kabinet,' zei Beel, 'dat is de oorzaak van deze crisis, die in het belang van de Kroon moet worden beëindigd. U kunt mij uitfoeteren, maar ik ben slechts de boodschapper.'

'Willem Drees zit dus ook in het complot?' vroeg Juliana.

'Er is geen complot, mevrouw. Er is door de jaren heen een verstandhouding gegroeid ten gevolge van uw beleving van de alledaagse werkelijkheid.'

'Mijn beleving van de alledaagse werkelijkheid. Heb je dat ingestudeerd? Van wie moet je dat zeggen?'

'Uw beleving van de werkelijkheid is tot ons aller spijt vervormd geraakt,' zei hij droogjes.

'Je raaskalt!'

Beel zweeg en ging niet langer tegen haar in. Hij zocht steun bij Hoelen, die met zijn hoofd knikte, maar ook niets zei.

Juliana dacht koortsachtig na. Dat Bernhard, Romme en anderen tegen haar samenspanden vermoedde ze al langer, maar dat Willem ook van de partij was viel haar flink tegen. Al die keren dat hij bij haar was geweest, had zij haar beklag gedaan over Beels commissie. Drees draaide altijd om de hete brij heen. Hij had nooit de waarheid gesproken, maar zag haar kennelijk net als Bernhard als een geestelijk ontspoord geval. Juliana ging verslagen zitten. Ze besefte dat het kordon zich om haar heen sloot. Bernhard had dit met Beel, Drees, Romme en anderen nauwkeurig voorbereid. Ze begreep nu Drees' laatste brief over het verlof van Van Maasdijk en Van Heeckeren beter. Hij had haar bedreigd met ernstige gevolgen, maar dat hadden zij en Walraven aanvankelijk niet begrepen. Het begon haar nu pas te dagen dat de aanwezigheid van dokter Hoelen daartoe behoorde. Juliana luisterde naar de geluiden in het paleis. Het was stil. Vermoedelijk hadden de twee adjudanten Greet naar huis gebracht en haar te kennen gegeven dat ze niet meer op het paleis mocht komen. Juliana zou haar morgenvroeg opzoeken om dit misverstand uit de weg te ruimen. Ze wilde nu eerst Louis Beel en de dokter de deur uit werken. De heren waren gaan zitten.

'Dit optreden is uiterst vervelend voor u, mevrouw, maar als u weer tot rust bent gekomen, lijkt het mij het beste dat meneer Beel vertrekt.'

'U blijft?' vroeg Juliana bezorgd.

'De afspraak is dat ik blijf zo lang dat nodig is,' zei Beel verbeten, alsof hij dokter Hoelen terechtwees. Eduard hield als geneesheer-directeur van een internationaal befaamde psychiatrische kliniek niet zo van tegenspraak. Hij keek Beel verstoord aan, maar ging niet tegen hem in.

'Ik kan u gerust zeggen dat het voor mij ook onaangenaam is om uw huis 's avonds laat binnen te vallen en mij op te dringen, dat verstoort elke kans op een vertrouwensbasis.'

'Daar is geen sprake van. Integendeel.'

'Dat spreekt voor zich, mevrouw,' zei Hoelen.

Ze keek de zenuwarts doordringend aan. Hij had een groot kaal hoofd en droeg een zwarte hoornen bril met sterke glazen. Zijn ogen werden hierdoor vergroot, alsof hij een vis was die haar afstandelijk vanuit zijn glazen kom bekeek.

'Waarom bent u hier?' vroeg ze.

Eduard Hoelen glimlachte minzaam.

'De hoge heren hebben mij moeten overtuigen,' zei Eduard.

Hij deed zijn bril af, wreef in zijn ogen, pakte een doekje om zijn brillenglazen te poetsen en zette hem weer op.

'De commissie is meerdere malen bij mij in de kliniek in Wassenaar op bezoek geweest,' ging Hoelen verder.

'Op wiens initiatief?' vroeg Juliana.

Hoelen keek vluchtig naar Beel.

'Hun verzoek stuitte mij tegen de borst en is in tegenspraak met mijn professionele gedragsregels als psychiater.'

'Op wiens initiatief, dokter Hoelen?' vroeg Juliana opnieuw.

'Ik heb enige tijd geleden een brief ontvangen van de heer Drees, waarin hij zijn zorg tot uiting bracht.'

'Hebt u die brief bij u?'

'Nee, die heb ik helaas niet bij mij, maar die kan ik u laten bezorgen,' zei Hoelen vaderlijk.

Juliana hoorde de geruststellende toon in zijn stem. Hij trachtte haar te kalmeren. Hij wilde haar natuurlijk overreden om mee te werken. Hoelen had een overheersende, sterke uitstraling die een kalmerende werking had. Greet zou dit vast en zeker als een positief fluïdum beschouwen, als van iemand die mensen kon helpen. Hij gebruikte die eigenschap wellicht dagelijks in zijn werk zodat onzekere psychisch gestoorde patiënten hem hun geschonden vertrouwen als geestelijk leidsman schonken, maar ze was niet een van zijn patiënten en was ook geenszins van plan dat ooit te worden. Juliana wist dat ze ontvankelijk was voor zijn empathische benadering en houding. De brute inval in haar huis maakte zo'n vertrouwensbasis onmogelijk. Deze geneesheer-directeur had zich laten misleiden door de commissie-Beel en wellicht door anderen die deze overval hadden bekokstoofd. Juliana haalde diep adem, pakte haar sigaretten en stak er een op. Ze besloot kalm te blijven, want als ze kwaad werd zou deze psychiater dat vermoedelijk als een teken van haar instabiliteit zien.

'Ik ben bereid mijn visie op deze hele kwestie te geven,' zei Juliana.

'Dat stel ik bijzonder op prijs, majesteit,' zei Hoelen.

Juliana trachtte zijn intenties in te schatten.

'Goed, zoals ik het zie, mijn alledaagse werkelijkheid dus, om met Beel te spreken!'

Louis zweeg.

'Ik ben door geboorte tot dit ambt geroepen,' zei Juliana rustig, 'het is niet zozeer mijn roeping, als wel mijn plicht geweest.'

'Voor weinigen onder ons staat de levensloop al vanaf de geboorte vast,' zei Hoelen, 'dat zal niet eenvoudig zijn geweest om al van jongs af aan deze verantwoordelijkheid te dragen.'

Juliana zweeg, ze wist niet goed waar hij op aan wilde sturen met zijn begripvolle opmerkingen.

'Uw opmerkingen en gedrag vallen niet met elkaar te rijmen, dokter Hoelen. U stormt mijn huis binnen, geeft mij een klap in mijn gezicht en vervolgens komt u met een pleister aanzetten,' zei Juliana verbaasd.

Dokter Hoelen glimlachte.

'Daar hebt u gelijk in, maar u was mij iets aan het uitleggen, als u dat afmaakt, dan zal ik mij nader verklaren.'

'Als ik dat doe, vertrekt u dan?'

'Nee,' zei Louis Beel.

'Meneer Beel, matig u niet zo'n houding aan,' zei Hoelen streng. Beel boog zijn hoofd.

'Dat beloof ik u, majesteit,' zei Hoelen.

'Goed, dan zal ik mijn betoog afmaken,' zei Juliana.

'Ik luister,' zei Hoelen geruststellend.

'Ik heb mijn hele leven in dienst gesteld van mijn taken als koningin. Mijn moeder en haar dienaren hebben alles gedaan om mij klaar te stomen. Het was beter geweest als het mijn roeping was geweest, maar dat is slechts ten dele het geval.'

Hoelen knikte begrijpend.

'Dat is ook geen vereiste bij de invulling van het ambt. Ik heb in navolging van mijn moeder mijn persoonlijk leven ondergeschikt gemaakt aan de Kroon. Ik heb volk en vaderland altijd naar eer en geweten gediend.'

Hoelen knikte.

'Ik ben ook van plan om dat te doen zo lang het nodig is.'

'Dat is bewonderenswaardig, zeker als ik in ogenschouw neem dat zulks niet zonder offers is gebeurd.'

'Die heb ik gebracht,' bevestigde Juliana.

Hoelen knikte instemmend.

Juliana nam een trekje van haar sigaret, pakte haar glas sekt van tafel, nam een slok en richtte zich tot haar ongenode gasten: 'Ik wil daarbij opmerken dat ik in de jaren dertig colleges heb gevolgd bij professor Huizinga en andere eminente geleerden in Leiden. Hij en anderen hebben mij intellectueel gevormd. Ik heb zelf na de oorlog een levensvisie en overtuiging ontwikkeld, mede door het bezoeken van de conferenties op Het Oude Loo en door intensief contact met andersdenkenden, die mij niet in dank worden afgenomen door mijn ministers en de langstzittende minister-president van na de oorlog. Ik vertrouwde hem, maar hij heeft mij als ik de heer Beel mag geloven, ook verraden.'

'Dat is niet waar,' zei Beel.

'Ik ben nog niet klaar!'

Beel knikte.

Juliana zag dat dokter Hoelen haar zwijgzaam observeerde.

'Ik ben ervan beticht dat ik geen oorlogshavik ben zoals mijn echtgenoot, dat ik een fervent pacifiste ben, dat ik sympathie koester voor De Derde Weg, maar dat is ondergeschikt aan de invulling van mijn ambt. Niemand, maar dan ook niemand, heeft mij ooit kunnen betrappen op inconstitutioneel handelen of gedrag, in tegenstelling tot mijn echtgenoot, meneer Beel, de heer Drees en anderen. Een abject sujet als Carl Romme laat ik liever helemaal buiten beschouwing, omdat hij geen deel uitmaakt van mijn regering.'

Juliana's sigaret brandde op.

'Uw sigaret,' zei Beel terwijl hij haar de asbak toeschoof. Ze doofde de sigaret en as viel op haar jurk.

'Ik zal ter zake komen, dan kunnen we uw bezoek beëindigen,' zei Juliana. 'Het heeft mij altijd verbaasd dat de ministers in feite sinds mijn inhuldiging aanstoot nemen aan mijn mentaliteit, mijn visie en mijn uitingen, die doorgaans weldoordacht zijn. Ze beknotten mij in mijn redevoeringen, dan komen die mannen van het ministerie met herschreven versies, bijzonder triest, alsof ik geen weldenkend persoon ben. Ik betreur het feit dat ik geen recht heb op mijn overtuiging – dat is tenslotte een democratisch grondrecht – en dat kleinzielige bewindslieden volledig van de kook raken als ik bepaalde politieke kwesties en gedachtegangen in twijfel trek, vind ik bijzonder treurig.'

Hoelen knikte instemmend.

'Ik ben tot het inzicht gekomen dat mijn man beter met een van zijn vele vriendinnen had kunnen trouwen, die hem de godganse dag had kunnen toejuichen. Het is dieptreurig als je erover nadenkt, en dan heb ik het niet in de laatste plaats over uw aanwezigheid, als een soort dwangmiddel om mij terug in het gareel te krijgen.'

Louis Beel wilde het woord nemen, maar Hoelen gebaarde hem te zwijgen.

'Ik heb het recht – en dat is in de grondwet vastgelegd – om mijn huis naar eigen inzicht in te richten,' zei Juliana. 'Als ik Greet benoem tot hofmaarschalk, dan nog is dat mijn goed recht. Ik zal dat niet doen, maar ik wil u duidelijk maken dat ik mij naar behoren gedraag. Ik heb u mijn visie en standpunten uiteengezet. Ik heb geen enkele verplichting om mij tegenover u te verantwoorden, maar dat heb ik ondanks alles wel gedaan. Ik wil u beiden verzoeken om nu te vertrekken,' zei Juliana.

Ze stond op en liep naar de deur van de bibliotheek. Beel en Hoelen keken elkaar aan.

'Ik wil dat u nu vertrekt!' zei Juliana nogmaals.

Ze stonden op. Dokter Hoelen liep op haar af en spreidde zijn armen alsof hij haar wilde omhelzen.

'Als ik u zo aanhoor, kan ik alleen maar constateren dat u volledig voor rede vatbaar bent, dat de panische reacties van meneer Beel, Drees en uw echtgenoot geen enkele grond hebben.'

Juliana knikte opgelucht.

'Dan kunt u nu dus gaan!'

'Ik wil meneer Beel vragen om ons alleen te laten, want hij en de zijnen hebben een serieuze inschattingsfout gemaakt die bijzonder belastend voor u is.'

Beel keek verrast naar Hoelen; dat hadden ze niet afgesproken, maar Eduard stond erop dat Louis de bibliotheek onmiddellijk verliet. Beel droop na enige aarzeling met de staart tussen zijn benen af. Hij klopte op de deur, die werd geopend door een adjudant, en liep naar buiten. Juliana wilde hem achterna gaan, maar werd beleefd doch beslist tegengehouden door de hand van dokter Hoelen.

'Ik wil voordat we ons gesprek afronden,' zei Hoelen, 'nog enkele zaken met u bespreken als dat kan.'

'Wij zijn uitgepraat,' zei Juliana.

'Nee, nog niet helemaal.'

Hij leidde haar met zachte hand mee terug naar de velours bank en ging daarop zitten. Juliana nam plaats in haar fauteuil en stak nog een sigaret op.

'U begrijpt hopelijk dat het hier niet mee is afgelopen?'

'Nee, dat begrijp ik niet!'

'Dat kunt u wel van mij aannemen,' zei Hoelen, die het voordeed alsof hij aan haar kant stond.

'Mijn huis wordt gedwongen gevisiteerd. Mijn vriendin wordt met harde hand verwijderd. Ik moet onder dwang mijn hofhouding zuiveren. Beels commissie heeft niets gezegd over Bernhards veelwijverij en buitenechtelijke kinderen,' zei Juliana boos.

'Ja, dat is bijzonder harteloos tegenover u,' zei Hoelen, 'maar dat laatste is geen staatszaak, eerder een echtelijk geschil dat binnenskamers moet worden opgelost.'

'Daarom ga ik scheiden,' zei Juliana.

'Dat kan ik begrijpen. Het vertrouwen in uw huwelijk is onherstelbaar beschadigd.'

'Ja,' zei ze.

'Mag ik iets drinken?' vroeg Hoelen beleefd.

'Ja, wilt u een glas sekt?'

Hij knikte.

Juliana stond op, schonk een glas vol en gaf het aan Hoelen.

'Op uw gezondheid,' zei Hoelen.

'Ze hebben de strop om mijn hals strakker aangetrokken,' zei Juliana verbitterd, 'ze hebben zich volledig voor Bernhards karretje laten spannen.'

'Daarover wilde ik met u onder vier ogen spreken,' zei Hoelen, 'u bent in gevaar, dat is uw huidige positie.'

Juliana knikte. 'Hoe moet ik dat oplossen?'

'Laten wij afspreken dat wij met elkaar spreken. Ik houd de heren aan het lijntje.'

'Hoe weet ik dat ik u kan vertrouwen?'

'Dat weet u niet, dat moet u zelf beoordelen.'

Juliana keek op haar horloge, het was bijna half twaalf.

'Moet u niet terug naar Wassenaar?'

'Ik heb geen haast,' zei hij sussend, 'ik vind het een eer om u te ontmoeten. De omstandigheden zijn naar, dat besef ik, maar die kunnen we naar onze hand zetten.'

'U bent psychiater?'

'Ja, mevrouw. Ik vind dat een bijzonder bevredigend beroep. Ik ben vaak dankbaar dat ik met patiënten mag werken die mij hun vertrouwen schenken, dat doen ze vrijwillig, en dat is dan ook het onaangename aspect van onze kennismaking.'

'Dat kunt u wel zeggen,' zei Juliana lachend.

'Het spijt mij zeer,' zei Hoelen, 'ik bied u mijn oprechte verontschuldigingen aan. Ik hoop dat u ondanks alles bereid bent die te aanvaarden.'

Juliana dacht na en keek hem aan. 'Ik aanvaard uw excuses,' zei ze.

'Ik besef terdege dat uw positie niet gemakkelijk is.'

'Tja, eenzaam maar niet alleen.'

'Zo ervaart u dat?'

Juliana lachte. 'Dat is de titel van de autobiografie van mijn moeder.'

'Zo ervoer zij dat?'

Juliana knikte. 'Het is inherent aan het koningschap – dat gaat al generaties lang zo in mijn familie – dat het afzondering en eenzaamheid met zich meebrengt. Het volk vereert en bewondert de koning, maar deze staat als mens alleen. Weinig koninklijke huwelijken zijn een succes.'

'Veel menselijk lijden en eenzaamheid zijn terug te voeren op onze angst om niet persoonlijk bemind te worden,' zei Eduard.

Juliana keek hem aan. 'Dat is in mijn geval geen angst maar een feit. Ik heb jaren gebeden dat mijn man van mij zou houden. Hij was niet in mij geïnteresseerd, toonde nooit enige belangstelling; een charmante houding maar daaronder ijzige kilte. Dat heeft mij enorm veel pijn gedaan, dokter, die kille afwijzing met een glimlach. Hij verlangt naar een ander type vrouw dan ik ben.'

'Gelukkig hebt u een goede vriendin gevonden,' zei Hoelen.

'Ja, Margaretha is een bijzondere vrouw.'

'Ik wil haar graag een keer ontmoeten.'

Juliana voelde zich tot haar eigen verrassing op haar gemak bij deze man, alsof hij haar aanvoelde en begreep. Ze stond op en liep naar een bureau, waar ze een brief te voorschijn haalde.

'Mag ik u deze kettingbrief voorlezen?'

'Maar natuurlijk,' zei Hoelen gemoedelijk.

'Dit is een kettingbrief die door Nederlandse vrouwen wordt rondgestuurd: alle vrouwen voor één vrouw. Voor welke vrouw? Voor koningin Juliana.'

Ze stond midden in de bibliotheek.

'Zij heeft een vriendin en haar wordt verboden deze te zien. Zij heeft een trouwe secretaris, die moet worden vervangen door een ander, die haar vijanden ten dienste staat; dit belemmert haar contact met de wereld,' declameerde Juliana.

Ze liet een pauze vallen.

'Haar kinderen worden van haar vervreemd. Wij willen niet dat koningin Juliana wordt gedwongen af te treden. Zij mag geloven wat zij wil, tegen de hete of koude oorlog in. Zij mag mens zijn. Nooit zullen wij, vrouwen van Nederland, degenen vergeven die haar tot aftreden zouden durven dwingen! Getekend door een van de miljoenen Nederlandse vrouwen!'

Juliana keek Hoelen trots aan.

'Dat is mooi gesproken.'

'Alle vrouwen van het land staan achter mij!'

Hoelen knikte instemmend. 'Het is een ontroerend gebaar.'

'Ja,' zei Juliana, 'maar ontoereikend.'

'U bent bijzonder gehecht aan juffrouw Hofmans?'

Juliana knikte. 'Gehecht is niet het juiste woord.'

'U houdt van haar?'

'Ja, maar natuurlijk niet in de vleselijke zin des woords.'

'Platonisch?'

'Nee, het gaat dieper, het is eerder een lotsverbondenheid die ik met geen enkel ander mens beleef.'

'Een symbiose?' vroeg Hoelen.

'Ja,' zei Juliana instemmend.

'Ik krijg de indruk dat het hechtingsproces tussen u en uw moeder vroeger kil was?'

'Ja,' zei Juliana verdrietig, 'mijn moeder heeft Bernhard voor mij uitgekozen. Ik was een dom gansje van vijfentwintig, dat zo'n man van de wereld bewonderde. Ik leerde hem pas later echt kennen.'

'Dat is bijzonder tragisch.'

'En nu ik eindelijk voor mezelf opkom en een vrije keuze wil maken door te scheiden, door niet langer te berusten in een liefdeloos huwelijk, raakt iedereen in rep en roer. Het is de enige verstandige keuze die ik kan maken, dokter.'

'U lijdt onder uw huwelijk?'

'Ja, en wat kunt u daaraan doen?'

'Niets,' zei Hoelen.

'Dat is uw werk, dokter,' zei Juliana, 'mensen helpen zich te bevrijden van hun ketenen.'

'Was het maar zo eenvoudig,' zei Hoelen glimlachend.

'U helpt uw patiënten daar niet bij?'

'Elke mens lijdt, dat is onderdeel van het menszijn. Ik behandel de manisch-depressieven en erger.'

'Hoe?' vroeg Juliana.

'Voor mij als psychiater is de essentie van gesprekstherapie begrip. Ik geloof niet dat ik het lijden van mensen kan verlichten, ik kan alleen verhelderen wat hun overkomt.'

'Dan zou u de eerste zijn,' zei Juliana. 'Ik word opgesloten door mijn man en zijn kornuiten in mijn paleis. Heldert u dat maar eens voor mij op, dokter!' Ze barstte in een schaterlach uit, die haar wanhoop verborg en schonk de glazen nog eens vol. 'In een toneelstuk van Shakespeare had ik als koning al drie dolken in mijn rug gehad, dan lag ik bloedend op het tapijt en danste mijn man op mijn graf!'

Hoelen zweeg even. 'Dat ziet u verkeerd.'

'Nee, dat zie ik heel helder.'

'Ik moet u helaas corrigeren,' zei de dokter.

'Pardon?'

'Ik heb zojuist geconstateerd dat u gemakkelijk beïnvloedbaar bent. Ik kom hier als vijand binnen. Twee uur later vertrouwt u mij uw geheimen toe alsof ik een dierbare van u ben.'

'U bent uiterst onbeschoft,' riep Juliana. Ze stond beledigd op.

'U bent labiel, mevrouw,' zei Hoelen.

'Dat ben ik niet,' riep Juliana fel.

'U bent door uw symbiotische verhouding met juffrouw Hofmans verdwaald geraakt in een doolhof van pacifistische mystiek,' zei Hoelen, 'en er is geen uitweg, daardoor raakt u steeds verder in een isolement en wordt u achterdochtig. U ziet de mensen die het goed met u voor hebben als vijanden.'

Juliana schrok en ging in haar stoel zitten. Hoelen kwam naderbij. Hij keek haar met zijn grote vissenogen aan.

'Ik kan u uit dit labyrint van hersenspinsels helpen,' zei hij. 'Hofmans streeft haar eigen agenda na. Ze kan de plaats van een liefhebbende echtgenoot niet innemen. We kunnen eraan werken om die symbiotische verhouding op te helderen en te genezen, zodat u verder kunt met uw echtgenoot!'

Juliana werd misselijk van de weerzin die deze man bij haar opriep.

'Nee,' riep ze, 'ga weg! Laat me met rust!'

Ze stond op en liep weg. Hoelen liep haar achterna en pakte haar bij de arm.

'U hoeft niet bang voor mij te zijn.'

Juliana keek hem angstig aan.

'Ik zal u helpen.'

'Nee,' riep Juliana.

Dokter Hoelen liep gehaast naar de deur en klopte erop. De deur werd meteen geopend. Dokter Paanakker en de verpleegsters kwamen de bibliotheek in.

'Dit is weerzinwekkend,' riep Juliana, 'ga weg!

Paanakker maakte zijn dokterstas open en haalde er een kalmerende injectie uit. Juliana holde naar de deur, maar werd tegengehouden door de twee stevige verpleegsters, die haar aan weerszijden vastpakten. Ze verzette zich, maar hun greep werd alleen maar steviger.

'Laat me los,' schreeuwde Juliana. Ze trachtte zich met al haar kracht te ontworstelen aan de greep van de verpleegsters. Dokter Paanakker pakte haar onderarm, deed er een riempje om en klopte op haar ader.

'Laat dat, laat dat,' schreeuwde ze, 'help, help!'

Juliana schreeuwde, maar er kwam niemand. Dokter Paanakker gaf haar een injectie.

'Ik wil dit niet!' riep Juliana, maar haar verzet mocht niet baten. Het leek alsof haar bewustzijn verslapte, haar spieren gaven langzaam mee. Ze zag dokter Hoelen en de verpleegsters waziger worden. Juliana zakte door haar knieën en werd overeind gehouden door de verpleegsters. Ze zag Hoelen met de anderen praten. Hun lippen bewogen, maar ze hoorde ze niet meer. Langzaam verloor ze haar bewustzijn.

~

Endegeest

*D*e paviljoens lagen verspreid onder de eiken op het terrein van de kliniek. De grasvelden strekten zich uit tussen de paviljoens, negentiende-eeuwse gebouwen met hoge gebrandschilderde ramen. Er was een vijver met waterlelies en rondzwemmende eenden, daaromheen stonden houten banken waarop patiënten en medisch personeel van de natuur genoten. Dokter Paanakker was afdelingshoofd en behandelend zenuwarts in paviljoen Endegeest van de St. Ursula-kliniek. Het was een ruime afdeling met luxueus ingerichte eenpersoonskamers. De deuren werden vanbuiten afgesloten. Dokter Hoelen liep met een assistent paviljoen Endegeest binnen. Hij wachtte op dokter Paanakker alvorens ze naar de kamer aan het eind van de gang gingen. Juliana lag op een verhoogd bed te slapen. Ze werd langzaam wakker. Haar gezicht was bleek en mager en ze had gewicht verloren. Juliana deed haar ogen open en keek rond. Ze zag de artsen staan en voelde het infuus in haar arm. Langzaam ging ze rechtop zitten en zag de fixeerriempjes aan de buizen van het bed. Ze zaten niet langer om haar pols en ze kon haar armen vrijelijk bewegen.

De zuster schudde haar kussens op.

'Waar ben ik?' vroeg ze met droge mond.

De zuster gaf haar een glas water dat ze gulzig leegdronk. Ze bevochtigde haar droge lippen met het puntje van haar tong.

'U bent te gast in mijn kliniek,' zei dokter Hoelen vaderlijk.

Juliana kwam bij haar positieven. Ze leunde op haar ellebogen en keek naar de vriendelijk glimlachende artsen. Dokter Hoelen, dokter Paanakker en de assistent-arts droegen witte jassen die strak stonden van het stijfsel.

'Het is nu zaterdag?' vroeg Juliana licht verward.

'Nee, woensdagochtend,' zei Hoelen geruststellend, 'u hebt een slaapkuur gehad om tot rust te komen.'

Juliana verbleef tien dagen in Hoelens kliniek. Officieel was ze met vakantie in het Middellandse-Zeegebied. De dag begon 's ochtends om zeven uur met het ontbijt, om acht uur gevolgd door gesprekstherapie. Juliana werd de rest van de ochtend beziggehouden en voerde 's middags opnieuw een gesprek van anderhalf uur met dokter Hoelen. Hij sprak intensief over haar symbiotische relatie met juffrouw Hofmans. Hij analyseerde, clarificeerde en interpreteerde Juliana's afhankelijkheid van deze plaatsvervangende moederfiguur, die haar te ver had meegenomen op de dwaalwegen van de pacifistische mystiek. Juliana berustte niet in haar gedwongen opname, maar kreeg bij verzet kalmerende middelen toegediend. In bijzijn van een anesthesist gaf dokter Hoelen haar een Pentotal-behandeling, waardoor haar weerstand en remmingen wegvielen. Half in droomtoestand, half bij bewustzijn besprak ze haar intiemste gevoelens en angsten, die dokter Hoelen voor haar evalueerde tijdens de gesprekstherapie de volgende dag. Hij legde haar telkenmale en met veel geduld uit dat ze afhankelijk was van Hofmans, die deze vertrouwensband misbruikte voor haar eigen doeleinden. Na vijf dagen in de kliniek onderging Juliana een elektroshockbehandeling. De procedure duurde slechts enkele minuten. Ze lag gedrogeerd op een behandeltafel. Ze onderging de stroomstoten met een leren bitje in haar mond, zodat ze tijdens de korte stuiptrekkingen niet op haar tong kon bijten.

Op de tiende dag had Juliana een eindgesprek met dokter Hoelen.

'Hoe gaat het met u?' vroeg Hoelen.

'Goed,' zei ze.

'Hoe bent u hier gekomen?' vroeg de zenuwarts.

Juliana dacht na, keek in het rond en haalde haar schouders op.

'Dat herinner ik me niet meer.'

'Uw kortetermijngeheugen herstelt zich de komende weken. Ik zal de nazorg doen,' zei Hoelen.

'O, ik weet het alweer, u hebt mij thuis opgehaald.'

'Dat klopt, mevrouw.'

'Dat was bijzonder aardig van u.'

Dokter Hoelen glimlachte vriendelijk. 'Wanneer bent u ingehuldigd?'

Juliana lachte. 'In 1948.'

Dokter Hoelen knikte beleefd. Hij vertelde dat de uitval van haar kortetermijngeheugen normaal was, het geheugen zou zich binnen afzienbare tijd herstellen. Haar persoonlijkheid kwam dan volledig tot rust. Juliana knikte instemmend, ze was blij dat ze naar huis mocht.

'Uw echtgenoot heeft mij telefonisch laten weten dat hij en uw dochters met vreugde uitzien naar uw thuiskomst.'

Juliana knikte beleefd.

'Ik heb hem het een en ander verteld over uw ziekte, die heeft geleid tot een verstoord en verward wereldbeeld. Ik heb de prins verteld dat die symptomen dankzij de behandeling en therapie tot het verleden behoren. Ik wens u veel geluk toe binnen uw familie.'

Juliana bedankte de geneesheer-directeur en nam hartelijk afscheid van hem.

~

Scheel engeltje

alraven van Heeckeren las begin september 1956 een brief voor op het secretariaat van het paleis en Marie Anne Tellegen luisterde.

'Het al drie maanden demissionaire kabinet heeft een troonrede en miljoenennota ingediend. Het budget voor Defensie wordt andermaal verhoogd met tweehonderdvijftig miljoen gulden.'

Walraven keek Marie Anne zorgelijk aan.

'Juliana moet dit dinsdag voorlezen bij de opening van de Staten-Generaal?

'Er zal weinig anders op zitten,' zei Walraven moedeloos.

'Wanneer komt ze thuis?'

'Zo meteen,' zei Walraven, 'ik heb gehoord dat Gerrie, Rita en ik per 1 januari officieel ontslag krijgen.'

'Ik ook?'

'Heb je dan geen brief gehad?'

Marie Anne schudde ontkennend.

'De prins is boos dat ik hier nog rondloop,' zei Walraven.

'Daar kan hij weinig tegen doen.'

Walraven keek door het raam naar buiten en zag een hofauto voorrijden.

'Daar komt ze,' zei hij tegen Marie Anne, die naast hem ging staan. Ze zagen vanuit het secretariaat dat Bernhard, de vier dochters en enkele hoffunctionarissen Juliana stonden op te wachten op het bordes. Juliana's wagen hield halt en een lakei opende het portier. Juliana stapte uit en werd allerhartelijkst begroet door haar echtgenoot en dochters. De twee oudste prinsessen kusten hun moeder innig. Beatrix en Irene waren blij dat hun moeder beter was. Ze hadden haar niet mogen bezoeken tijdens haar verblijf in de kliniek. Juliana knuffelde haar jongste twee lang. Marijke sloeg haar armen om haar moeders middel. Ze wilde haar moeder niet meer loslaten, dit tot hilariteit van de anderen. Walraven zag dat Gerrie van Maasdijk grappen stond te maken met Bernhard. De twee sloegen elkaar hartelijk op de schouder.

'Vreemd,' zei Walraven.

'Wat?' vroeg Marie Anne.

'Dat Gerrie zo amicaal is met Benno,' zei Walraven.

'Ja,' zei Marie Anne. 'Juliana ziet er trouwens goed uit, ontspannen, wat zouden ze met haar hebben gedaan?'

Walraven haalde zijn schouders op. 'Ik heb geïnformeerd bij verschillende artsen,' zei hij. 'Ze heeft vermoedelijk een slaapkuur gekregen, veel gewandeld en afstand genomen van Greet en ons. Hoelen zal wel dagelijks op haar hebben ingepraat.'

De koninklijke familie ging naar binnen. Walraven en Marie Anne keken elkaar mistroostig aan. Ze wisten dat het niet op prijs zou worden gesteld als ze Juliana zouden gaan begroeten. Ze moesten wachten. De kamerheer in Buitengewone Dienst, Van Maasdijk, kwam het secretariaat binnen. Hij zag de lange gezichten van Walraven en Marie Anne.

'Niet zo somber,' zei Van Maasdijk, 'ze voelt zich goed en is uitgerust.'

'Dat is goed nieuws, Gerrie,' zei Walraven.

Walraven keek Van Maasdijk lang aan.

'Je bent in je nopjes, hè Gerrie?'

'Ja,' zei hij.

'Vreemd eigenlijk,' zei Walraven bedenkelijk.

'Wat is vreemd?' vroeg Gerrie.

Van Maasdijk was sinds de oorlog bevriend geweest met de prins. Ze hadden elkaar leren kennen tijdens hun werkzaamheden voor de inlichtingendienst. Gerrie was president-commissaris van *De Telegraaf* en hij was tot ieders verrassing naar Juliana's kamp overgelopen tijdens het hofconflict, omdat hij principiële bezwaren kreeg tegen Bernhards optreden. Walraven had hem aanvankelijk gewantrouwd, maar was overstag gegaan toen hij zag dat Gerrie zich onvoorwaardelijk inzette voor Juliana's belangen. Het was Gerries idee geweest om contact te zoeken met de verslaggever van de Engelse *Sunday Pictorial*. Van Maasdijk had doortastend gehandeld en Walraven vond dat moedig. Hij had het alleen jammer gevonden dat Van Maasdijk in zijn eigen auto naar dat onderhoud was gereden, want hij was daardoor kort erna ontmaskerd als perslek ten paleize. Walraven had dat achteraf dom gevonden, maar besefte nu terwijl hij Gerrie aankeek, dat dat misschien wel de bedoeling was geweest. Het was immers de aanleiding tot Walravens ontslag.

'Waar had je zo'n plezier om met Benno?'

'Nergens om,' zei Gerrie.

'Ik zag het toch,' zei Walraven.

'Koetjes en kalfjes,' zei Gerrie, 'toontje lager kan ook wel, Walraven. Ik heb jou niets misdaan.'

'Dat zeg jij, maar ik begin eraan te twijfelen.'

'Waaraan?'

'Volgens mij ben jij een ordinaire overloper en heb je ons verraden.'

Van Maasdijk moest lachen. 'Doe niet zo paranoïde, Walraven.'

'Dat ben ik niet.'

'Jawel.'

Marie Anne keek Gerrie aan. Ze overwoog de mogelijkheid dat Gerrie al die tijd voor Bernhard was blijven werken, dat hij in zijn opdracht in Juliana's kamp spioneerde.

'Je staat als beste vrienden te lachen met de man die je met verlof stuurt en per 1 januari ontslaat.'

'Och, ik heb wel meer baantjes, Walraven,' zei Van Maasdijk.

'Daar gaat het niet om,' zei Walraven, 'je bent een onderkruiper.'

'Dat neem je terug!' eiste Van Maasdijk.

Walraven keek Van Maasdijk onbewogen aan. Gerrie werd kwaad en verwachtte bijval van Marie Anne, maar die kreeg hij niet. Op hoge poten verliet de kamerheer in Buitengewone Dienst het secretariaat.

Tijdens de maand september was er steeds iemand aanwezig bij de contacten tussen Juliana, Walraven en Marie Anne. Juliana werd voorgesteld aan haar nieuwe particulier-secretaris, die Walraven opvolgde. Baron Van Heeckeren was te welgemanierd om openlijk en luidruchtig zijn afkeer te laten blijken over deze man, een voormalige NSB'er die voor de oorlog mede namens de Nederlandse Shell-aardoliemaatschappij in de kranten had gepleit voor Duits-Engelse samenwerking. Deze Van der Hoeven hoopte dat de nieuwe Duitse nationaal-socialistische orde het communisme onder de voet zou lopen. Het was helaas voor Van der Hoeven anders afgelopen. De Russen hadden de Duitsers tot in Berlijn in de pan gehakt. Walraven had schriftelijk zijn bezwaren tegen zijn opvolger bij Juliana kenbaar gemaakt, maar ze had er nauwelijks op gereageerd. Ze raakte alleen vertederd door een boekje dat de man haar had gegeven. Juliana had *Scheel engeltje* met tranen in haar ogen gelezen. Van der Hoeven was namelijk vader geworden van een mongooltje en beschreef de tragiek binnen zijn gezin en hoe ze van het misvormde kind hadden leren houden, dat een bron van vreugde werd. Walraven vond Juliana bijzonder mild en meegaand, maar hij kon zijn vinger er niet achter krijgen. Haar sentimentaliteit had hij nooit eerder ervaren, misschien miste ze de steun en dagelijkse omgang met Greet. Juliana was te trots om tegen Greets verwijdering van het hof te protesteren en het kwam op Walraven over alsof ze zich erbij had neergelegd. Ze ging nauwelijks in op Walravens opmerkingen over Greet. Het enige wat ze aan hem vroeg, was of er bandopnamen gemaakt konden worden van de bijeenkomsten op Het Oude Loo. Walraven had daar zonder er melding van te maken gehoor aan gegeven. In de stilte van haar werkkamer luisterde Juliana op een bandrecorder naar de lezingen. Er zat er een bij van Greet, die ze vaak terugspoelde en opnieuw beluisterde, maar ze sprak er met niemand over, zelfs niet met Walraven of Marie Anne. Er was na Juliana's terugkeer een soort afstandelijkheid ontstaan die Walraven niet begreep. Hij wilde haar niet bruuskeren door te vragen naar haar veranderde gemoedstoestand, dat zou te vrijpostig zijn geweest.

Van der Hoeven begeleidde Juliana tijdens haar ochtendwandeling. Ze bleven aan de rand van de paleisvijver staan kijken. Juliana keek vertederd naar een rondzwemmend waterhoentje en zag hoe het beestje met de snelheid van het noodlot onder water werd getrokken.

'Waar is het nu?' vroeg Juliana geschrokken. Van der Hoeven keek in het rond, maar wist het ook niet. Een toegesnelde hovenier bracht klaarheid. Hij zei dat het waterhoentje was opgepeuzeld door een jagende snoek. Juliana keek hem met verbijstering aan.

'Pomp de vijver leeg,' zei ze resoluut.

'Pardon, majesteit?'

'Pomp de vijver ogenblikkelijk leeg!' herhaalde ze.

'Majesteit,' herhaalde de hovenier verrast.

'Maak voort!' zei ze.

'Jawel, majesteit,' zei de hovenier.

'Ze moeten die monsters eruit halen!' riep Juliana verontwaardigd.

Van der Hoeven knikte instemmend, hij durfde haar bizarre verzoek niet tegen te spreken.

Naarmate de tijd verstreek kwam Juliana's persoonlijkheid tot rust, precies zoals dokter Hoelen had voorspeld. Ze bracht tijd door met haar oudste dochters, die hun best deden om de band met hun moeder te verbeteren. Bernhard kwam zo nu en dan bij zijn vrouw op de thee en sprak dan het grootste deel van de tijd met zijn dochters of Juliana's nieuwe particulier-secretaris. Hoffotograaf Max Koot maakte prachtige foto's van het koninklijk gezin op het bordes, in de tuin en in de bibliotheek. Deze foto's verschenen in alle kranten en tijdschriften in binnen- en buitenland.

De caravan van Greet Hofmans werd eind september 1956 's nachts onder handen genomen; haar was te verstaan gegeven dat ze zich niet meer binnen de gemeentegrenzen mocht ophouden. Er was niemand aanwezig in het huis van de familie Mijnssen. Twee mannen in leren jassen braken in het licht van hun zaklantaarns de deur van de caravan met een koevoet open. Ze droegen een blik petroleum naar binnen. Gehaast stopten ze alle paperassen, persoonlijke spullen, dagboeken, foto's en kleding in dozen. Een portret van een lachende Juliana en Greet uit 1951 dat aan de muur hing, werd in de doos gesmeten waarbij het glas brak. De twee mannen vernielden trappend en smijtend het interieur van de caravan. De dozen werden opgehaald door een paar andere mannen, die ze naar een auto sjouwden die voor het huis van de familie Mijnssen geparkeerd stond. Er werd peut over het meubilair van juffrouw Hofmans gegoten. Een man streek een lucifer over de zijkant van het doosje. Hij gooide het brandende houtje op de doordrenkte stoelen. Binnen korte tijd stond Greets caravan in lichterlaaie. De vlammen kropen omhoog en de mannen vertrokken.

In oktober 1956 schreef Juliana op advies van haar nieuwe particulier-secretaris een brief naar de minister-president, de heer Drees, waarin ze stelde: 'Ik ben zeer bezorgd over het opnieuw oplaaien van de lastercampagne in de pers. Ik moet eisen dat daar rigoureus een eind aan komt. Mijnerzijds ben ik begonnen maatregelen te nemen – zonder onderscheid des persoons. Dit zal resulteren in meerdere mutaties in mijn "Huis". Op advies van de heren Beel en Gerbrandy heb ik de heer De Jonge verzocht – en hij heeft zich daartoe bereid verklaard – een onderzoek in te stellen in mijn "Huis" in de ruimste zin, wat reorganisatie, onderlinge verhoudingen en indiscreties betreft. Bovendien heb ik ook nog anderen voor een dergelijk onderzoek op het oog teneinde er zeker van te zijn dat het onderzoek degelijk geschiedt en geen hiaten vertoont. Ik verwacht dat er niet minder dan enige maanden mee heen zullen gaan. Mijn moeder, die verschillenden van "onze mensen" heeft aangesteld, staat mij hierbij ter zijde. Van mijn kant zal al het mogelijke gebeuren. Ik weet dat de persoon van de heer Van Heeckeren u hoog zit, maar deze is nu met verlof. Ik zal ook deze aangelegenheid verder zéér serieus behandelen. U begrijpt evenwel dat ik vandaag de dag niet wederom veren kan laten, die men mij tracht uit te trekken. Bovendien wil ik dat alles zo geruisloos en elegant mogelijk verloopt, wat dit onderzoek en zijn resultaten betreft – dit geldt voor alle betrokkenen. Dit alles wat mijn zijde betreft. Ik hoop dat de nieuwe regering harerzijds niets zal nalaten om mij te steunen en de zaken zal uitzoeken die buiten mijn eigen terrein vallen. Ik heb mijn reeds vastgestelde plan om een korte ontspanningsreis te ondernemen niet gewijzigd.' Was getekend, Juliana.

Juliana vertrok zonder haar dochters en echtgenoot naar de Italiaanse badplaats Taormina op Sicilië om tot rust te komen. Twee nieuwe hofdames vergezelden haar tijdens de reis naar het zuiden. Greet Hofmans heeft ze, tot deze in 1968 stierf, nooit meer gesproken. Juliana wilde naar Greets uitvaart, maar zelfs dat werd haar niet toegestaan.

~

Omzien in verwondering 11

O p 22 februari 1976 om een uur 's nachts vielen er dikke
vlokken sneeuw in de tuin van huize Beel in Doorn. Juliana warmde haar handen bij het haardvuur, Louis Beel
zat zwijgend in zijn leren leunstoel. Het was de zevende keer in
drie weken dat ze 's avonds tot diep in de nacht bij elkaar waren.

'Het heeft lang geduurd voordat ik wist wat er allemaal speelde,'
zei Juliana.

'Ik ben als een olifant in de porseleinkast tekeergegaan. Een
rauwdouwer, dat was ik,' mompelde Beel.

'Het ergste vind ik nog steeds dat die dokter Hoelen mijn symbiose met Greet beschouwde als een ziekte die hij moest behandelen.'

'Hoelen is in 1960 overleden,' mompelde Beel.

Juliana knikte.

Beel was na zijn werk in 1956 blijven optreden als adviseur van
de Kroon. Aanvankelijk wantrouwde Juliana hem, maar na tien
jaar ontstond er wederzijds begrip. Beel had in 1966 op kundige
wijze de anti-Duitse sentimenten tegen de echtgenoot van haar

oudste dochter gesmoord. Nu waren ze vertrouwelingen, hij stond haar als staatshoofd met raad en daad ter zijde. Hij was aan het hof de scheidsrechter, diplomaat en regelaar achter de schermen. De uitgevlogen prinsessen, die inmiddels allang waren getrouwd en zelf ook een dagje ouder waren geworden, noemden hem nog steeds liefkozend 'papa Beel'. Louis was trots op die koninklijke troetelnaam. Hij keek Juliana aan, die voor het opflakkerende haardvuur stond. Ze hadden tijdens de verstilde winternachten de hele geschiedenis nog eens doorgenomen. Ze hadden de brokstukken uit hun herinneringen aan elkaar gepast.

Bernhard had eens lachend tegen Juliana gezegd dat ze was geslaagd voor het diploma van 'official handshaker', dat was na hun staatsbezoek in 1971 aan Indonesië geweest. In de voormalige kolonie waren Juliana en Bernhard als oude vrienden ontvangen. Bijna alle wonden heelden na verloop van tijd. Juliana had in de jaren zestig en begin zeventig veel gehoord over het haar onbekende leven van Bernhard van zijn vriend Paul, die vaak mee was geweest naar Afrika. Na de zoveelste verhouding, met een Franse vrouw, had Paul zijn vriendschap met Bernhard opgezegd.

Juliana keek de oude zieke Beel aan. Hij had het haar nooit letterlijk gezegd, maar Juliana wist dat Louis in zijn laatste levensfase was. Hij maakte de balans op. Beel boog voorover, sloeg zijn handen voor zijn gezicht en begon ingehouden te snikken. Juliana liep naar hem toe en legde troostend haar hand op zijn schouder. Ze had hem zijn wangedrag in de jaren vijftig vergeven. Beel was tenslotte niet de enige geweest die zich misdadig had gedragen. Het was begin februari officieel bekend geworden dat Bernhard weinig integer was, dat hij zich in ruil voor miljoenen had laten omkopen; dat hij corrupt was wist zij eigenlijk allang. Al sinds 1955, toen hij de kas van het paleis plunderde.

'Wat is er, Louis?'

'Ik,' pruttelde Louis beteuterd, 'ik verander nooit.'

'Hoezo, Louis?'

'Vlak voor je eerste bezoek heb ik Ria mijn paperassen, brieven en documenten achter in de tuin laten verbranden, alle sporen zijn verdwenen. Mijn hele leven heb ik alles in de doofpot gestopt, hoe gruwelijk ook. Je weet dat mijn broer priester is?'

'Ja, natuurlijk,' zei Juliana.

'Ik heb vanmiddag bij hem gebiecht.'

'Mag dat, familie onder elkaar?' vroeg Juliana.

'In de katholieke kerk mag veel,' snotterde Beel.

Ze schoten van de weeromstuit in de lach.

Beel was vierenzeventig, en de ziekenhuisopnames en operaties tegen de voortwoekerende kanker deden hem de das om.

'Ik heb in die tijd alles gedaan wat je echtgenoot van mij vroeg,' zei Louis, 'en dat is fout geweest. Ik wist niet beter, als plattelands-gemeentesecretaris, misschien was het wel beter geweest als je moeder mij nooit naar Londen had gehaald.'

De verzwakte Beel kwam weer tot zichzelf. Juliana reikte hem zijn glas armagnac aan.

'Ik heb al genoeg op,' zei Beel. 'Ik kan niet vaak genoeg zeggen hoezeer het mij spijt dat ik je zoveel schade heb berokkend.'

'Kwel jezelf niet, Louis, het is twintig jaar geleden. Je hebt mij later goed geholpen bij de kabinetsformaties, vergeet dat niet.'

'Dank je,' zei Beel. 'Zal ik je chauffeur nu roepen?'

'Ik ben nog niet klaar.'

Hij keek haar aan.

'Het heeft mij later veel pijn gedaan toen ik ontdekte dat Benno de bron bleek te zijn achter het eerste grote artikel in *Der Spiegel*; dat hij willens en wetens getracht heeft mij kapot te maken vergeef ik hem nooit.'

'Mij wel en Bernhard niet, dat klopt niet.'

'Jawel, want jij deed je werk. Je wist niet dat je werd gemanipu-leerd.'

'Hij is dus de kwade genius?' vroeg Beel.

'Ik hield van hem om dezelfde eigenschappen waarom ik hem nu veracht. Ik vind dat hij eens in zijn leven moet hangen voor al zijn fouten.'

'Strafrechtelijke vervolging zoals om het even welke andere Nederlandse burger?'

Juliana knikte. 'Voor de wet zijn we allemaal gelijk. Een uitzondering doet de hele familie corrupt lijken, nietwaar Louis?'

'Je snijdt niet in eigen vlees, Jula!'

'De tijdgeest is er klaar voor!'

'Je raakt Beatrix kwijt, die zal het je nooit vergeven. De monarchie komt ten val!'

'So be it,' verzuchtte Juliana.

Ze stond op. Beel begeleidde haar naar de deur, hielp haar in haar bontjas en klopte op de deur van de keuken waar Ria met de chauffeur zat te dammen. Juliana omhelsde Beel bij de deur en kuste hem op beide wangen.

'We spreken elkaar gauw,' zei ze liefdevol.

Beel knikte en zwaaide haar na.

Juliana overdacht achter in de hofauto die terugreed naar Soestdijk haar avondlijke gesprek met Louis. Het was vreemd dat ze elkaar zo na waren gekomen. Het kon verkeren in het leven. Ze dacht na over de stappen die ze zou gaan nemen. Ze mocht niet alleen aan zichzelf denken, maar moest ook rekening houden met haar dochters. Ze herinnerde zich de nacht in 1967 maar al te goed, waarin ze in de wachtkamer van het ziekenhuis zat terwijl haar oudste dochter haar eerste kind kreeg. Om tien voor acht 's avonds was de eerste mannelijke troonopvolger in honderd jaar geboren. Sindsdien was ze veertien keer oma geworden. Vier jaar geleden had Irene nog een tweeling gekregen, Jaime en Margarita. Irene kreeg naarmate ze ouder werd meer interesse in meditatie en spiritualiteit en Juliana was blij dat ze haar interesses terug zag komen bij haar tweede dochter. Ze was Irene dankbaar dat ze een van haar kinderen naar Margaretha had vernoemd, voor Juliana was dat een late erkenning van haar vriendschap met Greet Hofmans.

Juliana's internationale gezelschap van kleinkinderen speelde als ze in Nederland waren in de grote tuin achter het paleis. Als ze tijd had las Juliana de kleintjes voor. Irene had haar meisjeskamer op het paleis aangehouden, die ze tegenwoordig als logeerkamer gebruikte. Juliana overdacht haar leven. Ze was eenzaam, maar niet alleen geweest. Net zoals haar moeder, bedacht ze glimlachend. Naarmate ze ouder werd zag ze ook bij andere families hoe kinderen het leven van hun ouders op den duur imiteerden. De helderheid van de imitatie werd pas met het verstrijken van de tijd zichtbaar.

In de pers schreef men over een zwarte bladzijde in de geschiedenis van de koninklijke familie, zoals de moeilijkheden rond Bernhard genoemd werden. Juliana ontbood Bernhard op 23 februari 1976 in de bibliotheek. Ze wilde de kwestie met hem bespreken alvorens ze haar onderhoud had met Joop den Uyl, die als minister-president net als Willem Drees indertijd een constitutionele crisis moest bezweren. Ze wachtte op haar echtgenoot, die vrolijk glimlachend met de eeuwige anjer op zijn revers binnenstapte.

'Goedemorgen,' zei hij opgewekt.

Juliana knikte. Ze hield vroeger veel van toneelspelen, maar ze was het toneelstuk dat haar huwelijk was geworden behoorlijk zat. Naar buiten toe presenteerde ze haar huis als eenheid, want een verdeeld huis komt ten val, maar dat veranderde niets aan het gegeven dat ze sinds 1956 ieder voor zich hadden geleefd. Hij weliswaar minder eenzaam dan zij, veronderstelde ze, maar daar spraken ze nooit over. Tijdens de vele defilés stonden ze lachend naast elkaar te midden van hun dochters, schoonzoons en vele kleinkinderen te zwaaien naar het langslopende volk, een vast onderdeel van het toneelstuk. Het Nederlandse volk wilde dit nu eenmaal zo, dus moest het gebeuren. Dit waren verplichtingen waarbij persoonlijke gevoelens er niet toe deden, maar in de beslotenheid van de bibliotheek hoefde ze de schijn niet op te houden. Ze wist dat het vroeger zo hartstochtelijk verlangde middel om greep te krijgen op zijn leven nu binnen handbereik lag.

Bernhard ging tegenover haar zitten. Hij glimlachte vriendelijk.

'Je leest de kranten?' vroeg Juliana.

Hij knikte.

'Zeker allemaal leugens?'

'Nee,' antwoordde hij kortaf.

'O, je geeft het toe?'

'Hoge bomen vangen veel wind,' zei Bernhard. 'Ik heb geen steekpenningen aangenomen, ik heb alleen commissie ontvangen.'

'Leg mij het verschil eens uit.'

'Zolang ik in het zakenleven zit gebeurt dit en dat is normaal. Je geeft iemand een opdracht van laten we zeggen een miljoen gulden, dan betaalt hij jou in retour tienduizend gulden commissie, en dat doet hij graag, anders had hij die opdracht van een miljoen niet gekregen. Zo gaat het bij elk Nederlands of buitenlands bedrijf over de hele wereld, dat noemen we wervingskosten.'

Juliana dacht na.

'Niemand wordt benadeeld. Iedereen heeft er belang bij. Geloof mij maar, zo gaat het bij elk groot bedrijf,' zei Bernhard zakelijk.

'Nederland is jouw bedrijf niet!' zei Juliana.

Bernhard schudde zijn hoofd, alsof hij dat niet wist.

'Ministers, staatssecretarissen, de secretarissen-generaal van de ministeries en hoge ambtenaren stonden er met hun neus bovenop als ik die deals tijdens handelsmissies voor ze binnenhaalde.'

Juliana zweeg en Bernhard ging op het puntje van zijn stoel zitten.

'En nu moet iemand ervoor opdraaien, omdat ze in Amerika Lockheed aanpakken, en word ik als hoge boom, als prins der Nederlanden, opgehangen,' zei hij glimlachend. 'Dat is belachelijk!'

'Je bent charmant,' zei Juliana.

'Dank je.'

'En arrogant!'

Hij bleef glimlachend met zijn hoofd schudden.

'Wat heb je met het geld gedaan?'

'Gebruikt voor goede zaken.'

'Zoals?'

'In Afrika geïnvesteerd, natuurbescherming, dat is een goede zaak, dunkt me.'

'Ik vind het arrogant dat je denkt dat ik in die sprookjes blijf geloven.'

'Sprookjes?' riep hij lachend uit.

'Ja.'

'Goed, dan zijn het sprookjes, zijn we nu klaar?'

'Nee, nog niet.'

'Wat heb je nog meer op je lever?' vroeg hij.

Zijn glimlach was verdwenen.

'Ik heb de laatste weken verschillende keren met Louis Beel gesproken over onze levens. Louis wil schoon schip maken, want hij heeft niet meer zo lang te leven,' zei Juliana.

'Dat is spijtig,' zei Bernhard oprecht, 'hij heeft zijn leven lang voor ons gewerkt. Geef hem de hoogste onderscheiding voordat hij de grond in gaat.'

'Ga bij hem langs in Doorn,' zei ze.

'Zal ik doen,' zei Bernhard.

'Louis heeft mij alles uit de doeken gedaan over zijn betrokkenheid bij de verwijdering van Greet, mijn gedwongen opname, jouw betrokkenheid bij het artikel in *Der Spiegel*, de wijze waarop jij met hem en anderen mijn vrienden van het hof hebt verjaagd.'

Bernhard keek haar ijzig aan.

'Die opname was voor je eigen bestwil. Je was ziek!'

'Ik was niet ziek.'

'Jawel.'

'Lieg niet!'

'Je bent zeker vergeten hoe ziek je was. Je zou dankbaar moeten zijn dat ik alles heb opgelost en bij je ben gebleven.'

Juliana trok bleek weg. 'Dat meen je niet.'

Bernhard knikte ernstig. 'Zo is het geweest en niet anders,' zei hij kalm.

'Verdwijn uit mijn ogen,' riep Juliana geëmotioneerd.

Bernhard stond op, liep naar de deur en verdween spoorslags uit de bibliotheek.

Juliana voelde zich gekrenkt, maar wilde ditmaal geen slachtoffer worden van zijn daden. Ze zou deze bon-vivant niet langer de hand boven het hoofd houden.

Op haar werkkamer ontving ze de kalende minister-president Den Uyl, die met een bezorgd gezicht binnenkwam. Ze groette hem hartelijk en deelde zijn zorgen. Ze wist dat er door iedereen in Den Haag in de wandelgangen over deze kwestie werd gesproken en dat ze zorgvuldig moesten handelen. Ze namen plaats in de gemakkelijke stoelen bij het raam. Een lakei serveerde thee.

'De zaak is in de ministerraad besproken?'

'Ja, ik heb andermaal spoedberaad gehad in het Catshuis.'

'Toe maar.'

'De situatie is bijzonder ernstig, mevrouw.'

Juliana knikte.

'Naarmate de zaak langer in het ongewisse blijft, wordt de schade des te groter,' zei Den Uyl.

'Wat is uw standpunt?' vroeg Juliana.

'Er zijn in feite twee punten van aandacht. Aan de ene kant zijn er strafbare feiten boven tafel gekomen waar we niet omheen kunnen. Prins Bernhard zal vermoedelijk al zijn functies in het openbaar bestuur, in het bedrijfsleven en bij het leger moeten opgeven.'

Juliana lachte besmuikt.

'Zei ik iets grappigs, mevrouw?'

'Ja,' zei Juliana lachend.

Welwillend wachtte hij tot ze was uitgelachen.

'Hij heeft zo'n zestig gala-uniformen in zijn kast hangen, die kan hij alleen nog voor de spiegel in zijn kleedkamer dragen. Weinig ruimte om te marcheren.'

'Vindt u dat komisch, mevrouw?'

'Ja, heel erg,' zei Juliana.

'De tweede kant van de zaak: in het ergste geval hangt prins Bernhard strafrechtelijke vervolging boven het hoofd,' zei Den Uyl. 'Er is de laatste weken een stemming ontstaan die in die richting wijst.'

'Vredeling en Boersma?' vroeg Juliana.

'Ja, maar zij niet alleen,' zei Den Uyl.

'Ik moet daarover nadenken,' zei Juliana rustig.

Den Uyl keek haar verrast aan.

'U kunt zich daarmee verenigen?'

Juliana knikte. 'Ik zal in dat geval aftreden en niemand van mijn familie zal bereid zijn om mij onder zulke omstandigheden op te volgen, dat begrijpt u,' zei ze.

Den Uyl knikte ernstig. Het was ook weer niet de bedoeling dat hij als minister-president namens de PvdA de monarchie om zeep hielp, dat zou hem door het rechtse conservatieve deel van de natie niet in dank worden afgenomen. Zijn eigen linkse achterban zou het wel kunnen waarderen, maar hij was immers minister-president van alle Nederlanders.

'Laten we geen overhaaste beslissingen nemen,' zei Den Uyl bedachtzaam. Hij sprak langzaam en legde op elk woord nadruk, alsof zijn tekst daarmee aan belang won. Hij had niet op de medewerking van de koningin aan de ontmanteling van de monarchie gerekend.

'U hebt uw adviseur, de heer Beel, gesproken?' vroeg Den Uyl. Hij stelde zich net als zijn socialistische voorganger Willem Drees in de jaren vijftig afstandelijk op in relatie tot leden van het koninklijk huis, maar desalniettemin was hij op gedienstige wijze bereid om elke maatregel te nemen om de monarchie te beschermen. Het instituut was hem ideologisch wezensvreemd, maar het mocht niet vallen, omdat dat grote onrust in het land zou veroorzaken. Het zou het einde van zijn kabinet betekenen. De rechtse orangisten zouden woedend de straat opgaan en de schuld bij zijn linkse partij leggen, wat hij moest voorkomen. Enige steun van de koningin bij het uitvoeren van deze moeilijke taak zou hij op prijs stellen; als zij er ook de bijl aan gaf, werd het wel erg ingewikkeld. Aan de andere kant achtte Joop den Uyl het ook niet voorstelbaar dat hij de eerste gekozen president werd van de Republiek der Nederlanden, dat zou de Nederlandse samenleving als geheel niet aanvaarden, zijn socialistische visie en geloof waren te omstreden. Hij vreesde voor verdere polarisatie binnen de Nederlandse samenleving na de val van het koningshuis, want het instituut bleek sinds mensenheugenis een probaat lijmmiddel om de verdeeldheid binnen de Nederlandse samenleving te beteugelen. Iedereen kon zich immers achter de tradities die samengingen met het oranje vaandel scharen. Het was een neutraal symbool voor het Nederlandse volk geworden en dat er achter dat symbool van alles gaande was, deed niet ter zake. Den Uyl wist dat elke traditie in feite een bescherming voor een bepaalde groep was, in dit geval een graaiende en snaaiende Bernhard. Hij voelde weinig medelijden met deze charlatan, maar dat deed er nu niet toe. Het ging om het intact houden van het symbool. De verschillende personen moesten zich daar goedschiks of kwaadschiks bij neerleggen. Joop was bereid veel zaken die het daglicht niet konden velen onder het tapijt te vegen. Een muitende vorstin was wel het laatste wat Den Uyl had verwacht.

'Tja Joop, ik heb met Louis gesproken.'

'En wat zegt hij als adviseur van de Kroon?'

'Dat ik mijn oudste dochter voorgoed kwijtraak als ik aftreed,' zei Juliana.

'Dat is alles?'

'Ja,' merkte Juliana laconiek op.

'Hij heeft zijn mening niet gegeven over de staatsrechtelijke aspecten?' vroeg Den Uyl verrast.

'De indruk die ik van Louis krijg,' zei Juliana aarzelend, 'is dat hij wil dat de show doorgaat in het belang van het land.'

Den Uyl knikte instemmend.

'The show must go on,' herhaalde Juliana.

Den Uyl keek haar geamuseerd aan. 'Zo zal meneer Beel het niet hebben gezegd.'

'Louis heeft er spijt van dat hij zijn leven lang alles in de doofpot heeft gestopt,' zei Juliana.

'Voorzover ik weet heeft hij altijd naar eer en geweten het land gediend. Ik heb hem leren kennen als een staatsman van formaat, intelligent, doortastend, bereid tot samenwerking met mijn partij. Samen met Drees was hij de architect van de eerste rooms-rode coalitie van na de oorlog,' zei Den Uyl overtuigd.

'Misschien zijn er zaken waar u geen weet van hebt.'

'Dat is heel goed mogelijk,' gaf Joop toe.

'Wanneer hebt u hem voor het laatst gesproken?'

Den Uyl wist dat niet precies.

'Louis is nu een oud ziek vogeltje. Hij maakt de balans op van zijn leven,' zei Juliana.

'Dat kleurt wellicht zijn mening, maar ik vind dat hij geen reden heeft voor spijt of verbittering,' zei Den Uyl. 'Beel heeft zijn beste jaren voor het land gegeven, dat verdient niets anders dan respect.'

Juliana knikte. Ze voelde er weinig voor om persoonlijke zaken die hem niets aangingen met Den Uyl te bespreken. Ze zei hem dat ze de kwestie in beraad hield. Ze namen afscheid.

Juliana wandelde die dagen vaak alleen door het bos achter het paleis. Ze dacht na over haar dochters. Ze kwam tot de conclusie dat haar tweede dochter nog het meest op haar leek, maar dat werd pas duidelijk met het verstrijken van de tijd nadat Irene vele levensfases had doorlopen. Juliana liep naar de oude houten bank onder de eik waar ze vroeger vaak met Greet naar de vogels had zitten kijken en naar de dieren in het bos; ze genoot van de stilte. Deze ronde houten bank was niet door weer en wind aangetast. Juliana inspecteerde elk najaar of de bank opnieuw in de verf was gezet door de hoveniers. Ze wilde hem in stand houden ter nagedachtenis aan haar acht jaar geleden overleden vriendin. Juliana vroeg zich mijmerend af wat Greet zou hebben gedaan met Bernhards affaire. Oog om oog, tand om tand, of vergiffenis voor begane zonden? Juliana wist niet hoe Greet de laatste twaalf jaar van haar leven had doorgebracht, of ze gelukkig was geweest, of eenzaam en teleurgesteld door de slopende ziekte, misschien was Greet spiritueel in staat geweest om haar kanker te aanvaarden. Juliana wist dat het een gemeenplaats was, maar alles was zo snel voorbijgegaan. Greet was alweer acht jaar geleden overleden, en Louis zou binnenkort volgen, dat voelde ze intuïtief aan. Juliana wist dat ze als echtgenote geen goed voorbeeld had gegeven. Haar dochters zouden vermoedelijk haar slechte huwelijk herhalen, net zoals zij het slechte huwelijk van haar moeder had geïmiteerd. Geen van haar dochters had meegemaakt hoe een vader en moeder als man en vrouw met elkaar in harmonie konden leven. Juliana had geen man in haar leven gekend met wie de omgang tegelijkertijd vriendschappelijk, vertrouwd en intiem was. De intiemste nabijheid had ze bij Greet ervaren, maar dat was als vrouwen onder elkaar. Net zoals haar moeder hield ze het niet voor mogelijk dat een koningin een goed huwelijksleven had. De prijs van dat gemis had ze betaald, dat was de eenzaamheid, een prijs die haar oudste dochter wellicht ook zou gaan betalen in de toekomst. Juliana hoopte met heel haar hart dat haar vier dochters de kracht en energie zouden vinden om een andere weg te gaan, maar de geschiedenis had anders geleerd. Op de bank onder de eik dacht ze na over Irene, die in 1964 als eerste was getrouwd. Na de middelbare school was Irene Spaans gaan studeren. Ze slaagde vrij snel als tolk-vertaalster en Juliana had haar als beloning twee maanden vakantie in Spanje cadeau gedaan. Irene was toen vierentwintig jaar, en ze kreeg een vriend, die ze echter niet mee naar huis bracht. Irene zocht haar eigen weg. De consternatie was groot toen er foto's in de pers verschenen waarop Irene in een katholieke kerk ter communie ging. Ze was in het geheim katholiek geworden, een klap in het gezicht van de Nederlandse protestantse gemeenschap. Kort daarop maakte Irene haar verloving bekend. Juliana wist van niets en Bernhard reisde in allerijl naar Spanje. Zij hoorde van Bernhards secretaris dat de verloving niet doorging. Irene zou in Spanje blijven om tot rust te komen. Juliana mocht haar daar niet opzoeken van het Nederlandse kabinet, omdat Nederland geen betrekkingen met het Spanje van dictator Franco onderhield. Pas later ontmoette ze Irenes man, de Spaanse carlist Carlos Hugo, die aanspraak maakte op de Spaanse troon. Irene moest van het kabinet haar Nederlandse troonrechten opgeven. Op dat moment viel bij Juliana het kwartje. Irene had altijd al enige rivaliteit gevoeld met haar oudste zus. Waarom zij wel koningin en ik niet? Juliana had haar het erf- en geboorterecht keer op keer uitgelegd, maar dat mocht niet baten. Irene wilde elders in Europa op eigen houtje koningin worden. Ze trouwde in het katholieke Rome, en niemand van de koninklijke familie mocht aanwezig zijn van het Nederlandse kabinet. Juliana vond dat wreed, kortzichtig en onmenselijk. Het kabinet beschouwde haar en haar familie als een stel wassen beelden, die een paar keer per jaar werden gelucht op het bordes ten overstaan van het Nederlandse volk. Leden van de koninklijke familie hadden niet als elk ander mens het recht om fouten maken, daarvan te leren en nieuwe ervaringen op te doen. Juliana herinnerde zich dat het een eenzaam gelag was geweest voor Irene.

In 1965 stond de Nederlandse natie weer op stelten toen haar oudste dochter zich met een Duitse diplomaat verloofde. De vrede was in de meimaand van 1965 precies twintig jaar oud, maar de pijn van vijf jaar oorlog en Duitse bezetting was nog lang niet verwerkt. Juliana wist dat ziekte, dood en geestelijk geweld levenslang hun sporen nalieten. Ze was zelf immers ook met een 'foute' Duitser getrouwd. De appel viel ook deze keer niet ver van de boom, Beatrix had haar loyaliteit en grote liefde voor haar vader tot uiting gebracht door haar huwelijk met een 'goede' Duitser. Ook dit huwelijk leidde tot stampij en nachtelijke debatten in de Tweede Kamer. Het leek alsof Nederland opnieuw werd bezet door de Duitsers. De hoofdstad stond in lichterlaaie op de dag van de trouwerij.

Haar derde dochter Margriet wilde alle heisa en hysterische publiciteit rond haar huwelijk voorkomen. Ze trouwde met een Nederlandse burgerjongen, die door Bernhard met een scheef oog werd aangekeken. Hij tolereerde geen burgermensen in zijn familie, dat tastte de bloedlijn aan, zo simpel lag dat. Adel trouwt niet naar beneden. Haar oudste dochter keerde deze burgerjongen in navolging van haar vader hooghartig de wang toe.

Haar vroegere zorgenkind Marijke brak met alles, ze ging na de havo op kamers, maar vond dat nog niet genoeg. Ze veranderde haar naam in Christina en ging in Montreal wonen, waar ze tot grote ergernis van haar vader met een stateloze Cubaan trouwde. Ze deed evenals Irene afstand van haar Nederlandse troonrechten.

Irene had weliswaar afstand gedaan van haar rechten op de Nederlandse troon, maar ze koesterde nog steeds de hoop om koningin te worden. Ze had haar kaarten op de Spaanse troon gezet.

Ze volgde al die jaren haar man naar allerlei carlistische bijeenkomsten in de verwachting dat hij eens de Spaanse troon zou bestijgen. Maar een andere Spaanse prins volgde generaal Franco op, wat een zware wissel trok op Irenes huwelijk met Hugo Carlos. Irene en Hugo hadden samen gestreden, maar de Spaanse troon werd onbereikbaar en dat had zijn weerslag op hun relatie. Het gedroomde ideaal was in rook opgegaan. Het huwelijk bezweek bijkans onder die last. In februari 1976 kwam Irene thuis logeren met haar vier kinderen. Allereerst om haar ouders te steunen tijdens de moeilijke dagen, maar 's avonds in de bibliotheek bij een glas wijn nam Irene haar moeder in vertrouwen over haar echtelijke problemen en dat ze er rekening mee hield dat haar huwelijk zou stranden. Juliana luisterde naar haar dochter, die nog jong genoeg was om een ander te vinden en gelukkig te worden. Ze had zelf graag de kans op nieuw geluk gekregen in 1956, maar het Nederlandse kabinet had haar met harde hand teruggeduwd in haar echtelijke dwangbuis. Achteraf vond Juliana dat onmenselijk en kleinburgerlijk, alsof een besluit om te gaan scheiden na rijp beraad geen daad van zelfstandigheid, inzicht en volwassenheid was. Irene zou nog proberen om haar huwelijk te redden, maar zag het somber in. Ze stortte zich naast de zorg voor haar kinderen in de emancipatiestrijd van de Spaanse vrouwen. Het waren de hoogtijdagen van de tweede feministische golf. Haar overgave en betrokkenheid bij de Spaanse vrouwenbeweging werden haar door haar traditionele Spaanse echtgenoot niet in dank afgenomen. Hij groeide niet over zijn teleurstelling heen dat hij de Spaanse troon had verloren en Irene kon zijn verbittering niet langer delen. Juliana waardeerde Irenes vertrouwen en openheid. Er was toch vooruitgang geboekt, want Juliana had in de jaren vijftig geen gehoor gevonden bij haar moeder voor haar huwelijksproblemen, die had haar alleen gezegd dat ze moest volhouden en door de zure appel heen bijten. Juliana wilde niet dat een van haar dochters ook verstrikt zou raken in een ongelukkig huwelijk, in dat geval was een scheiding beter. Irene was door alles wat ze had meegemaakt een mens van vlees en bloed geworden, in tegenstelling tot haar oudste, die zich vanuit plichtsbesef met de dag meer pantserde met het harnas van troonopvolgster.

'Ik heb het je misschien nooit verteld, maar ik wilde in 1956 ook scheiden, maar dat mocht niet,' zei Juliana.

'Van wie niet?' vroeg Irene.

'Van het kabinet niet,' zei Juliana, 'het was een schande dat ik die wens had.'

'Heb je het papa ooit vergeven?'

'Wat?'

'Zijn vriendinnen, de andere kinderen?'

'Dat wel,' zei Juliana.

'Wat niet?' vroeg Irene.

Juliana keek Irene aan. Tranen welden op in haar ogen. Ze pakte Irenes hand en drukte er een kus op.

'Zand erover,' zei Juliana, 'als je in zo'n raar gezin als het onze bent opgegroeid, dan word je al op jonge leeftijd op jezelf teruggeworpen. Dan ben je vaak alleen, maar je krijgt er ook iets voor terug.'

'Wat dan?' vroeg Irene.

'Je wordt strijdbaar,' zei Juliana, 'dat hebben kinderen die opgroeien in harmonieuze gezinnen minder, die zoeken een partner met wie ze harmonieus gaan samenleven en daarmee basta!'

'Mama!' riep Irene verbaasd.

'Ik ben nog niet klaar!' zei Juliana lachend. 'Dat strijdbare komt voort uit eenzaamheid op jonge leeftijd.'

'Mama, ik heb genoeg liefde van jullie gekregen.'

'Nee, jullie zijn opgegroeid in de loopgraven van het mislukte huwelijk van je vader en mij. Gelukkig in een groot huis, anders hadden de borden elke avond door de keuken gevlogen. We hadden de ruimte om elkaar te negeren en te ontlopen.'

'Dat is zo,' zei Irene.

'Ja, maar die medaille heeft een keerzijde.'

'En die is?' vroeg Irene verbaasd.

'Je hebt een groter repertoire van negatieve keuzes meegekregen, zoals een herhaling van het ouderlijke ongelukkige huwelijk.

Daar ga jij·nu doorheen. Alles herhaalt zich in het leven. Het verbaast mij niet dat jouw huwelijk stukloopt, maar jij hebt gelukkig de ruimte om daaroverheen te groeien.'

Irene dacht na. 'Die ruimte kreeg jij niet?'

'Nee, geen millimeter. Het was slikken of stikken.'

'Mam, je draaft door!' zei Irene glimlachend.

'Nee, jullie hebben een opvoeding gekregen die gelukkige kinderen nooit krijgen,' zei Juliana, 'daar kun je op een andere manier weer dankbaar voor zijn.'

'Maar dat ben ik ook, mama,' zei Irene.

'Jullie hebben de strijd van je ouders aan den lijve ondervonden, maar je hebt daardoor op jonge leeftijd leren vechten. Ik vind het moedig van je dat je niet op een passieve manier berust in een ongelukkig huwelijk, dat siert je.'

Irene deed haar best om haar tranen tegen te houden. Ze nam haar moeder in haar armen en keek haar ontroerd aan.

'Je bent zo wijs, mam!'

'Door schade en schande geworden,' zei Juliana lachend, 'ik geloof dat niets een sterkere invloed heeft op kinderen dan het ongeleefde leven van een ouder. Je vader heeft zijn leven met volle teugen geleefd, dat mocht ik niet om duizend-en-één redenen, maar gelukkig, en daar ben ik heel blij mee, laat jij het niet zover komen. Leef je leven, kind.'

Irene knikte. Ze wilde die belofte inlossen. Ze zou zich verdiepen in zaken die haar wezenlijk interesseerden en daarmee de wereld intrekken, dat was ze aan haar moeder verplicht.

'Alleen als je als ouder je eigen leven ten volle leeft, kunnen je kinderen ook onbelast hun eigen leven leven.'

Irene knikte. 'En papa?'

'Wat is er met hem?'

'Steun je hem of moet hij al jouw openstaande rekeningen betalen?'

Juliana zweeg lang. 'Daar worstel ik mee,' zei ze, 'maar we gaan ons gesprek niet bederven, kind.'

Irene drong niet aan bij haar moeder.

Eind februari 1976 bezocht Juliana Louis Beel nog eenmaal thuis. Hij moest opnieuw in het ziekenhuis worden opgenomen. Ze zou hem daar niet komen opzoeken. Louis had zijn oplevingen. Hij liep redelijk kwiek door zijn huis en schonk koffie voor haar in. Ria kwam terug van boodschappen doen. Ze liet haar gezicht om de hoek van de deur zien.

'Hoe lang moet je deze keer in het ziekenhuis blijven?'

'Een dag of veertien,' zei Beel nuchter, 'maar ik sla mij er wel doorheen.'

'Zoals altijd,' zei Juliana glimlachend.

Louis ging er niet op in, pakte een vel papier, keek erop en ging tegenover haar zitten.

'Ik heb wat rond geïnformeerd,' zei hij. 'Bernhard heeft in 1960 een miljoen gulden ontvangen van Lockheed; dat geld werd gestort op een bankrekening in Zürich die op naam stond van Pantchoulidzew.'

'Zijn stiefvader,' zei Juliana.

'Hij beweert dat hij dat geld aan het World Wildlife Fund heeft geschonken,' zei Beel.

'Dat moest nog worden opgericht, maar ik begrijp de boodschap: Victor Baarn forever!' zei Juliana.

'Wie?'

'Laat maar,' zei Juliana. 'Wat adviseer jij?'

'De monarchie mag niet in gevaar komen?' vroeg Beel.

'Dat valt nog te bezien.'

'Den Uyl zal het standaardrecept uit het Nederlandse politieke repertoire moeten toepassen.'

'En dat is?'

'Een commissie van drie wijze mannen benoemen die de zaak tot op de bodem gaat uitzoeken, dat kost tijd, maanden, misschien wel een half jaar, en daardoor wordt de kwestie gedepolitiseerd.'

Juliana keek hem aan en schoot in de lach.

'Ja, lach maar.'

'Dat uitgerekend jij met deze oplossing komt, Louis.'

'Het werkt,' zei Beel, 'het rechtsgevoel wordt gediend. Het parlement en het volk krijgen niet het vermoeden van klassenjustitie en niemand verliest zijn gezicht.'

'Ook deze geschiedenis herhaalt zich,' zei Juliana, 'alles moet veranderen opdat alles hetzelfde blijft.'

Louis keek haar niet-begrijpend aan. 'Ik kan je niet volgen.'

'Is niet nodig, Louis. Ik neem aan dat je ook aan de mannetjes hebt gedacht?'

'Om je de waarheid te zeggen, ja. Ik denk aan Donner, rechter bij het Europese Hof, en aan Holtrop, die weet als oud-president van de Nederlandsche Bank van de hoed en de rand, en als derde man bij voorkeur een historicus, want het is een zaak met een achtergrond van tientallen jaren.'

Juliana keek hem vol verwondering aan.

'Wat kijk je?' vroeg Beel.

'Je bent onverbeterlijk, Louis.'

'Laten we het erop houden dat ik mijn vak nog steeds versta.'

'Op je grafsteen zetten we, als je het goedvindt: hier rust de enige en ware demofiel die de Nederlandse staat heeft gediend.'

'Is goed, maar mensen weten niet wat dat betekent,' zei Louis.

'Maar ik des te beter.'

Beel knikte.

Juliana ontving haar oudste dochter en Bernhard op haar werkkamer om het hete hangijzer rond de door hem ontvangen commissies en provisies bij de aankoop van Amerikaanse vliegtuigen door het Nederlandse leger te bespreken. Het verdeelde het huis zozeer dat er onrust was ontstaan over de toekomst.

Beatrix maakte zich zorgen over het lot van haar vader. Het kon toch niet zo zijn dat haar vader werd gestraft voor een leven lang van toewijding en dienstbaarheid aan de Nederlandse staat. Hij was niet eens Nederlander van geboorte en toch had hij zijn hele werkende leven in dienst gesteld van Nederland. Dat hij daar zelf ook af en toe beter van was geworden, was niet meer dan begrijpelijk. Daar konden die middenstanders en kruideniers in het kabinet haar vader niet voor bestraffen. Mocht dat onverhoeds wel het geval zijn, dan zou Beatrix afstand doen van haar troonrechten, dan moest het kabinet het zelf maar uitzoeken in de toekomst. Ze zou er echter alles aan doen om zo'n gang van zaken te voorkomen. Eerst moest ze het obstakel in eigen huis uit de weg ruimen, want het was onvoorstelbaar dat haar moeder zo'n strafrechtelijke vervolging van haar vader op enigerlei wijze steunde. Beatrix was op haar zevenendertigste oud en wijs genoeg om deze kwestie met haar vader en moeder te bespreken en tot een goede oplossing te brengen, zodat de familie eensgezind naar buiten kon treden.

Juliana zat zwijgend met haar bril op achter haar bureau. Er hing een foto van Louis Beel aan de muur. Bernhard wipte in coltrui en ribfluwelen broek op een stoel voor haar bureau. Trix zat zwijgend in een blauwe jurk naast haar vader.

'Ik heb er met Bea over gesproken en als jij Den Uyl laat weten dat je aftreedt, dan binden ze wel in en dan is de zaak opgelost,' zei Bernhard.

'Waarom zou ik dat doen?' vroeg Juliana bedeesd.

Bernhard schoot in de lach. Zijn vrouw was bereid om hem te laten vallen.

'Mam, je moet papa helpen,' zei Trix.

'Dat zeg je nu wel,' zei Juliana, 'maar ik heb nooit iets met die smeergelden te maken gehad, dus ik kan en wil er ook geen verantwoordelijkheid voor nemen.'

'Het waren geen smeergelden,' zei Bernhard bits.

'Het waren commissies,' zei Trix.

'O, zie je dat zo?' vroeg Juliana.

'Ja,' zei Trix.

'Ik zie dat heel anders,' zei Juliana.

Bernhard knikte subtiel naar zijn dochter. Ze kon eens temeer met haar eigen ogen zien dat zijn vrouw niet achter hem stond, het was een van de redenen van hun mislukte huwelijk geweest, en dat wist Beatrix. Haar moeder moest altijd alles anders doen.

'Dus je wilt dat ik de gevangenis inga in Scheveningen?' vroeg Bernhard boos.

Juliana zweeg.

'Wacht, wacht,' zei Beatrix, 'ik begrijp niet waarom jullie altijd zo hardvochtig tegen elkaar moeten zijn.'

'Daar zijn heel goede redenen voor,' zei Juliana kalm.

'Zoals?' vroeg Beatrix.

Juliana keek haar dochter en echtgenoot aan.

'Ik bied mijn excuses aan voor alles wat ik in mijn leven zogenaamd heb misdaan. Die lijst zal in jouw ogen heel lang zijn, en je moet hem vooral elke dag bijwerken, dan wordt hij nog een stuk langer,' merkte Bernhard ongeduldig op.

'Hou op,' zei Beatrix beslist, 'dit heeft geen zin.'

'Bea, er zijn dingen tussen ons gebeurd waar jij geen weet van hebt,' zei Juliana.

'Je doet het niet!' commandeerde Bernhard.

'Wat doe ik niet?' vroeg Juliana.

'Ik wil het ook niet weten, mama,' zei Beatrix, 'ik wil niet in het verleden leven. Ik wil vooruitkijken naar de toekomst. Het verleden is voorbij, daar kun je niets meer aan veranderen.'

Juliana dacht na. 'Goed, dan strijk ik in jouw belang mijn hand over mijn hart.'

Beatrix glimlachte opgelucht. Bernhard knikte instemmend.

'Ik wil wel als de rust is teruggekeerd afstand van de troon doen,' zei Juliana, 'want ik heb problemen met dat gemeet met twee maten.'

Bernhard zuchtte.

'Dat is goed,' zei Beatrix, 'ik ben klaar om je op te volgen.'

Juliana knikte.

'Ik wil jullie een raad geven, als dat mag,' zei Beatrix, 'probeer vrede met elkaar te sluiten. Ga samen reizen, naar Indonesië, de Antillen of Afrika en geniet van het leven zo lang dat nog kan.'

'Dat doe ik altijd al,' merkte Bernhard op.

'Ik heb het over mama,' zei Trix.

Juliana zweeg.

Eind augustus 1976 werden verschillende steekwagentjes met stapels rapporten het gebouw van de Tweede Kamer te Den Haag ingereden. Het rapport van de 'commissie-Donner' werd in de Kamer gepresenteerd door minister-president Den Uyl. Een ernstig kijkende Den Uyl tuurde de volle Kamer in. Hij zag aangeslagen gezichten voor zich. Alle volksvertegenwoordigers waren aanwezig. De ministers van het kabinet zaten aan weerszijden van Den Uyl. Er hing een geladen stilte. Den Uyl wikte en woog achter zijn katheder. Hij kwam aan bij de conclusie van zijn lange en genuanceerde betoog, waarin hij de waarheidsvinding van de commissie uitvoerig had toegelicht.

'Samenvattend komt de commissie-Donner tot het oordeel dat Zijne Koninklijke Hoogheid prins Bernhard in de overtuiging dat zijn positie onaantastbaar en zijn oordeel niet te beïnvloeden was zich aanvankelijk veel te lichtvaardig heeft begeven in transacties die de indruk moesten wekken dat hij gevoelig was voor gunsten, doch daar is door de commissie niet afdoende bewijs voor gevonden,' zei Den Uyl.

Hij keek de Kamer in en zag dat er een lichte golf van opluchting door het gebouw ging. De toekomst van de monarchie was andermaal veiliggesteld door een PvdA-minister-president. Prins Bernhard moest wel een prijs betalen. Eerder teleurgesteld dan geschokt besloot het kabinet dat de prins zijn banden met de krijgsmacht moest verbreken en dat hij al zijn functies in het bedrijfsleven moest neerleggen.

Bernhard verklaarde in het openbaar: 'Ik hoop de gelegenheid te behouden het land te dienen en mede daardoor het vertrouwen in mij te herstellen.' Hij legde wel al zijn functies neer en wierp zich volledig op het werk van het Worldlife Fund, waarvan hij medeoprichter was. Minister van Defensie Vredeling kwam hem persoonlijk op het paleis vertellen dat hij nooit meer in het openbaar een van zijn gala-uniformen mocht dragen. Bernhard zei hem dat hij ze dan alleen thuis zou dragen. Op Prinsjesdag verscheen Bernhard in jacquet te Den Haag.

Vier jaar later, op 31 januari 1980, kondigde Juliana haar troonsafstand aan. Iedereen was verrast. Er waren geen geruchten aan voorafgegaan. Vanuit de bibliotheek op Soestdijk zei Juliana: 'Bij iedereen die oud wordt, doet vroeger of later het feit zich voor dat de krachten gaan afnemen, en dat zo iemand zijn taak niet meer kan volbrengen als voorheen. Dan komt er een moment dat het ook niet langer verantwoord is die langer uit te oefenen. Zo voel ik dat voor mij het ogenblik nadert mijn taak als uw koningin neer te leggen.'

Bernhard pakte de draad weer op nadat zijn oudste dochter was ingehuldigd. Hij mocht door haar bemiddeling representatieve taken voor de Kroon vervullen en hij kreeg het weer net zo druk als vroeger. Hij had alleen geen blanco volmachten meer. Bij de viering van Bernhards zeventigste verjaardag in 1981 was er een probleem. Vrienden uit het verzet en mensen uit het bedrijfsleven die Bernhard waardeerden, wilde hem ter ere van zijn zeventigste verjaardag eren. Een groot defilé voor het paleis, dat zou het mooiste cadeau zijn. Het Nederlandse kabinet vond het na enige aarzeling wel goed, maar op één voorwaarde. Het defilé van oud-verzetsstrijders mocht niet vóór het paleis worden gehouden, maar moest uit het zicht blijven. In de grote achtertuin hielden oude vrienden een defilé. Bernhard kon zijn tranen niet bedwingen. De jaren sinds de Lockheed-affaire hadden hun sporen nagelaten. Vijf jaar later, bij de viering van de vijfenzeventigste verjaardag van de prins, ging het net zo. Weer was er een defilé achter in de tuin van het paleis. Voor de televisie verklaarde Bernhard blij te zijn met de kans die hem was geboden om terug te keren, al had het oordeel van degenen die twijfelden aan zijn goede bedoelingen hem veel verdriet gedaan.

In 1987 vierden Juliana en Bernhard hun gouden bruiloft. Ze gaven bij hoge uitzondering een exclusief interview, dat rechtstreeks werd uitgezonden op de Nederlandse televisie. De presentatrice van de NOS feliciteerde het gouden echtpaar uitgebreid en bood een cadeau aan namens de Nederlandse bevolking, dat ze in dank accepteerden. Bernhard wilde wel een kijkje geven in het leven op Soestdijk.

'Door ons werk zijn we dikwijls zo drukbezet dat er geen tijd is voor onderling contact zoals bij een normaal echtpaar, waar de man op een vast uur naar huis komt en de vrouw op een vast uur klaar is met werken en ze met elkaar de dingen van de dag bespreken. Bij ons is het zo dat onze secretarissen soms weken vooruit een gaatje in onze agenda's moeten prikken.'

Juliana knikte beamend en maakte van de gelegenheid gebruik om haar man een vraag te stellen in de wetenschap dat hij een antwoord niet kon ontwijken door de rechtstreekse uitzending op televisie.

'Kun je mij nu eindelijk eens uitleggen waarom je met mij bent getrouwd?' vroeg Juliana pardoes.

Bernhard reageerde verschrikt, lachte en mompelde wat. De interviewster zweeg, benieuwd als ze was naar zijn antwoord.

Prins Bernhard nam eindelijk het woord.

'Ik keek laatst op de televisie naar een missverkiezing van allerlei mooie meisjes van over de hele wereld. Ze moesten een vraag beantwoorden over wat ze het liefst wilden. Alle meisjes gaven hetzelfde antwoord,' zei Bernhard.

'En dat was?' vroeg de interviewster.

'Worldpeace!' zei Bernhard lachend. 'Mijn lieve vrouw heeft ook haar hele leven gestreden voor worldpeace!'

Bernhard lachte om zijn anekdote. Juliana keek hem verrast aan. Hij gaf geen antwoord op haar vraag.

~

Nawoord

*M*ijn fascinatie voor de monarchale democratie begon zo'n tien jaar geleden na het lezen van enkele boeken over dit onderwerp. Met name het feit dat het hoogste democratische goed, namelijk vrijheid van meningsuiting, onthouden bleef aan het staatshoofd, wekte mijn belangstelling. Het is een merkwaardige grondwettelijke constructie die in de negentiende eeuw tot stand is gekomen tijdens de overgang van monarchie naar democratie, twee staatsrechtelijke systemen die per definitie met elkaar in tegenspraak verkeren. De staatsrechtelijke paradox die voortkwam uit de combinatie van beide systemen werd in 1848 bedacht door de liberale politicus Thorbecke, die enerzijds voor de opgave stond om de toenmalige absolute macht van de koning aan banden te leggen, en anderzijds het instituut van de monarchie intact moest laten voor latere generaties.

Thorbecke bedacht de volgende byzantijnse oplossing: de koning bleef onvoorwaardelijk staatshoofd en werd onschendbaar, en de zittende minister-president werd verantwoordelijk voor zijn of haar daden, oftewel de befaamde ministeriële verantwoordelijkheid. Deze grondwettelijke constructie van meer dan honderdvijftig jaar oud is tot op de dag van vandaag staatsrechtelijk van kracht. Een monarch die zich wenste te profileren binnen de samenleving waarvan hij of zij deel uitmaakte en formeel aan het hoofd stond, struikelde bij een verschil van inzicht bij voorbaat over deze grondwettelijke houdgreep, die mijns inziens anno 2002 een anachronisme is. Democratie functioneert bij de gratie van vrijheid van meningsuiting, tegenspraak en publiek debat. Deelname aan dit democratische proces wordt om grondwettelijke redenen onthouden aan het Nederlandse staatshoofd. Dat deze uitsluiting een bron van moeilijkheden kan zijn, heeft de geschiedenis ons genoegzaam geleerd. H.M. Juliana ondervond tijdens haar regeerperiode door deze staatsrechtelijke monstruositeit veel problemen doordat zij in de jaren vijftig niet op één lijn zat met de toenmalige op democratische wijze gekozen kabinetten, die onder meer voor de NAVO, voor bewapening en voor de opbouw van een sterk leger waren en die sterk polariseerden door hun fervente anticommunisme tijdens de steeds hoger oplopende Koude Oorlog tussen de Amerikanen en de Russen. H.M. Juliana sympathiseerde met de gedachte van neutraliteit, De Derde Weg en een religieus gemotiveerd pacifisme. Zij had een vooruitstrevende politieke visie, die pas in de jaren zestig en later gemeengoed werd binnen de Nederlandse samenleving. Haar vroegtijdige reserve en bedenkingen over de economische en militaire gevolgen van de bereikte 'Pax Americana' na 1945 getuigen retrospectief gezien van intellectuele durf en moed. In de Nederlandse samenleving kwamen dergelijke kanttekeningen bij de Amerikaanse hegemonie pas tijdens de Vietnam-oorlog in de jaren zestig tot wasdom. H.M. Juliana botste in de eerste helft van de jaren vijftig qua geloof en overtuiging met haar minister-president en ministers. Daar voorzag Thorbeckes grondwettelijk vastgelegde historisch compromis niet in. H.M. Juliana kwam tussen wal en schip terecht; ze moest inbinden, anders ontstond er een constitutionele crisis, omdat de minister-president geen verantwoordelijkheid wenste te nemen voor haar overtuiging en zij die niet wenste op te geven. Er ontstond een kloof van onbegrip tussen de vorstin en haar kabinet. Ook het groeiende geschil met haar echtgenoot prins Bernhard heeft de zaak geen goed gedaan en mede geleid tot de Greet Hofmans-affaire uit 1956, welke mijns inziens niets anders is geweest dan een rookgordijn dat het werkelijke conflict tussen het kabinet en de onschendbare vorstin maskeerde voor de Nederlandse burgers.

Deze gefabriceerde affaire verhulde het hofconflict. Een conflict waarin een bevlogen pacifistische vorstin tegenover haar prins-gemaal en haar kabinet kwam te staan. Er ontstond een situatie waarin monarchie en democratie met elkaar in botsing kwamen met als gevolg een klassiek koningsdrama. De oplossing werd met veel pijn en moeite binnenskamers gehouden, omdat het enige grondwettelijke alternatief bij een blijvend verschil van mening tussen vorstin en haar kabinet abdicatie was geweest. Aftreden werd door het demissionaire kabinet-Drees in 1956 als onaanvaardbaar gezien, omdat de vorstin er dan officieel het bijltje bij neergooide. H.M. Juliana was hiertoe bereid om haar integriteit te bewaren, doch vijftig jaar geleden was men van mening dat zo'n daad het instituut van de monarchie onherstelbaar zou beschadigen.

Over de bereikte tussenoplossing gaat onder andere het voorgaande verhaal, waarin ik op basis van de vele beschikbare lectuur, literatuur, historische studies, publieke open bronnen en onderzoek in voor het merendeel geschoonde archieven van de betrokken staatslieden een gefictionaliseerde reconstructie heb gemaakt van deze ondemocratische geschiedenis. De gekozen oplossing leidde tot de aanpassing van onze vorstin en het behoud van de monarchie. De toenmalige buitenlandse politiek en het defensiebeleid konden rimpelloos worden voortgezet. Aan de andere kant was deze geschiedenis geheel anders gelopen als de vorstin zich na haar inhuldiging in 1948 had geconformeerd aan de vereisten van de ministeriële verantwoordelijkheid en haar rol had beperkt tot die van 'official handshaker'. Het is ondoenlijk om deze geschiedenis van dag tot dag gedurende de periode van mei tot en met oktober 1956 te reconstrueren, omdat de pers in die tijd onmondig werd gemaakt en gemanipuleerd. Journalisten zijn ook maar burgers, die zich indertijd gepast, gehoorzaam en respectvol dienden te gedragen, anders lag wellicht vervolging wegens belediging van het staatshoofd in het verschiet. Alle gedocumenteerde sporen zijn later zoveel mogelijk uit de annalen en publiekelijk toegankelijke archieven verwijderd. De afgelopen vijftig jaar hebben desondanks geleid tot veel publicaties over deze geschiedenis. Het verborgene kent zijn eigen fascinatie. Deze publicaties zijn deels populair, deels historisch-wetenschappelijk van aard, maar een belangrijk document zoals het rapport van de onderzoekscommissie-Beel uit 1956 blijft tot op de dag van vandaag achter slot en grendel. De historicus dr. L. Giebels heeft in de jaren negentig voor zijn biografie over de staatsman Louis Beel geprocedeerd voor openbaarmaking van het rapport van deze commissie, maar deze poging is niet geslaagd.

Ik ben mij bewust van de soms indiscrete wijze waarop publieke personen en functionarissen in dit manuscript worden beschreven, maar aan de andere kant is het noodzakelijk om in detail te treden inzake het persoonlijk leven van de hoofdfiguren, omdat dit samenvalt met hun openbaar en staatsrechtelijk functioneren. Vaak wordt gezegd dat elke kritiek op ons vorstenhuis lafhartig is, omdat deze personen zich niet in het openbaar kunnen verdedigen, maar dat is slechts één kant van het verhaal. Sinds de idealen van de Verlichting hun intrede deden in Europa, dient mijns inziens elke troonpretendent zich te bezinnen op de anachronistische waarde van de monarchie binnen een moderne democratie. Ook voor deze mensen gelden de idealen van de Verlichting. Zij kunnen in vrijheid beslissen af te zien van hun erfelijke voorbeschikte rol. Mochten zij dat niet doen, dan moeten vrije burgers de mogelijkheid blijven houden om te reageren op de gevolgen van

Thorbeckes honderdvijftig jaar oude compromis, dat zoals de beschreven geschiedenis in dit boek bewijst bijzonder belastend kan zijn voor de persoon in kwestie.

Deze historische roman pretendeert geen objectiviteit, want veel van de gefictionaliseerde gebeurtenissen worden in de diverse publicaties steeds vanuit een ander perspectief beschreven, zij het rechts, links, monarchistisch, republikeins, beschrijvend, kritisch, historisch verantwoord of strikt hagiografisch. Het opnemen van een uitvoerige bronnen- en literatuurlijst is mijns inziens alleen relevant bij een journalistieke of wetenschappelijke studie. De gebruikte studies zijn onder andere die van de auteurs H. Arlman en G. Mulder, *Van de prins geen kwaad* (1988), A. Bredenhoff en J.T. Offringa, *Occult licht op een koninklijke affaire* (1996), C. Fasseur, *Wilhelmina* (2001), L.J. Giebels, *Beel, van vazal tot onderkoning* (2001), A. Hatch, *Prins Bernhard, zijn plaats en functie in de moderne monarchie* (1962), M.G. Schenk en M. van Herk, *Juliana, vorstin naast de rode loper* (1980), J.G. Kikkert, *Crisis op Soestdijk* (1996), Fred J. Lammers, *Hare Majesteit de Koningin* (1974) en het boek van F.J.F.M. Duynstee, *De kabinetsformaties 1946-1965*. Dit zijn slechts enkele titels, want er zijn veel studies gepubliceerd over dit thema. Afgezien van het onderwerp van dit boek blijft in algemene zin ook de vaststelling relevant dat elke poging tot biografie niet meer dan een interpretatie is van leven en werken van een bepaalde persoon. Over belangrijke historische figuren zijn zeer uiteenlopende boeken geschreven op basis van dezelfde open bronnen, literatuur en archiefmateriaal. Daarbij wil ik niet zover gaan te beweren dat elke biografie fictioneel van aard is, maar wel dat er eerder sprake is van een poging tot duiding.

Een aantal niet bij naam genoemde mensen en historici is bijzonder behulpzaam geweest bij de totstandkoming van dit boek. Ik denk hierbij vooral aan het vele archiefonderzoek gedurende de jaren negentig van de historicus drs. W.M. de Lang, die privé-correspondentie tussen de bevriende K V P-fractieleider prof. dr. C. Romme en dr. E. Hoelen, geneesheer-directeur van de Wassenaarse St. Ursula-kliniek, heeft gevonden in het archief-Romme in het Nationaal Archief te Den Haag. Dit archief is weliswaar geschoond, maar deze opschoning is niet volledig geweest. Ook de gevonden brieven van mr. J.W. Beyen, mej. M.A. Tellegen, dr. W. Drees, dr. L.J. Beel, ir. H.B.J. Witte, Sefton Delmer, prof. mr. J.A. van Hamel en H.M. Juliana uit de periode mei tot en met oktober 1956 hebben bijgedragen tot het verwerven van inzicht in deze materie. Bijzonder behulpzaam zijn de kennis en de documentatie geweest van het vroegere Tweede-Kamerlid en historicus Lambert Giebels en ook bijzonder inzichtelijk was de visie van de heer Rob de la Rive Box, die als toenmalig stafmedewerker van de Rijksvoorlichtingsdienst de geschiedenis als ooggetuige in de jaren vijftig heeft meegemaakt. En niet in de laatste plaats wil ik wijzen op de stimulerende ondersteuning van redacteur Ingrid Meurs, uitgever Tanja Hendriks, mijn vriend Gerrard Verhage en mijn vrouw Wally de Lang.

Hans Galesloot, Bloemendaal, augustus 2002